トリカゴ

Torikago
Tsujido Yume

辻堂ゆめ

東京創元社

目次

トリカゴ

プロローグ

——一九九六年五月、里穂子《りほこ》六歳

覚えている限りでは、その日のリビングはやけに暗かった。

夕焼けのオレンジ色が、レースカーテンを染めている。その淡い光を視界の端に捉えたまま、里穂子はカーペットの上で膝《ひざ》を抱え込み、ぼうっと浮かび上がるテレビ画面を見つめていた。

——新宿《しんじゅく》区内のアパートの一室に閉じ込められていた三歳の男の子と一歳の女の子が救出された事件で、警視庁は今日、母親の名取宏子《なとりひろこ》容疑者を監禁容疑で再逮捕しました。名取容疑者は今月五日、子ども二人を数日間家に置き去りにして養育を放棄したとして、保護責任者遺棄の疑いで逮捕されていました。

「ああ、この事件ね」

キッチンから、母の声がする。「むごい話だよな」と、ソファに座る父が好奇心に満ちた口調で言う。

——現場の部屋には鳥の死骸が散乱し、子どもたちがペット用の餌《えさ》や水に口をつけていた形跡が残されていたということです。また、二人が言葉を一切話すことができず、身体の発育も同年齢の子どもに比べてひどく遅れていることや、部屋の内側のドアノブが取り外されていたことからして、名取容疑者は数年間にわたり、子どもたちをペットの鳥とともにこの部屋に監禁していたとみられています。

「数年間って、生まれてからずっとってことか？　よく死ななかったな」

「今日の昼間も、ワイドショーでやってたわよ。近所の人たちの目撃談によると、助け出された子たち、鳥の鳴き真似や両腕を羽ばたかせる仕草しかできなくて、歩き方も変なんですって。過去にロシアだかインドだかでそういう野生児が発見されたことはあったけど、さすがに日本では初めてだそうよ」

「鳥と一緒に閉じ込められて育った幼児ねえ。これがホントの鳥人間、ってか？」

「ちょっとやめてよ、不謹慎でしょう」

母がたしなめ、父がくっくと笑う。

アナウンサーの言葉は難しくて、半分くらいしか分からない。でも、昼間もテレビで何度も同じような内容が流れていたし、今の両親の会話を聞けば、テレビに映し出されていたアパートの一室で何が起こっていたかは明らかだった。

数年間。

まだ六歳の里穂子にとって、その言葉は重い。

ましてや、自分より三つも年下の男の子にとっては。五つも年下の女の子にとっては。

もし、自分が、その家の子どもだったとしたら。

いくら頭の中を必死に探っても、思い出せるのは、小鳥とともに汚れた部屋の中を歩き回り、時おり現れる母親に〝餌〟をねだった記憶だけ――。

さっきから感じていた薄ら寒さに、唐突な吐き気が加わった。

信じられなかった。そして許せなかった。そんなことをする大人が、今、この日本にいるなんて。

薄暗い部屋でテレビを見つめたまま、いつの間にか両の拳を握りしめていた。母が支度している晩御飯のいい匂いを嗅ぎながら、のんびりと家族団欒《だんらん》をしていたはずの日曜の夕方が、たちまち闇に溶けていく。

とうとう、里穂子は泣き出した。どうしても止められなかった。かわいそうだよ、このお母さんおかしいよ、この子たちペットじゃないよ、鳥なんかじゃないよ、ひどいよ、こんなのひどすぎるよ。

光を放つテレビ画面をまっすぐに指差し、幼心に感じた義憤を胸に泣きじゃくる。

動揺する父の声も、なだめる母の声も、里穂子の耳にはほとんど届かなかった。


それから一年後、児童養護施設で暮らしていた『鳥籠事件』の被害児童二人が、何者かに誘拐された。

アパートからの救出時にも増して、事件は連日大きく報道された。さらに時間が経ち、ついに消息不明のまま捜査本部が解散したと知ったとき、里穂子はもう一度涙を流した。

楽しい思い出など何一つないまま、もうどこかで短い人生を終えてしまったかもしれない幼い兄妹のために。

そして――ただテレビを眺めているだけで、そんな二人に何もしてやることができなかった、自分のふがいなさに。

第一章　ここはユートピア

今夜だけは、どうか何も起きないで――。

そんな一刑事の切実な願いは、いつだって受信機の音声に打ち砕かれる。

二〇二一年四月十九日、月曜日。

いや――ちょうど日付が変わって二十日、火曜日。

六日に一度の当番日の夜、森垣《もりがき》里穂子は無線通話機をひっつかみ、警察署の外へと勢いよく走り出した。

歩道の前に停車している捜査車両の助手席に飛び乗ると、すでに運転席には新米刑事の林部海人《はやしべかいと》が座っていた。この四月から刑事課に配属されて二週間、まだ慣れない深夜帯の一一〇番臨場にさぞ緊張しているだろうと思いきや、やけに得意げな顔を向けてくる。

「部長、今回は手際よくできましたよ！　カーナビと赤色灯、もうセット完了してます！　門も閉めました！」

はいはい、褒めてほしいのね――とため息をつきそうになりながら、「うん、その調子、その調子」と林部が喜ぶ言葉をかける。出発を指示すると、車が派手なエンジン音とともに加速し、明るいライトが行き交う環八通りへと突入した。

けたたましいサイレンに掻き消されないよう、運転席に向かって声を張り上げる。

「林部くん、ちょっと荒すぎ」

「荒い？　何が？」

「運転！」

「あっ、すみません。殺人未遂って聞いて、気持ちが昂《たかぶ》っちゃって」

へへ、と林部が締まりなく笑う。彼の口から放たれた殺人未遂という言葉に、里穂子は思わず頭を抱えた。

「無線ではそうは言ってなかったでしょう。二十代男性が後ろから何者かに襲われて、肩を刃物で刺されたってだけ。先入観は禁物だよ」

「分かってますって。ホシが逃走中って聞いて、もしかしたら凶悪犯かもしれないぞって、自分を奮い立たせてるだけです。いやぁ、それにしても、マル害はホシの顔を見てないみたいだし、このままお宮になったら困りますねぇ」

早く一人前の刑事になりたいと気負うのはいいことだが、使い慣れていない刑事用語をいちいち強調するため、話し方が妙に不自然だ。同意を求めてこちらをチラ見する林部を「はいはい」といなし、里穂子は腕組みをして前を向いた。

生まれたときから褒めて育てられてきた今の若い世代に、いわゆる体育会的なしごきは逆効果だ。教育係を任された里穂子もそれなりに気を使って、厳しい叱責はなるべくしないようにしていた。経緯がどうであれ、早くこちらの手を離れて優秀な捜査員になってくれさえすれば、それでいいのだ。

これも時代の変化だろうか。里穂子が新人の頃は、目上の人間に対してこういう馴れ馴れしい態度を取ろうものなら、「その調子」どころか、「調子に乗るな」ときつく戒《いまし》められていた気がする。林部とは七つしか歳が違わないことを思うと、どうにも釈然としないが。

今時の若者、という言葉は、林部のためにあるのだろう。といっても、文句も言わずに誰よりも早く電話を取り、育休明けで捜査の勘が鈍っている自分を「森垣部長、森垣部長」と慕い、一一〇番が入れば真っ先に捜査車両に飛んでいく気概がある時点で、新人としては十分優秀だ。そうでなければ、二十四歳で刑事にはなれまい。

赤色灯の光が、銀色のボンネットに反射して目を刺す。

急行する先として指示されたのは、京急蒲田《けいきゅうかまた》駅の方面だった。事件現場は閑静な住宅街らしい。この時間帯には酔っ払いの喧嘩や自転車の盗難被害など、ＪＲ蒲田駅周辺の繁華街に呼び出されることが多いため、珍しいといえば珍しかった。

「部長、今夜は朝までどころか、明日の夜までコースかもしれないですね！　ホシにワッパをかけられなくて帳場でも立とうものなら、一週間くらい帰れないかも？　ああ、そしたら俺、洗濯どうしよう」

「そうならないために、私たちの手で捕まえるんじゃないの」

勤務中の署員には、すでに緊急配備の指示が下っていた。この事件を担当するのは刑事課強行犯捜査係の自分たちだが、逃走中の犯人を捕まえるまでは、交番の地域警察官をはじめ、署の人間が総動員されることになる。

今、里穂子の頭にあるのは、自宅で夫が面倒を見ている娘の結菜《ゆいな》のことだった。

もし今夜犯人を見つけられず、捜査が数日にわたることになれば、夫に多大な負担をかけてしまう。いくら完全在宅勤務のプログラマーとはいえ、疲れを知らない一歳児の相手をしながらでは、なかなか仕事が進まないだろう。

こういうとき、自分の間の悪さを恨みたくなる。

新型コロナウイルスの流行により政府から初の緊急事態宣言が出された去年の今頃は、繁華街の飲食店や風俗店が軒並み夜の営業を自粛することとなり、この蒲田警察署には束の間の平和が訪れていたそうだ。そのころ里穂子は、生後一か月の乳児の子育てをしていた。今もウイルス流行下にあり、飲食店等の営業は午後八時までとされているが、残念ながら、世間の人々の気は緩み切っている。都の要請を無視して時間外の営業を行う居酒屋やガールズバーは後を絶たず、コンビニで買った酒を路上で飲む輩もずいぶんと多い。夜に酒を出せないならと、朝っぱらから営業して人を集める居酒屋もある。

これでは酒絡みのトラブルはなくならない。出産がもう一年早ければ、もしくは遅ければ、流行当初の自粛の恩恵にあずかれたかもしれなかったのに。

夫は「別に大丈夫だよ」と口では言う。ただ、家に帰れない時間が長くなればなるほど、どうにも対処しようのない罪悪感が、胸に漂い始める。

沈鬱な気分に浸っているうちに、林部が運転する車は住宅街の狭い道へと入っていった。

刑事になって何年経っても、一一〇番臨場の瞬間には、全身に緊張が走る。里穂子は助手席から身を乗り出し、怪しい人間がうろついていないか神経をとがらせながら、暗い道に目を走らせた。

幸か不幸か、犯人らしき影は見当たらないまま、現場に到着した。急いで署を出てきたつもりだったが、交番の巡査や自動車警邏《けいら》隊のほうが早かったらしく、すでにパトカーの赤色灯が辺りを照らしていた。

ドアを開けて外に踏み出すと、春の夜のひんやりとした空気が頬を撫でた。遠くから救急車の音が聞こえてくるのに気づき、被害者が病院に運ばれる前に事態を把握しておこうと、道端に立っている三名の制服警官に近寄る。

「お疲れ様です」

顔見知りの地域課の彼らに軽く声をかけ、ブロック塀にもたれかかっている被害者の男性を見上げた。通信指令室からの無線では二十代男性とのことだったが、少なくとも林部よりは年上だろう。金色に近い茶髪や、酒と煙草の臭いが混じる息からは、軽薄そうな印象を受ける。

「このマンションに住んでいるそうです。帰宅時、敷地内に入る直前に、後ろから突然襲われたと。凶器のナイフは、犯人が落としていったそうで、そこに」

交番の巡査が、すぐそばのマンションを指し示した後、被害者の男性の足元を指差した。刑事の到着まで証拠品を動かすまいとしたらしく、微量の血がついたナイフがアスファルトにそのまま転がっている。形状からすると、果物ナイフだろうか。

凶器が現場に残されているということは、すぐさま第二、第三の被害者が出る事態は避けられそうだ。だからといって、気を抜くわけにはいかないが。

「怪我の具合はいかがですか？」

「別に。足音に気がついて、ギリギリ避けたし。血、もう止まったっぽい」

里穂子が直接尋ねると、被害者の男性はぶっきらぼうに言った。薄手のパーカーの肩の部分に手をやり、切れた布地を指先でつまんで苦々しい表情をする。

「犯人の顔は見ていないんですよね？」

「ああ。俺が地面から起き上がる前に、慌てて逃げてったから。犯人が落としてったナイフを拾って、やり返してやろうと思って追いかけたけど、今酔ってるし、どこに行ったか全然分かんなくて」

「というと、一一〇番通報をしたのはその後?」

「そうそう。十五分くらい経ってたっけな」

男性の返答に、里穂子は内心落胆した。こうした緊急性の高い事件においては、その十五分が命取りになりかねない。犯人に腹が立ったのは分かるが、事件が起きたらさっさと通報して、あとはこちらに任せてくれればいいものを。——という警察側の事情を、酒に酔っている様子のこの被害者男性が汲めるはずもないのだが。

事件発生から通報までに十五分、里穂子たちがここに駆けつけるまでにもう十五分。この三十分の間に犯人が電車やタクシーを使って遠くへ逃げおおせていたとしたら、事件現場周辺に緊急配備を敷いても意味がない。

「あ、でも……」

「でも?」

「犯人さ、たぶん、あいつだよ。というか、絶対にそう」

「心当たりがあるんですか?」

それは朗報だ。男性の証言次第で、通り魔のセンは除外できるかもしれない。

「さっきまで、居酒屋で女と別れ話をしてたんだよ。もう付き合うのはやめだ、終わりだって言ってんのに、店を出てからもしつこく追っかけてきてさ。とりあえず一方的に振って帰ってきたんだけど」

「その方のお名前を伺えますか?」素早く尋ねてから、その情報だけでは緊急配備中の署員の助けにならないと気づき、付け加える。「人相や体格、年齢も。参考人として話を聞きますので」

「叶内花《かなうちはな》。俺と同じ二十六歳だけど、そのわりに童顔な感じ。痩せてて、背はちっこくて、茶髪のロング。たぶんさ、あいつ、最初からナイフを用意してたんだよ。で、俺と別れるくらいなら殺してやろ——」

男性は途中で言葉を止め、里穂子の背後を見て、細い目を大きく見開いた。

その視線を追って、勢いよく振り返る。

五メートルほど先の四つ角に、小柄な女性が佇《たたず》んでいた。明るい水色のトップスに白いロングスカートという格好で、長い茶髪が肩に垂れている。電信柱に隠れるようにしてこちらを窺っていた彼女は、里穂子と目が合うと、怯《おび》えたように後ずさった。

「お前っ！　のこのこ戻ってきやがって！　くそっ！」

女性に飛びかかろうとする被害者の腕をつかみ、制止する。里穂子が目で合図すると、林部が慌てて四つ角へと歩き出し、女性に声をかけた。

「叶内花さんですね？　ちょっといいですか。いくつかお尋ねしたいことが——」

その瞬間、女性が顔を歪め、身を翻《ひるがえ》した。走り出した彼女の姿が、ブロック塀の向こうに消える。静かな住宅街に、みるみる遠ざかっていくヒールの音が響き始めた。

「追って！」

里穂子が指示を飛ばしたときには、林部はすでに駆け出していた。興奮して何をしでかすか分からない被害者を制服警官に任せ、里穂子も林部を追う。

逃走する女性の足は、意外にも速かった。動きにくいパンプスを履いているとは思えないほどだ。これは目の前の彼女に限った話ではなく、追い詰められた被疑者の中には、火事場の馬鹿力を出す者が一定数いる。

小柄な女性は必死に足を動かし、一つ目の角を曲がって追っ手を振り切ろうとした。だが、いくら逃げ足が速いとはいえ、訓練を積んでいる若手の男性刑事に勝てるわけがない。

林部がすぐに追いつき、女性の腕をつかんだ。その拍子に女性はもんどり打って転倒し、夜の闇と同化しているアスファルトにへばりついた。背負っていた大きな黒いリュックが、彼女の後頭部に勢いよくかぶさる。

「現逮《げんたい》します。いいですよね？」

「ううん、待って」

片手で手錠を取り出そうとしている林部を制し、女性のそばに屈み込む。誰何《すいか》されて逃走しようとする者は現行犯とみなすことが可能だが、相手が力の弱そうな女性ということや、明確な証拠がまだ集まっていないこともあり、できれば任意同行に持ち込みたかった。現行犯逮捕と、重要参考人としての連行では、逮捕から送致まで四十八時間というタイムリミットが発生するかどうかが変わる。

「叶内花さん、よね」

「……はい」

里穂子が声のトーンを落として尋ねると、女性は消え入りそうな声で返事をした。

「今、どうして逃げたの？」

「えっと……」

「何かやましいことがなければ、逃げたりしないよね？」

「あの……はい……」

「どうして私たち警察がここにいるか、分かる？」

「トシくんが……怪我、したから。肩を……ナイフで」

思わず林部と顔を見合わせる。自供したも同然の発言だった。少し離れた電信柱の陰から観察しただけで、被害者が怪我を負った身体の部位や、犯行に使用された凶器の種類まで分かるはずがない。

「どうしてあなたがそれを知っているのかな?」

里穂子が覗き込むと、女性は失言を後悔するように顔を歪め、蒼白になって震え出した。

彼女が口を開くまで、じっと待つ。こういうタイプの犯人にとどめを刺す最も効果的な方法は、詰問ではなく、沈黙だ。

「……私が、殺そうとしたから……です」

曖昧な物言いだったが、言葉は聞き取れた。

すんなり自供を引き出せたことに、内心ほっとする。犯人が逃走中と聞いたときは長期戦を覚悟したが、これならきっと、事件処理にさほど時間はかからない。今ごろ自宅で寝ているだろう夫と結菜の顔が頭に浮かび、すぐに消えた。

「どうしてそんなことをしたの?　あなたと彼が恋人同士だったということは、すでに聞いているけど」

「トシくんが……別れようって、言うから。私……悲しかった。だから、ナイフで」

「なるほどね」

被害者の言っていたとおりだ。痴情のもつれによる突発的な犯行。よくあるケースだ。今回のような殺人未遂でなくとも、三年前に強行犯捜査係に配属されて以来、恋人や夫婦間の大喧嘩に何度付き合わされてきたことか。

「では、続きは署で聞かせてもらえる？　車が向こうにあるから、ついてきて」

女性の背中に手をやり、立ち上がるよう促す。しかし彼女は、急に怯えた様子で首を左右に振り、四つん這いの姿勢のまま後退し始めた。

「嫌っ……警察は……ダメ……」

放心したように言い、ふらふらと立ち上がる。再び力なく走り出そうとした彼女の前に、これ見よがしに手錠を掲げた林部が、呆れた顔で立ちはだかった。

「部長、今度こそいいですよね？」

「……ええ」

任意同行に応じない以上、致し方ない。

後から駆けつけてきた制服警官たちに見守られる中、林部がどこか誇らしげに現在時刻を告げ、女性の腕に手錠をかけた。

里穂子が無線連絡を入れると、ほどなく緊急配備は解除された。覆面パトカーで臨場した機動捜査隊はそのままパトロールに戻っていき、よりによって自分の当番日に殺人未遂という厄介な事件の取り扱いを抱えてしまった里穂子と林部は、息をつく間もなく現場検証や取り調べに忙殺されることとなった。

通り魔事件として捜査本部が立つような事態にならなかったのは、不幸中の幸いだ。

これならきっと、里穂子も林部も、昼過ぎには帰宅し、眠りにつくことができるだろう。

日々発生する、数ある事件の一つ。

捜査の終わりは見えている——はずだった。

被疑者の思いもよらない抵抗で、取り調べは開始早々、暗礁に乗り上げた。

逮捕後に任意で行うＤＮＡ採取を拒否された時点で、薄々嫌な予感はしていた。しかし、これはまったく想定外の展開だ。

「……戸籍がない？」

何を言っているのだ、と首を捻る。供述調書の初っ端の項目である『本籍』すら記載できないまま、先ほどから延々と押し問答が続いていた。

「そんなはずはないでしょう。本籍が分からないならこちらで調べるから、まずは身分証を見せて。免許証か、マイナンバーカードは持ってる？　あとは保険証とか」

「ないの。なんにも」

「持たないまま家を出てきたの？　なら、いったん取りに帰りましょうか」

「家は……なくて」

彼女はおどおどと言い、俯《うつむ》いた。取調室の無機質な蛍光灯が、艶のある茶髪に天使の輪を作る。

「それは、ホームレスってこと？」

「えっと……私、いつも、ネットカフェに泊まってて」

「ネットカフェを利用するには、身分証が必要じゃない？」

「なくて平気なところも、あるんだ」

これに関しては、彼女の言うことが正しかった。身分証不要の席を設けて客を呼び込んでいるネットカフェも、中にはある。鎌をかけてみたのだが、通用しなかったようだ。

戸籍も、身分証も、家もない。そんな供述を頭から信用するわけにもいかず、もうしばらく不毛なやりとりを繰り返した。結局、先に音《ね》を上げたのは里穂子のほうだった。調書の他の項目から埋めていき、ボロを出したら最初の質問に戻ればいいと、戦略を切り替える。隅の机でノートパソコンを広げている林部に目で合図を送ると、不安げに頷き返してきた。

「そう。分かった。住所不定ってことね？　で、職業は無職」

「……はい」

「氏名は叶内花。漢字は、夢を叶えるの『叶』に、内側の――」

「違うよ」

里穂子が言い終える前に、はっきりとした否定の言葉が返ってきた。わけが分からず、「え？」と眉を上げる。

「あなたとお付き合いしていた、被害者の斎藤《さいとう》さんに聞いたんだけど。漢字が違ってた？」

「あ、ううん。漢字は合ってるんだけど……」

「じゃあ、偽名？」

「偽名……というか、えっと……」

「まさか『名前もない』なんて言い出さないよね？」

半分冗談のつもりだった。しかし彼女は至って真面目な顔で、首を横に振った。

「ない……ことはないよ。ハナって呼ばれてる。漢字はないから、書くならカタカナで。叶内っていうのは……トシくんに訊かれて、嘘をついただけ。苗字は、ないの」

「苗字がない？　名前だけ？　何言ってるの」

トシくんというのは、被害者の斎藤敏樹《としき》のことだ。取り調べは冷静に進めるのが里穂子のポリシーだったが、さすがにだんだんと苛立った口調になる。

「じゃあ、生年月日は？」

「それも……分からなくて」

「生まれた場所は？」

「それも……」

「氏名も生年月日も出生地も本籍も、すべて黙秘ということ？」

勢い余って机を叩きそうになるのを、なんとか踏みとどまった。被疑者の取り調べも、林部の教育と同じだ。必要以上に厳しい態度で臨むのは、大抵逆効果になる。

しばらく間を置いて心を落ち着けてから、里穂子は「ハナさん」と相手の目を見て呼びかけた。

「自分の名前がテレビや新聞で報道されるのが怖いのかもしれないけど、意図的に素性を隠すのはやめたほうがいいよ。氏名不詳のままでも起訴することはできるし、むしろ世間の注目を集める結果になる。このことで検事や裁判官の心証を損なうと、量刑にも直接影響するかもしれない。ちゃんと全部、正直に話したほうがいい」

「そうじゃなくて……苗字も誕生日も、本当に分からないの。私、無戸籍だから」

「無戸籍って……」

また同じことを繰り返され、呆れ返ると同時に、思い当たる。

あれは、去年の今頃だったろうか。新型コロナウイルス対応の緊急経済対策として政府が一人当たり一律十万円の支給を決めたとき、無戸籍者も対象となる旨を総務相が明らかにしたというニュースを見た。親が出生届を出さなかったために、戸籍に記載されていない人たちがこの日本に少なくとも数百人存在すると知って、驚いた覚えがある。

目の前にいる被疑者が、その一人だというのか。

本人がそう主張している以上、可能性は否定できない。ただ、はいそうですかと鵜呑みにするわけにもいかなかった。

里穂子が最初に想定したように、身元を明かすまいとして、苦しい嘘をついているのかもしれない。ＤＮＡ採取を拒否したのも、何か後ろめたいことがあるからではないか。

うなだれているハナを見つめ、里穂子は思案した。考えをまとめ、威圧感を与えないよう注意を払いながら、机に身を乗り出す。

「もし本当に戸籍がないんだとしたら、今までどうやって生きてきたの？　長くなってもいいから、話してみてくれる？」

生まれてから現在に至るまでの経歴を、すべて本人の口から語らせる。

無戸籍というのが、マスコミを恐れてとっさについた嘘だとすれば、じきに話に矛盾が生じるはずだ。

しかし──里穂子の読みは、まるっきり外れることとなった。

ハナは、怯えた様子を見せながらも、ぽつりぽつりと自分の半生を話し始めた。

物心ついたときには、母親と二人きりで、アパートの一室で暮らしていた。母は夜の仕事をしていたから、寝るときは一人だった。外に出ることは固く禁じられていた。学校には一度も行ったことがなく、公園などで他の子どもと遊んだこともない。自分にとっては、それが当たり前の日常だった。

母は自分のことをハナと呼んでいた。自分にとって母は、「お母さん」でしかなかった。母の苗字も名前も、自分から尋ねたことはなかった。

毎日毎日、二人きりの世界で、テレビを見たり、母が買ってきたゲームをしたりして過ごした。日付や曜日の感覚はなかった。誕生日を祝ってもらったこともないため、自分の年齢は大まかにしか分からない。「私たちは〝存在しない人間〟だから」というのが母の口癖だったが、当時はその意味がよく分からなかった。

十七歳くらいのとき、ある日を境に、母が姿を消した。冷蔵庫にあった食料で食いつなぎながら、一か月ほど待った。それでも帰ってこないため、恐る恐る、家の外に踏み出した。

あてどもなく歩き回るうちに、居酒屋の並ぶ繁華街に出た。食べ物がほしかったが、お金は持っていないし、買い方も分からない。そんなとき、道を行く男性に声をかけられた。「おごってあげる」という言葉につられて一緒に飲食店に入り、その夜は男性の家に泊まった。捨てられると、また繁華街を歩き、声をかけてくる男についていった。

男から金や食べ物をもらうだけでなく、現金日払いの仕事を紹介してもらい、スナックやキャバクラのフロアレディとして働いたこともある。アパートを借りようとしたこともあったが、戸籍や住民票がなく、銀行口座や身分証明書さえ持たない自分には無理だと知り、行きずりの男の家やネットカフェを泊まり歩く生活を続けていた。

「その――十七歳になるまでお母さんと暮らしたアパートは、どこにあるの?」

「どこ……なのかな。蒲田駅まで歩いてこられたくらいだから、そんなに遠くはないと思うけど」

「〝存在しない人間〟という言い方からすると、ハナさんだけでなく、お母さんも無戸籍だったということ? だったら、お母さんはどうやってアパートを借りたんだろう」

「……知らない。無戸籍でも借りられるような物件があったのかな」

「保険証もないんでしょう? 病気やケガをしたときはどうしてたの」

「病院には、子どもの頃、一回だけ行ったことがあるよ。四十度の熱を出して。そのときは、お母さんが高いお金を払ったか……本当はいけないことだけど、誰かの保険証を借りたのかも」

信じられない話だが、筋は通っている。

話に綻《ほころ》びが生じる瞬間を虎視《こし》眈々《たんたん》と狙っていた里穂子は、パイプ椅子の背に寄りかかって脱力した。

これは——本当に、嘘をついているわけではないのかもしれない。

氏名不詳、住所不定、無職、無戸籍。

生年月日、出生地、ともに不明。

年齢は二十六歳だというが、あくまで推定。

これだけ長々と取り調べをしているのに、調書の身分関係欄が一つも埋まらない。

このままでも、検察に送致することはできる。ただし、それならそれで、できる限り供述のウラを取らなければならない。

「——店は？」

「え？」

「フロアレディの仕事をしてたお店の、名前と場所。お店の人に、あなたのことを訊いてみるから」

「ずいぶん前だし、つぶれちゃったお店もあるから、名前は忘れちゃったけど……」

口ごもりつつ、ハナは店のおおよその場所を告げた。働いたことのある店舗はいくつかあるが、すべて蒲田駅東口の繁華街に位置するらしい。あのあたりの水商売の店の多さを思うと、心がずんと沈む。

「じゃあ、家に泊めてもらったことのある男性の名前は？　被害者の斎藤敏樹さん以外に、何人か挙げられる？」

「ええと……ごめんなさい、忘れちゃった」

「一人も思い出せないの？」

「最近は、トシくんとばかり会ってたし……」

「携帯に連絡先が残ってるでしょう？」

「持ってないの、携帯電話。身分証がなくて、契約できないから」

一本取られた気分だった。身の上話をさせてボロを出させるつもりが、逆にハナの話の具体性に驚かされている。

彼女は二十六になるまで、無戸籍のまま育ってきたというのか。

この蒲田で。この日本で。

「……あの」

「何？」

「無戸籍って……罪になりますか？」

ハナが不安そうに尋ねてくる。とっさに答えられず、里穂子は思わず後ろを振り返った。

隅の机にノートパソコンを広げている林部も、困った顔をしていた。うーん、と首を捻り、腕組みをする。

「違反するとしたら――戸籍法に、ですか？　でも、出生届を出すよう義務づけられているのは親ですよね。他人の保険証を借りて病院にかかったのなら詐欺罪になりますけど、それだって、当の子どもは関係ないし」

「そうね。私も同意見。というか――」

里穂子はハナに向き直り、あえて厳しい口調で言った。

「――その前に、あなたは殺人未遂の罪について問われることになる。そっちのほうがよっぽど重大」

それこそ、戸籍があるかないかという問題がかすむほどの犯罪だ。未遂に終わったとはいえ、一歩間違えれば人の命が奪われていた。彼女の胸に一瞬でも宿った殺意を、見逃すわけにはいかない。

「改めて確認させてね。あなたは、斎藤敏樹さんと交際していた。けれど今夜、デートのつもりで待ち合わせ場所の居酒屋に行くと、突然別れ話を切り出された。そのことに腹を立てたあなたは、斎藤さんをこっそり尾行し、殺してやろうと思ってマンションの前で犯行に及んだ。間違いはない？」

「……はい」

「凶器のナイフは、最初から用意してたの？」

「そうです」

「ということは、今日斎藤さんに別れを告げられるかもしれないって、予想がついてたのね？」

「この間、プロポーズされたばかりだったのに……私が無戸籍で婚姻届が出せないって打ち明けたら、急に冷たい態度を取られるようになったから……」

それは初耳だった。里穂子は調書を取る林部に目で合図を送り、ハナの供述に耳を傾けた。

「トシくんって、あんな感じだけど……お父さんが小さな会社の社長さんで、将来はそこを継ぐ予定なんだって。だから、どこの馬の骨とも分からない女とは、これ以上一緒にはいられないって」

「なるほどね。それで逆上して殺そうとした、と」

「そういうこと……です。私、トシくんのことが、ものすごく好きだったから……どうせ終わりになるのなら、いっそ、って」

「いったん現場を立ち去った後、戻ってきたのはどうして？」

「逃げるのは、いけないことなのかなって……そう思って」

歯切れの悪い口調で喋るわりに、罪を認めることに関してはやけに素直だ。氏名や本籍の確認にあれだけ時間がかかったのが嘘のようだった。

里穂子はその後も、彼女の身元を特定する材料をなんとか得ようと、あの手この手で探りを入れた。めぼしい情報が引き出せないまま時が流れ、空白が目立つ供述調書に署名と押印をさせた頃には、取り調べ開始から四時間が経っていた。

ハナの身柄を警務課留置係に引き渡し、刑事《デカ》部屋に戻った里穂子と林部を出迎えたのは、窓から差し込む爽やかな朝の陽光だった。

想像以上に面倒な事件を抱えてしまった。六日に一度回ってくる当番日の二十四時間内に発生した事件は、基本的に自分たちペアの担当になる。その日のうちに解決できなければ、捜査は翌日以降の日勤日に持ち越しだ。

目の下にできた黒い隈にお互い気づかないふりをしながら、すでに出勤していた直属の上司のもとに向かう。強行犯捜査係の係長らしからぬ柔和な顔立ちをしている野木和久《のぎかずひさ》が、「おはよう」と缶コーヒーを片手に声をかけてきた。

ハナの取り調べの結果を簡単に報告すると、野木は「そりゃまた大変だな」とあからさまに顔をしかめた。しばらくの沈黙の後、係全員の協力のもと、送致期限までにできる限り供述のウラを取るよう指示が下る。

無論、そのつもりだった。周辺の区役所への問い合わせ。ハナが母親と暮らしていたアパートの特定。日雇いで働いていたとみられる店への聞き込み。被害者の斎藤敏樹への二度目の事情聴取。それに伴う捜査報告書の作成。残り四十時間弱のうちにやらなければならないことは、山ほどある。

夜と朝の境目が分からないまま、当番日延長戦の幕が切って落とされた。

区役所への問い合わせや斎藤敏樹への事情聴取は他のメンバーに任せるよう野木に指示されたため、里穂子と林部ペアは、蒲田の街に一日中繰り出す羽目になった。

昼間は、家の間取りや外観、窓から見えた建物、蒲田駅までの所要時間や歩いた道など、ハナから聞き出した曖昧な情報をもとに、彼女とその母親が十七年間引きこもっていたというアパートを探し歩いた。このあたりではないかというエリアの見当はある程度ついたものの、この十年の間に新しく建った住宅も多く、ハナが言っていた特徴に当てはまるアパートは一軒も見つからなかった。

夕方からは蒲田駅東口の繁華街に赴き、スナックやキャバクラを回って聞き込みを行った。『ハナ』という通称と逮捕時に撮影した写真を出せば明確な回答が得られると踏んでいたのだが、そう上手くはいかなかった。「覚えてないねえ。日払いの子は大抵長続きしないから」「顔を確認しろって言われても、女はメイクで化けるしねえ」「履歴書？　身分証のコピー？　そんなものいちいち、ねえ」などというすげない答えが繰り返され、そのたびに、里穂子と林部は繁華街の喧騒の中へと押し戻された。

足を引きずるようにして署の刑事部屋に戻ると、神妙な顔をした野木が待っていた。係のメンバーが担当した他の捜査も、これといった成果はなかったという旨の報告を、里穂子たちは疲れた頭で聞いた。

大田区をはじめとした周辺区役所への問い合わせでは、戸籍、住民票、生活保護の受給者リストのすべてにおいて、『叶内花』なる人物の存在は確認できなかったという。「五十代前後の母親と二十代の娘の二人世帯で、娘の名前の読みが「ハナ」」の条件でも問い合わせたが、今日中に回答があった中では、該当する世帯はなかった。

頼みの綱だった被害者の斎藤敏樹も、ハナが供述した以上の情報を持ち合わせていなかった。「母親に捨てられて無戸籍だとか何とか、そういうよく分かんないことは言われたけど、ホームレス？　俺、そんなのと付き合ってたのかよ、最悪すぎ」と、むしろこちらが口にした情報に恐れおののいている様子だったという。

ただ、ハナが元恋人に自分が無戸籍である旨を告げていたことは、一つの収穫といえた。戸籍がないというのは、少なくとも、取り調べのときにとっさについた嘘ではなかったのだ。母親の名前を知らない、アパートの正確な場所や働いていた店を覚えていないなど、怪しい点はまだ残っているものの、少なくとも身の上については正直に供述をしていた可能性が高い。

翌日まで周辺区役所からの回答を待ち、空振りに終わったところで、ハナの身元に関する捜査は時間切れとなった。

氏名や本籍など、すべてが不詳のまま、事件は検察に送致された。

一抹の気持ち悪さは残ったが、実のところ、さほど心配はしていなかった。被疑者がきちんと罪を認めているからだ。無戸籍にしろ、そうでないにしろ、彼女は殺人未遂の容疑で起訴され、罰せられることになる。

——と、思っていた。

検事からの電話で、ハナが全面否認に転じたと聞かされるまでは。

自分は斎藤敏樹への傷害とまったく無関係で、現場に現れたのは単なる偶然——。

検察の取り調べでハナが供述した内容を聞かされ、里穂子と林部は憤りを隠せなかった。「警察の人がとても怖かったため、思わず自分がやったと嘘を言ってしまった」「事件現場で名前を訊かれたとき、とっさに逃げ出したのもそのせい」「被害者の自宅前に行ったのは、自分たちの関係についてもう一度話し合おうとしたから」「被害者が直前にナイフで刺されていたことなど、一切知らなかった」。

自白という最も強力な直接証拠が消えたのは、大きな痛手だった。氏名不詳かつ住所不定のため、勾留請求はすんなり通ったが、最初から雲行きは怪しかった。

凶器のナイフにハナの指紋や皮脂の付着はなし。製造が終了している古い商品だったため購入経路も辿れず。傷が比較的浅かったためか、押収したハナの服からも血液は検出されず。被害者自身や第三者の目撃情報もなし。ハナを留置場に勾留している二十日と少しの間、里穂子と林部、そして強行犯捜査係のメンバーは、検事の指示の下、取り調べを続行するとともに他の証拠集めにも奔走することになった。

「――で、結局、勾留満期で釈放ですか」

隣の机に座っている林部が、椅子の背に寄りかかり、両手を頭の後ろに回した。その顔には、失望を通り越して、諦めが色濃く浮き出ている。

「くっそー、処分保留とか言ってるけど、これってほぼ、嫌疑不十分で不起訴になるってことですよね？　マルヒは住所不定だし、新しい証拠を見つけようにもこれ以上打つ手がないし」

「自白の撤回が痛かったね。現場から逃げたのもいったん罪を認めたのも、私たちに厳しく詰問されて恐怖を感じたため、なんて主張されたら反論しようがない。あくまで主観的な話だもの」

「そんなのやってられないっすよ。森垣部長が怖いんだったら、木下《きのした》警部補や松田《まつだ》部長はどうなるんです？　天使みたいな刑事に当たったたってこと、あのマルヒ、ちゃんと分かってんのかなぁ」

林部が小声でぼやくように挙げたのは、隣の組織犯罪対策課の鬼刑事の名前だった。暴力団絡みの事件を専門に取り扱っている彼らは、身体も声も態度も大きく、フロア内でよく目立つ。配属されて間もない林部も、自然と名前を覚えてしまったようだ。

「……天使って？」

「もちろん、森垣部長のことです」

「それは心外。私だって、マルヒに甘くしてるつもりはないんだけど」

「いえいえ、そりゃ、甘いとは言いませんよ！」

里穂子を怒らせたと思ったのか、林部は弁解するように両手を左右に振った。

「森垣部長は常に理詰めで淡々としてるから、ある意味、マルヒにとっちゃ一番やりにくいのかもしれないですし。でも、今回は、取り調べ中に戸籍の取得方法まで教えてあげてたじゃないですか。しかも、めちゃくちゃ懇切丁寧に」

「それは……まあ、本当に無戸籍なら、助けてあげたいなと思って」

教えたといっても、インターネットに載っていた法務局や区役所の相談窓口を案内し、できるだけ早く足を運ぶようにと言い聞かせただけだ。生い立ちを聞く限り、ハナは国や自治体に頼るということを知らずに生きてきたようだから、簡単に調べられる情報だけでも与えておいたほうがいいと判断した。

そんな些細な親切心だったのだが、林部同様、当のハナもひどく驚いていたようだった。勾留期間の後半は取り調べでもほとんど喋らなくなっていたのに、そのときばかりは「ありがとうございます」と顔を上げ、つぶらな瞳で里穂子をまっすぐに見つめてきた。自分の授けた情報で彼女の人生が好転すると思えば、悪い気はしなかった。

「正直、びっくりしたんです。取り調べって、とにかく問い詰めて罪を吐かせればいいんだと思ってましたけど、ああやって相手に寄り添おうとする刑事もいるんだなって。あれ以降、マルヒの表情が変わりましたもんね。森垣部長に話しかけられると、心なしか嬉しそうにして」

「でも、結局否認は覆せなかったから。それじゃ意味がないよ」

自戒を込めるふりをして、語気を強めた。無戸籍者の相談窓口を調べて教えたのは、単純にハナの将来を心配したからであり、自供を再び引き出すための取引材料にするつもりはなかったのだが、野木がこちらの会話に耳を澄ましている手前、最初からそういう戦略だったことにしておきたい。

ただ、あの話をしてから、ハナの態度が大幅に軟化したのは事実だった。それまではちっとも口を開こうとしなかったのに、事あるごとに謝罪の言葉を口にするようになったのだ。といっても犯行を認めたわけではなく、「こんなに長時間……刑事さん、すみません」だとか、「言ってることが最初と変わっちゃって……本当、ごめんなさい」だとか、取るに足らない内容だったのが残念だったが。

壁の時計を見ると、六時半を回っていた。そろそろ釈放の手続きが終わった頃だろうか、と立ち上がる。

「あれ、森垣部長、どこに行くんですか?」

林部がこちらを見上げて尋ねてきた。「ハナさんを送っていくのよ」と答えると、彼の小動物のような両目がいっそう丸くなった。

「えっ、わざわざ? どうせ不起訴で、百パーセント手柄にならないのに?」

「……もうちょっとオブラートに包んで言えない?」

「いやぁ、すみません。でも、これ以上洗っても、何も出てこないですって。本ボシが他にいるかもしれないってセンで捜査をし直す方針になったじゃないですか」

「それはそうだけど、彼女が最もクロに近い人物だということには変わりないでしょう？　住所不定のマルヒがどこに帰っていくのか、きちんと生活圏を特定しておかないと、今後の捜査に支障が出ないとも限らない」

「うーん。本人が奇跡的に心を入れ替えて自首してこない限り、永遠にグレーのままだと思いますけどね。あっ、それ、俺も行ったほうがいいですか？　まだ、さっきの防犯カメラのコマ割り画像、貼り終わってなくて」

どうしてそんなことを訊く——と机に倒れ伏しそうになる。自分一人で行ってくるからあなたは捜査報告書を進めておいて、と里穂子のほうから指示するならまだしも、新人が先輩にする質問ではない。

「あのねえ……」

小言が喉までせり上がってきたが、寸前でこらえた。

捜査は必ず二人一組ですするという従来の方針が、近年徐々に変化しつつあるのは事実だ。直属の上司である野木も、普段からアンチテーゼを唱えている。捜査費用も自分たちの給料も国民の税金で賄《まかな》われているのだから、一人でできることは一人でやれ、と。

これも時代の変化か、と心の中でため息をつきながら、里穂子は窓際の席に座る野木に声をかけた。

「例の無戸籍者のマルヒを送ってきます。ネットカフェならネットカフェ、野宿なら野宿で、どこに泊まるつもりなのか、念のため確認しておこうかと。林部くんには別件の報告書を頼んでいるので、置いていきます」

「うん、よろしく。ただださ、適当なところで切り上げてきなよ。森垣は真面目だし、なんだかんだ優しいから、いろいろ相手の事情に首を突っ込みたくなるかもしれないけどさ。他のセンを当たってダメなら、この件はもう終わりなんだから」

野木の指摘に、ドキリとした。自分の心の内を見抜かれたようだった。

無戸籍という特殊な事情を抱えるハナに、里穂子は実のところ、強い興味を抱いていた。それは必ずしも、事件の担当捜査員としてではない。一人の人間として、彼女のことが気になっている。どんな場所に泊まり、どんな人と交流しているのか。どんなものを食べ、どこで買い物をして、どんなふうに日常生活を送っているのか。

それは純粋な心配か、偽善的な同情か、それとも単なる好奇心か。

二十日以上に及ぶ取り調べ中に膨れ上がった、一言で説明できないその感情は、今や無視できない大きさになっていた。

「マルヒは若い女性だし、森垣的には思い入れがあるのかもしれないけど、俺らが抱えてるのはこの件だけじゃないからな。あまり深追いしないように。旦那さんと可愛い娘が、家で待ってるんだろ」

「……まあ」

それを言われると弱い。だが、自ら希望して強行犯捜査係の刑事になった以上、常に仕事を優先するのは当然のことだった。

複雑な思いで、刑事課のある三階のフロアを後にする。階段を降りて留置係の事務室へと向かうと、顔見知りの女性担当官が出迎えてくれた。

「ちょうど、荷物の返却が終わったところです。どうぞ」

彼女が指し示した先には、大きな黒いリュックを背負って、所在なげに立っているハナの姿があった。

逮捕時と同じ、明るい水色のニットに白い花柄のロングスカートという服装だ。ただ、化粧をしていないため、明るい茶髪と比較して、顔全体の印象が薄い。

改めて考えると、推定二十六歳という年齢は、小柄で童顔な彼女にはとても似合わなかった。おどおどと目を伏せる様子も相まって、親が迎えに来るのを待っている、補導された女子高生のようにも見える。

釈放の際に里穂子が同行することは、事前に女性担当官を通じてハナに伝えてあった。

「行こうか」

軽い口調で声をかけ、ハナを階段へと誘い出す。裏の出入り口は使わずに、閑散とした玄関ロビーを通り抜け、堂々と表の自動ドアに向かった。

外に出るなり、ハナは広い歩道の真ん中に立ち尽くした。まもなく日が暮れるというのに、眩しそうに目を細めている。目の前の道路を行き交う車をしばし眺めた後、ハナは我に返ったように里穂子を見返した。

「えっと……私、どこへ行けば？」

「どこへでも。もう釈放されたんだから、自由にして。ハナさんが普段どこで生活しているのかを確認したら、私はすぐに帰るから」

里穂子が言うと、ハナはしばし迷った後、ＪＲ蒲田駅への道を尋ねてきた。捜査車両で連れてこられたから、方向が分からないらしい。「あっち」と里穂子が左に向かって歩き出すと、ハナはちょこちょこと斜め後ろをついてきた。

警察署からＪＲ蒲田駅までは、徒歩十分程度だ。交通量の多い環八道路をしばらく歩いてから、横断歩道を渡って横道に入る。

昼間に散歩するにはいい街だ。排気ガスは多少気になるが、大通りの歩道は広く開放的だし、大田区民ホール周りの公園では幼児がよく遊んでいる。チェーンの小綺麗なカフェやコンビニも多く、ちょっとした休憩や買い物にも困らない。品川《しながわ》駅まで三駅九分という立地を考えると、近年はファミリー層の人気が高まっているというのも頷ける。ただ、駅に近づくにつれ、安居酒屋がだんだんと増え、道端に捨てられた煙草の吸殻やゴミが目に留まり始める。

酒飲みにはたまらない街だというが、アルコールをさほど好まない里穂子にはよく分からない。蒲田に赴任してきた四年前、初めて夜の繁華街を歩いたときには、心の底から嫌気がさしたものだった。

酔っ払って大声を出すサラリーマンの集団、女一人と見るや声をかけてくるホストクラブの客引き、道端で地面に唾を吐いているホームレス。辺りには歩きタバコの臭いが充満し、着飾った外国籍の女性たちが道行く男を呼び止め、その間を自転車で帰宅する学生が猛然と駆け抜ける。スナックやキャバクラ、風俗店のネオンが目を刺し、カラオケ店やパチンコ店から流れてくる騒音が耳を貫く。

新型コロナウイルスの流行中、特に緊急事態宣言下で酒類を提供する店が休業を余儀なくされている今はずいぶんと静かになっているものの、おそらく、根本的に治安が改善されたわけではない。

蒲田は、ネットカフェ激戦区でもある。ここを住居代わりにして日雇いの仕事に出かける〝難民〟も非常に多く、巷では新ドヤ街と呼ばれているそうだ。身分証を持たないハナが、周りから浮かずに日々の生活を送ってこられたのも、この街ならではのことだったのかもしれない。

時刻は、七時に近づきつつあった。

普段よりは治安のいい繁華街を、小柄なハナのペースに合わせてゆっくりと歩く。

酔っ払いや客引きの姿は見えないものの、この街の常ながら、どの道も人通りが多かった。電車に揺られて帰ってきたであろう会社員たちと多くすれ違う。道行く人々の目に、スーツ姿の里穂子とカジュアルな格好のハナは、どういう関係の二人に映っているだろうか。

「ネットカフェに寝泊まりしてるって、言ってたよね」

「あ、はい！」

話しかけられると思っていなかったのか、ハナがびっくりしたように返事をする。こちらを振り向いた拍子に、長い茶髪が風にそよいだ。里穂子が後ろで一つ結びにしている、湿度の高い季節にはまとめるのに苦労する黒髪とは違い、ハナの髪は細くてさらさらとしている。

「お店はいつも決まってるの？」

「だいたいは。私みたいなのが入れるところって、限られてるから」

都条例の関係だ。インターネット端末を置いている部屋には、身分証明書を提示した者しか通せない決まりになっている。「最初の緊急事態宣言のときは、ネットカフェが軒並み閉まったでしょう。どうしてたの？」と尋ねると、「あの頃はまだ、トシくんと仲よかったから……」という寂しそうな答えが返ってきた。

釈放されたとはいえ未だ最もクロに近い被疑者であり、これからの生活が心配な無戸籍者でもある。そんな彼女に対してどこまで距離を詰めてよいものかと密かに葛藤しつつ、里穂子は再び口を開いた。

「私、ネットカフェや漫画喫茶って、プライベートで入ったことがないんだよね」

「へえ！　確かに、森垣さんは使わなそう」

被疑者が刑事のプライベートの何を知っているのか、と苦笑しそうになる。二十日以上も毎日取調室で顔を突き合わせていると、ごくたまに、こうして被疑者から親近感を持たれることがあった。分かりやすい単純接触効果だ。

「身分証なしじゃパソコンは使えないと思うけど、漫画でも読んで過ごすの？」

「そう。漫画を読んだり、飲み放題のドリンクを端から一種類ずつ飲んでみたり」

「ずっと一人でいて、暇じゃない？」

「別に、全然。一人のほうが落ち着くことも多いし」

「生活費は、常に現金で持ち歩いてるんでしょう。ネットカフェは盗難が多い場所だけど、被害に遭ったことは？」

「一度だけ。お会計のときに気づいて、真っ青になったよ。あっ、お店の電話を借りて、トシくんを呼び出せたから、お金はちゃんと払えたけど」

代金を支払ったということを、ハナは不安げに強調する。余罪を引き出す気など毛頭ないのだが、質問のテーマが犯罪関連に寄ってしまうのは、おそらく職業病だ。

「今夜泊まるネットカフェは、もう決めてるの？」

「東口ロータリーのすぐそばの……いつも、一番よく使ってるところ」

「じゃあ、お店の前まで送らせてもらうね。刑事なんかについてこられて、鬱陶《うっとう》しいと思うけど」

「ううん、そんな、全然！」

ハナが目を見開き、必死の形相で否定した。里穂子なりの軽口のつもりだったのだが、上手く伝わらなかったようだ。

東口ロータリー前のネットカフェというと、雑居ビルの二階にあるあそこだろうか——と場所を思い浮かべる。里穂子は「ああ」と手を打ち、隣を歩くハナに向かって微笑んだ。

「そこなら、大田区役所がすぐそばだね。今日はもう閉まってるけど、明日の朝にでも窓口に行ってみたら？　戸籍、無事に作れるといいね」

「あ、はい……」

「実は、こうやってハナさんを送ってきたのも、何か助けになれればいいなと思ったからなの。もし生活に行き詰まりそうになったり、ネットカフェでトラブルに巻き込まれたりしたら、気軽に署を訪ねてきて。強行犯係の森垣、って受付で言えば通じるから」

社交辞令ではなく、本心だった。ハナのような社会的弱者は、犯罪に巻き込まれやすい。手を染めやすい、ともいえる。

今回も証拠が見つからなかっただけで、斎藤敏樹を刺し殺そうとしたのは本当なのだろう。決め手を欠いて起訴に持ち込めなかったのは悔しいし、押しの弱そうな印象の彼女が戦略的に否認を貫き通したのは意外でもあったが、「疑わしきは罰せず」という刑事裁判の大原則に守られたハナに、殺人未遂の罪を問うことは叶わない。

それならせめて、今後起きうる犯罪は未然に食い止めたい。それが警察官の役割であり、社会のために果たさなければならない義務であると、里穂子は信じている。

被疑者にこういう態度を取ると、必ずと言っていいほど「真面目」「優しすぎ」などと上司や同僚の刑事に揶揄される。面倒事を抱え込むのはよくないと真剣に諭されることもある。しかし、罪を犯した人間を片っ端から逮捕して留置場に放り込むだけでは、真の意味で社会の平和に貢献しているとはいえないのだ。

「私……本当にね、びっくりしたの」

呆気にとられた顔で里穂子を見つめていたハナが、ようやく口を開いた。

「取り調べのとき、森垣さん、無戸籍者のための窓口のこと、丁寧に教えてくれたよね。ああいうことって、普通はしないんでしょ？」

「普通はしない――って、どうしてそう思ったの？」

「パソコンを使ってたもう一人の刑事さんが、目を真ん丸にしてたから」

林部は、そんな分かりやすい表情を被疑者に晒《さら》していたのか。背を向けていたから気づかなかった。あとでお灸《きゅう》を据えねば、と心の片隅に留める。

「私みたいな容疑者に、あんなふうに細かく、親切にアドバイスしてくれるなんて、あまりないことなんだよね？　ってことは、やっぱり森垣さんが特別だったんだなぁ、って」

「どうかな。特別なのは、ハナさんの境遇のほうだと思うよ。私だって、誰かれ構わず優しくするわけじゃないし」

「でも、警察の人って、怖いイメージがあったから……戸籍のこと、こんなに心配してもらえるなんて思わなくて。すごく驚いたし、あと、嬉しかったんだ」

「その『怖い』っていう思い込みがなければ、最初に自白を強要するようなことにはならなかったのかしら」

「それは、その……すみません。全部、私のせいだ」

珍しく快活に喋っていたハナが、急にうなだれる。だがすぐに背筋を伸ばし、暗くなってきた空に向かって、大きく頷いた。

「捕まっちゃったときはどうなるかと思ったし、留置場は嫌いだったけど、取り調べの担当が森垣さんで、本当によかった。外の人――しかも刑事さんに優しくされるなんて、いい思い出になったよ。どうもありがとうございました」

　ええ、と儀礼的に答えながら、内心首を捻る。

〝外の人〟というのは、どういう意味だろうか。

　ネットカフェの外に暮らす人。夜の仕事以外に従事する人。無戸籍や貧困といった、生命を脅かす問題の外にいる人。その独特な言葉選びが、かすかに心に引っかかった。

　釈放された喜びからか、ハナは本来の自分をさらけ出しているように見えた。推定二十六歳とは思えない無邪気さは、学校に行かずに育ったという特殊な生い立ちと、ネットカフェと日雇いの仕事を往復する孤独な生活ぶりに由来するものなのだろうか。

　そう思いを巡らせてはみたものの、彼女がこれほど簡単に自分に対して心を開いたのには、やはりどこか違和感があった。里穂子は刑事であり、彼女を未だ強く疑っている。そのことはハナも分かっているはずだ。こうして目的地まで送ってきたのも、釈放された被疑者の生活圏を特定するために他ならない。いや、無戸籍の女性の再出発を見届けたいという純粋な思いも、もちろん多分にあるのだが――それにしても。

　二つの相反する感情に板挟みにされるうちに、ネットカフェの狭い入り口の前に着いた。黒いリュックサックを背負ったハナがぴょこりとお辞儀をし、派手な店名ロゴのステッカーがべたべたと貼られた黄色い階段に足をかける。

「森垣さん。送ってくれて、ありがとう」

「いいえ。捜査の過程で訊きたいことが出てきたときは、ここに来ればいいのね」

「あ、うん。毎日じゃないけど、一週間に、最低一回は利用してて……」

「それで十分。何かあったら、お店の人に言付けを頼むから」

里穂子が二階を指差すと、ハナは合点したように頷き、軽い足音を立てながら階段を駆け上がっていった。

花柄のロングスカートと白いパンプスが見えなくなるのを見送り、そっと息を吐く。

――これで、終わりか。

ネットカフェの店員に聞き込みをしようかとも考えた。だが、それが何になるというのだろう。ハナがここのヘビーユーザーで、どの漫画をよく読んでいて、などという情報が得られたところで、殺人未遂事件は解決しない。ハナにはもともと犯行時間帯のアリバイがないのだから、事件当日の利用時間を詳しく尋ねても意味がない。

直感的には犯人だと分かっていながら、証拠がないばかりに釈放を迎える瞬間は、いつだってやりきれなかった。

退勤後、家に帰って夫や娘と何事もなかったかのように戯れ、寝室のベッドに何事もなかったかのように身を横たえるのが、どこか場違いな行動に思える。被害者になじられる夢を、これまでに幾度見たか知れない。

だが、その中でも、今回の無力感は群を抜いていた。

犯人かどうか以前に、彼女の素性さえ、ついぞ分からなかったのだ。氏名も出生地も、誕生日も正確な年齢も、無戸籍という身の上話が真実かどうかも裏取りできないまま、捜査は終わりに近づいている。

結局、彼女は何者だったのだろう。

苗字も、名前の正式表記すらもない、通称ハナ。もし彼女が本当に身寄りのない無戸籍者で、様々な社会制度に頼るということを知らずに生きてきたのなら、区役所で戸籍を新しく取得して、今からでもどうか幸せになってほしい。

元来た方向へと足を向け、歩き出す。それでもどこか後ろ髪を引かれるような心地が拭《ぬぐ》えず、里穂子はぐずぐずと道端にとどまった。角を曲がる手前で立ち止まり、先ほどハナが消えていったネットカフェの入り口を、ぼんやりと見つめる。

そのまま、時間を忘れていた。

階段を降りてきた女性客の姿に、ふと我に返る。

見覚えのある白い花柄のロングスカートが夜の風にはためいたのを見て、里穂子は目を瞬いた。

――ハナだ。

刑事の習性で、とっさに脇道に身を隠す。

しばらくの間、息を殺した。通りをじっと窺うが、帰路を急ぐ人々の中に、彼女の姿はいつまでも見えない。

そろそろと前進し、首を伸ばしてネットカフェの方向を見やる。駅の方向へと歩いていく一団の中に、背の低いハナの後ろ姿を認め、慌てて脇道から飛び出した。

ハナが後ろを振り返る気配はなかった。里穂子はもう署に帰ったと思い込んでいるのだろう。半ば小走りで、駅前ロータリーの横断歩道を渡っていく。

ネットカフェに入るには、まだ早い時間だったのだろうか。里穂子と別れる口実を作るために、いったん入店するふりをしたものの、朝まで安く泊まれる手頃なプランがなく、街を歩き回って時間をつぶすことにしたのかもしれない。もしかしたら男にナンパされ、今夜の宿代が浮くかも、などと期待して。

いや、と里穂子はすぐに考え直した。

あれは明らかに、行く先がある人の歩き方だ。

ネットカフェに入るふりをして刑事を撒いてからしか、向かうことのできない場所——。

尾行をすることになるなら林部を連れてくるんだった、と臍《ほぞ》を噬《か》みつつ、ハナの姿を見失わないように後を追った。捜査時は常に二人一組で動くという従来のルールは、まさにこういうときのためにあるのだ。ただ、日没後の蒲田駅周辺は駅から吐き出されてくる通勤客でごった返していて、里穂子一人でも素人相手に感づかれる心配はほとんどなかった。

洗練された雰囲気の駅に入り、エスカレーターを上る。電車に乗るのかと思いきや、ハナはＪＲ改札前の広いスペースを素通りし、そのまま西口へと向かった。

東急多摩川線、池上線の案内表示を横目に、ハナはロータリー前で左手に折れた。再開発が進んでいる東口前とは違い、駅のこちら側には、どことなく雑然とした空気が漂っている。『東口を避ければ蒲田は治安がいい』というネットの情報を鵜呑みにして、西口で物件を探す一人暮らしの女子学生や子育て世帯も少なくないと聞くが、個人的には注意を促したい。駅前には保育所もいくつかあるものの、こちら側もやはり居酒屋が多いため、夜にはロータリーやアーケード街に酔っ払いが集うし、少し奥に入れば、いかがわしい店やホテルも建っている。〝難民〟が寝泊まりするネットカフェも、こちら側に密集しているのだ。

そんな景色も、駅から離れれば一変する。

同じ東京都内でいうと墨田区や江東区の街並みにも似た、下町感漂うマンション街。さらに東急線の線路を越えて南へ向かうと、車道も歩道もだんだんと広くなり、新しい一軒家も増えて、いかにも住みやすそうな雰囲気が漂い始める。

ハナが足を向けたのは、その南の方角だった。

道に迷うそぶりも見せず、早足で進んでいく。足元を見ると、彼女はいつの間にかパンプスをスニーカーに履き替えていた。確か、逮捕時の荷物に入っていたものだ。ハナが予備の靴や着替え一式を持ち歩いていたことは、無戸籍でホームレス生活をしているという彼女の供述を裏づける証拠の一つになっていた。

これが真っ昼間や深夜だったら尾行は難しかったかもしれない。だが、人通りの多くなる帰宅ラッシュの時間帯であることが有利に働いた。

親に手を引かれて歩く子どもたちとすれ違い、幾台もの自転車に追い抜かれていく。住民に交じって歩くハナも、忙しい一日を終えて自宅に帰る途中の社会人か学生にしか見えなかった。

――まさか、こちらに家が？

嫌な予感を胸に、里穂子はハナの後を追った。ハナは、無戸籍者でもホームレスでもなかったのだろうか。日常生活を営む自宅があったのだろうか。それくらいのことを取り調べで暴けなかったとなれば、刑事の名折れだ。

駅前の喧《かしま》しさを忘れ去ったような住宅街を、ハナは相変わらず急ぎ足で歩いていった。

辺りにはファミリー向けのマンションや、小ぢんまりとした一軒家が立ち並んでいる。その間に昔ながらの小さな町工場がぽつりぽつりと建っているのは、「ものづくりの町」と言われる蒲田ならではの特徴だ。そのほとんどは機械金属加工の工場で、日本の製造業を下支えしている。

ハナが夕闇に呑まれるようにして、とある工場の敷地に姿を消したのは、駅から十五分以上歩いてからのことだった。

足音を忍ばせ、すぐに門柱の社名表示を確認する。『カナウチ食品株式会社』と読めた。

「カナウチ……」

ハナが元恋人の斎藤敏樹に対して名乗った、叶内花というフルネームを思い出す。あの苗字は、この社名から取ったのではないか。もしくは、ハナは実際に、ここの創業者の子孫なのか。

近隣の住宅に近接するようにしてひっそりと建っているが、工場の敷地はある程度広いことが窺えた。工事現場の仮囲いのような、白く背の高い簡易壁が、狭い道沿いに延々と続いている。門の向こうの駐車場にはトラックを停めるスペースが何台分かあり、その奥に建っている四角い工場の建物も、ちょっとした体育館ほどの大きさがあった。

こんなところに中規模の食品工場が建っているとは知らなかった。ここは蒲田駅というより京急線の雑色《ぞうしき》駅に近いが、蒲田警察署の管内であることには変わりない。四年も刑事課に勤めていて一度も訪れたことがないということは、比較的治安がいいエリアなのだろう。

ハナはこの工場に、何をしに来たのか。

まさか、釈放されたその足で、日雇いの仕事に来たわけではあるまい。

門はわずかに開いていた。敷地内に人の姿は見えない。スニーカーを履いたハナのかすかな靴音は、みるみるうちに遠ざかっていく。

私有地への侵入はまずい。

しかし、このままでは、ハナの目的が分からない。

葛藤したのは、ほんの二、三秒だった。工場の人間に見咎められたときの言い訳を考えながら、里穂子は門の隙間を抜け、敷地内に入り込んだ。

鉄骨のゲートをくぐり、耳を澄ませつつ、駐車場を横切る。建物のそばにある従業員用の駐輪場には、十数台の自転車が停めてあった。

工場の正面入り口が、ぼうっと白く蛍光灯の光に照らされている。ガラス戸の奥に、学校の昇降口のような下駄箱が見えたが、人の姿はなかった。工場の中に入ったわけではないようだ。とすれば、どこだろう。

建物の横には、倉庫がいくつか並んでいた。そちらへと走り、ハナの気配を探す。敷地の一番奥に目を走らせ、息を呑んだ。

暗い中に浮き上がって見える白いロングスカートが、建物の角を曲がって消えていく。ハナだ。息を殺して、彼女を追いかけた。

途中に立ち入り禁止のロープが張ってあったが、構わず乗り越える。

建物の陰で立ち止まり、工場の裏手を覗き込んだ。そこには、飛び抜けて古そうな倉庫があった。壁のトタンが錆びて赤くなっているのが、夜目にも分かる。大きさは大型トラックのコンテナ三つ分くらいで、他の倉庫の倍近くはありそうだった。

ハナはまっすぐに、古い倉庫へと向かっていった。彼女が入り口の引き戸を開けると、暖かい印象の黄色い光が漏れ、「ハナ!」「帰ってきたのか!」という男女の歓声が聞こえてきた。

――暖かい光?

――男女の歓声?

いても立ってもいられず、引き戸が閉まるや否や、倉庫の前に駆け寄った。入り口の戸は、長い年月のうちに建てつけが甘くなってしまったのか、ほんの少しだけ開いていた。

隙間に片目を近づけ、倉庫の中を覗く。

そこには、信じられない光景が広がっていた。

若者から中年まで、年齢に幅がある五、六名の男女が、帰ってきたハナを取り囲み、喜びの笑みを浮かべている。

そばにある座卓の上にはカセットコンロが置かれていて、鍋から野菜が煮えるいい匂いが漂っている。カップラーメンの容器や割り箸など、飲食物のゴミも散らかっている。

灰色のカーペットを敷いた床には三人掛けのソファが置かれ、その上に漫画本が伏せられていた。どこにあるのかは見えないが、テレビの音も聞こえてくる。

広い空間の奥側には、横一面に、白いカーテンが吊り下げられていた。床とカーテンの隙間から、何組かの布団がはみ出しているのが見える。天井付近にロープを張り巡らし、縦と横のカーテンを十字に組み合わせることで、安いマッサージ店や個室居酒屋のように、いくつもの〝部屋〟を作っているようだ。

どう見ても、人間の居住空間だった。

自分が今どこで何をしているのか、一瞬分からなくなる。食品工場の敷地の片隅にある古びた倉庫ではなく、大家族の集う明るいリビングルームを覗いてしまったかのような錯覚にとらわれる。

「ちょっと……待ってよ」

頭の整理をするため、思わず小声で呟いた。倉庫の中で嬉しそうに言葉を交わしている男女に、里穂子の独り言は届かない。

「供述は……嘘だったってこと？　住所不定のホームレスじゃなくて、ここで――」

「――どちらさま？」

背後から低い声が聞こえ、首筋に鳥肌が立った。

慌てて引き戸から飛び退《の》き、振り返る。そこに立っていたのは、短い顎鬚をたくわえた男だった。ぞっとするほど冷たい目をしている。

鬚のせいで一見年齢不詳だが、よく見ると同い年くらいだろうか。いや、まだ三十にも達していないかもしれない。男性にしては長めの黒髪をサイドに流していて、薄い唇をわずかに緩ませている。

その色のない目が、里穂子の全身を観察するように上下に動いた。食品工場の関係者に声をかけられたときの言い訳は考えてあったはずなのに、冷や汗が浮かぶばかりで、言葉が出てこない。

それくらい、異様なオーラを放つ男だった。

顔立ちはよく整っているのに、カッコいいなどという俗な言葉は浮かんでこない。その目で一瞥されただけで、自分という存在が瞬間的に抹殺されたかのような恐怖心に襲われる。

彼は小さく息をつき、「警察の方？」と片方の眉を上げた。不覚にも、先ほどの独り言を聞かれてしまったようだ。

「……ここには、ハナと一緒に？」

「いえ、一緒というわけでは」

「尾《つ》けられたか。あれだけ用心しろと言ったのに」

男は諦めたように吐き捨てた。里穂子を追い返そうともせず、おもむろに引き戸を開ける。

倉庫内の暖かな黄色い光が、男と里穂子に降り注いだ。

聞こえていたはしゃぎ声がぴたりと止む。座卓のそばに座っていた中年の男性が、「だ、誰だ？」と里穂子を見て怯えたように叫んだ。

輪の中心にいたハナが、さっと青ざめる。

「森垣さん……なんで！」

悲鳴に近い声が、彼女の細い喉からほとばしった。色を失っているハナに、里穂子の隣に立つ鬚面の男が話しかけた。

「ハナ。まさかとは思うが……釈放された後、警察署からここに直行したのか？」

「違うよ！　私、いったんネットカフェに入るふりをして、出てくるときも森垣さんが帰ったかどうか、ちゃんと確かめて――」

「なら、その目算が甘かったんだ。現に、警察がここに辿りついたわけだからな」

男はそっけなく言った。「嘘……」とハナが呆然と呟く。

危険かもしれないと分かっていたが、好奇心には勝てなかった。里穂子は誰に断ることなく、倉庫に一歩踏み込み、辺りを見回した。

ここが〝リビングルーム〟で、カーテンで仕切られた奥の個室が〝ベッドルーム〟といったところだろうか。壁際に置かれているのは、古びたブラウン管テレビだった。反対側の隅には、まな板や包丁立てなどの調理器具が並べられている長机や、古そうな洗濯機が置いてある。

振り返ると、入り口のそばの壁には、細い筆で書かれた貼り紙があった。

『ここは守られるべきユートピア
仲間の恩には恩を
仇には慈しみを
力を排して和を保て』

たった四行の文章を読むなり、全身の肌が粟立った。

――ユートピア。

その言葉の響きは、どこか不吉だった。

現実には存在しない、理想的な社会。その言葉はしばしば、新興宗教団体に好まれる。閉じられた社会での異様な集団生活を、自分たちだけの理想郷――〝ユートピア〟と呼ぶのだ。

「ねえねえ、ハナちゃん、その人だーれ？」

無邪気な甲高い声が聞こえ、里穂子は仰天して倉庫の奥に目を凝らした。

天井から垂れ下がる白いカーテンを掻き分けて顔を出したのは、年端もいかない女児だった。三歳――いや、二歳くらいだろうか。明瞭な口調で喋っているが、身体の大きさは、娘の結菜とさほど変わらないように見える。

あの年齢の幼児がこんなところで暮らしていて、それを大人たちが黙認しているのだとしたら。どう考えても、異常だ。

「ハナさん」

自然と口調が厳しくなった。自分の声に警戒心がにじみ出ているのが分かる。

「ここは、あなたの住居なの？　だったらどうして、取り調べで言わなかったの」

「でも……だって……」

「この人たちはご家族？　叶内って名乗ってたけど、ここの創業者と血縁関係があるの？」

「ううん、叶内さんは、違って……私が、勝手に苗字を……」

「水商売の店を転々としてたって経歴は嘘で、本当はこの食品工場で働いてるの？」

「あの……ごめん、外で話させて！」

同居人たちの視線に耐えきれなくなったのか、ハナが里穂子の肩を押し、倉庫の外へと連れ出した。

五月中旬にしては冷たい空気が、里穂子の首元に入り込む。鬚面の男を中に入れてから、ハナは引き戸を勢いよく閉めた。漏れ出る光がわずかになり、辺りは暗闇に覆われる。工場の建物が目の前にそびえたち、背の高い簡易壁に取り囲まれているこの場所には、周りの住宅の灯りもほとんど差し込まないようだった。

「森垣さん、お願い。ここのことは、秘密にしておいて。他の刑事さんも連れてこないで。私、森垣さんに呼ばれたら、いつでもちゃんと警察署に行くから。絶対に、取り調べを拒否したり、逃げ出したりしないから。だから、お願い……」

二人きりになるや否や、ハナは震え声で懇願してきた。だが、同じ女性の里穂子に泣き落としは通用しない。

「単刀直入に訊くけど――〝ユートピア〟って、いったい何？　宗教？　この倉庫で、信者たちが集団生活をしてるの？」

「違うよ！　宗教なんかじゃ！」

ハナは意外にも、力強く否定した。

「別に、同じ境遇の人たちだけで集まって、一緒に住んでるだけ。本当に、それだけだから」

「同じ境遇って……」首を捻り、思い当たる。「もしかして、無戸籍の？」

「そう！　外の世界では普通に暮らしていけないから、助け合ってるの。そこの工場で働いて、敷地内の倉庫で寝泊まりさせてもらってるだけなんだから、何も悪くないよね？」

何も悪くない、ということはない。無戸籍の人々が社会保険もなしに工場で働き、居住用に作られていない建物で生活している、しかも中には未就学児までいる――という時点で、抵触しそうな法律は山ほどあった。建築基準法、消防法、労働基準法、健康保険法、所得税法、戸籍法、学校教育法。刑法以外にさほど詳しくない里穂子がざっと思いついただけでも、これだけある。

それにしても、驚いた。

あの冷たい目をした男や里穂子をここに導いたハナを含め、倉庫の中で見た七名ほどの男女が、全員無戸籍。ハナの力説ぶりからして本当なのだろうが、にわかには信じられない。

ここは、無戸籍者の〝ユートピア〟。

外の世界の助けを借りず、自分たちだけで日々の生活を送る、閉じられた理想郷――。

「だから……ごめん、放っておいて。私たちが安心して住める場所は、ここしかないの。お願い。見なかったことにして。じゃないと、私、リョウに怒られちゃう……」

担当刑事と被疑者という関係を急に思い出したのか、ハナはおどおどとした口調に戻り、繰り返し頭を下げた。リョウというのは、先ほど里穂子が倉庫前で声をかけられた、あの鬚面の男のことだろうか。

何度も上下する彼女の茶髪を眺めながら、考える。しばしためらった後、里穂子は「そうね」と顎に手を当てた。

「今のところは、公にはしない。私が知りたいのは、あなたが斎藤敏樹さんを刺したかどうか、ただそれだけだから」

安易な約束の裏には、令状もなしに私有地に侵入したという負い目もあった。〝外の世界〟の法律に疎《うと》いのか、〝ユートピア〟の住人たちがそのことを問題にする様子はなかったが、署に言いつけられたらまずいことになる。

里穂子の言葉を聞いて、ハナは安心したように息をついた。

「ありがとう！　森垣さんなら分かってくれると思ってた！」

「ただし、皆さんへの事情聴取はさせてもらうからね。今日はもう遅いから、明日以降にするけど。

その際は、私一人で来るから」

ハナの少女のような表情が、瞬時に曇る。数秒後、「それは……仕方ないか」という蚊の鳴くような声とともに、彼女は肩を落とした。

「こっそり後をつけるような真似をしてごめんね。では、また明日」

一方的に言い、その場を離れる。建物の角を曲がるときに振り返って目を凝らすと、ハナは暗闇の中、じっとこちらを見つめて立ち尽くしていた。

——ここは守られるべきユートピア。

何の変哲もない住宅街に出て、一息つく。現実に見た光景だったのかと首を傾げたくなるほど、あの倉庫の内部は異質だった。

頭が妙に重い。署への帰り道を、里穂子は足を引きずるようにして歩いた。

＊

壁の時計が、六時四十五分を指した。机の上の書類を片付け、鞄を肩にかけて席を立つと、島の端に座っている野木が顔をほころばせた。

「珍しいじゃないか。森垣がこんな時間に退勤するなんて」

「もう少し残ったほうがよさそうですか？」

「いやいや、そうじゃなくてさ。今日は娘さんが寂しい思いをせずに済むな、と。育休明けでいきなり強行犯係に戻るなんてただでさえ大変なんだから、急ぎの案件がないときは、もっと周りに仕事を押しつけていいんだぞ」

野木の言葉を聞いて、胸がちくりと痛んだ。

近年いろいろな取り組みがなされているものの、警察はまだまだ男性優位の組織だ。突発的な事件に振り回される刑事課は、その筆頭ともいえる。そんな中で、母親と刑事を両立させることを選んだ自分に対し、直属の上司が理解を示してくれるのは非常にありがたかった。

だが、今日ばかりは、その優しさが仇《あだ》となり、里穂子の罪悪感に拍車をかける。

「森垣には林部がいるんだ。新人は仕事を経験すればするほど、一人前への近道になるんだから、手足としてこき使うといい。な、林部？」

「はい！　いくらでも！　って、もう十分任せてもらってる気もしますけど」

書くべき捜査報告書の多さに日々喘いでいる林部が、遠回しにギブアップ宣言をしている。書類の作成に手こずってずいぶんと残業をしている様子だが、慣れれば速くなるから頑張って、としか言いようがない。里穂子も通ってきた道だ。

林部が取り組んでいるのは、例の殺人未遂事件の報告書、ではなかった。あの事件に関しては、被害者の人間関係を洗い直したり、ハナ以外の犯人がいる可能性を視野に入れて防犯カメラ映像を見返したりと、係を挙げての捜査を引き続き行っている。ただ、現実問題として、それぞれの当番日に起きた別件の処理も進めなければならないため、どうしても手が回らない。ハナが真犯人だと里穂子を含めた全員が思っているからこそ、見込みの薄そうなこの事件の捜査はどんどん後回しになる。

「では、お疲れ様です。林部くん、遅くなりすぎないようにね。下手に残ると、夜間帯の事件処理に巻き込まれるよ」

「もう何度も経験済みです、それ」

林部のため息混じりの声と、里穂子がまっすぐ帰宅すると信じ込んでいる野木の晴れやかな笑顔に送り出され、刑事課のフロアを後にした。

蒲田警察署を出て、南西の方角に向かう。退勤した手前、捜査車両は使えないから、徒歩で行くしかない。あの食品工場までは、直接向かえば二十分もかからないはずだった。

結局、昨日発見した無戸籍者コミュニティのことを、里穂子は野木に報告しなかった。自宅のないハナがどこに帰るか迷っていたため時間がかかったが、無事に駅前のネットカフェに送り届け、そのまま引き返してきた——とだけ。

上司に虚偽の報告をするなど、初めてのことだった。出世を目論《もくろ》む刑事の中には、手柄を独り占めするために、単独捜査でつかんだ情報を意図的に隠す者もいると聞くが、里穂子はチームプレーを重んじる人間だと自負している。

だからこそ、罪悪感が心に重苦しくのしかかっていた。野木に対しても、林部に対しても、家で里穂子の帰りを待つ夫と娘に対しても。

それでも、行動を起こすのは止められなかった。

今、里穂子の胸の内には、二つの感情が同居していた。一つは、ハナの正体や生活実態が明らかになることで、担当事件を解決に導く糸口が見つかるかもしれないという期待。そしてもう一つは、純粋な興味だった。

あの無戸籍者コミュニティのことを、もっと知りたい——。

食品工場の門の前に着いたのは七時過ぎだった。夜の色に染まりかけている工場の敷地に滑り込み、裏手の倉庫へと足を向ける。正面入り口から出てきた従業員に「お疲れ様です」と声をかけられてドキリとしたが、敷地内ですれ違う人間に対する機械的な挨拶だったらしく、里穂子の顔を見もせずに門から出ていってしまった。大方、普段から取引先の業者などの出入りが多く、よそ者を何とも思わないのだろう。

　工場の正面入り口以外の場所は、灯りが少なかった。暗い中を早足で進み、立ち入り禁止のロープを乗り越え、赤茶けた古い倉庫に辿りつく。

　丁寧に三回ノックをして、「失礼します」と声をかけながら引き戸を開けた。

　〝リビングルーム〟に集っていた男女が、じろりとこちらを見る。若い男が二名。ハナより年下に見える女が一名。そして中年の男女が一名ずつ。テレビの前の床でおもちゃのブロックを積んでいる女児を合わせて、全部で六名。

　いずれも見覚えのある顔だった。昨日もここにいたメンバーだ。ただしその中に、リョウとハナの姿はない。

「ハナなら出かけたよ」

　口を開いたのは、座卓のそばの座布団に座っている、でっぷりと太った中年女性だった。上下とも灰色のスウェットという、留置中の被疑者のような格好をしている。顎が首元の肉に埋まっていて、喋るたびにだぶついた皮膚が波打った。

「さっき、逃げるように出ていった。ここにいるのが気まずかったんじゃないかね。刑事さんを連れてきちまったことを反省して、ずっとめそめそしていたし」

「……ハナさんはどこへ？」

「お気に入りのネットカフェじゃないかね。あの子は漫画を読むのが好きだから」

　昨日ハナが里穂子を撒くのに使った、蒲田駅前のネットカフェを思い浮かべる。一週間に一度は利用しているというのは、嘘ではなかったということか。

ハナが出かけているとは思わなかった。だが、それならそれで都合がいい。

「構いません。今日は、皆さんにお話を聞かせてもらいにきたんです。ハナさんの取り調べは、署で十分行いましたから」

「聞いてるよ。事情聴取ってやつだろ？　あたしらだって、刑事さんに逆らう気はないんだ。ハナ曰く、あんたは一応信用できる人みたいだけど、警察を敵に回すとどうなるか分かったもんじゃないからね」

貫禄のある中年女性が、悟りきった目をして向かいの座布団を指差す。ところどころ擦り切れて中の綿が飛び出している、年季の入った代物だった。

どうぞ、と促されるがまま、里穂子はローヒールのパンプスを揃えて脱ぎ、カーペットを踏んで座布団に腰を下ろした。

背後の引き戸から、隙間風が吹いてきた。今は五月だからいいが、真冬はどうしているのだろう。真夏は真夏で、灼熱地獄になりそうだ。テレビや洗濯機があるくらいだから、ファンヒーターや扇風機といった家電も一通り揃っているのだろうか。

「警察の取り調べだなんて、緊張するね」

中年女性は黄ばんだ歯を見せ、豪快に笑った。取り調べではなく参考人への事情聴取で、しかも調書を取るわけでもないから非公式の会話にすぎないのだが、あえて訂正はしないでおく。

「……お名前は？」

「あたし？　ヨシコ。ほらテッペイ、あんたもおいでよ」

大声で呼ばれ、そばに立っていた細身の中年男性がびくりと肩を震わせる。彼は「ああ」と曖昧に頷くと、ヨシコの隣にあぐらをかいた。

白髪の交じったボサボサの頭がとっつきにくい印象を与えるが、よく見ると人懐こそうな男だ。面倒臭そうに首を掻いているヨシコとは対照的に、彼は愛想笑いを浮かべていた。

二人のフルネームを尋ねようとして、思いとどまった。彼らには戸籍も住民票もないのだ。ごく少人数で構成されたこのコミュニティにおいて、個人を識別するための苗字や漢字表記が果たして必要だろうか。ハナはハナ、ヨシコはヨシコ、テッペイはテッペイ。この小さな世界における名前とは、きっと単なる呼び名、音の羅列でしかない。

ヨシコ、テッペイ、里穂子の三人で座卓を囲む。昨日はカセットコンロと鍋が置いてあったが、今は綺麗に片付けられていた。里穂子の来訪を予期して、夕飯の支度を遅らせたのだろうか。

残り三人の若者は、里穂子を警戒するように部屋の隅に移動していた。状況を分かっていない女児の楽しそうなはしゃぎ声が、張り詰めた空気をわずかに和らげる。

「ここには、八人で住んでいるんですか？　ここにいる六人とハナさん、そして昨日お会いしたリョウさんの」

「いや、十五人だね。ここは日勤と夜勤の二交替制だから。残り半分は、さっき仕事に出かけていったよ」

ヨシコが工場の方向を指差して答える。住人の数が予想より多かったことに、里穂子は目を見開いた。

食品工場は、二十四時間稼働しているのか。いくらこの倉庫が他より広いとはいえ、十五人の住居としては狭い印象だが、全員がいっぺんに揃うことがないのなら、なるほど生活は成り立つのかもしれない。

「とすると、ここに住んでいる方は、全員この隣の工場で働いているんですか？　カナウチ食品株式会社、でしたっけ」

「そうさ。チョコレートやクッキーの製造の仕事をしてる。といっても、あたしらの担当は箱詰めと検品だけだがね」

社員なのか、それとも派遣か、と訊こうとしてやめた。この人たちにそういう概念はないだろう。食品会社であれ、派遣会社であれ、マイナンバーどころか身分証の一つも持たない人間を正規のルートで雇えるわけがなかった。

こちらから尋ねるまでもなく、ヨシコは仕事の内容について流暢《りゅうちょう》に語った。

お菓子の箱詰めは経験が物を言うこと。左手でプラスチックのケースを持ち、右手でチョコレートをつかみ取りして碁盤の目状の穴に納めていく作業を、一つ二十秒でやらなければならないこと。部屋にはストップウォッチを持ったリーダーがいて、遅れると急かされること。ヨシコは古株のため作業が速く、どの工程でも重宝されていること。ただし製造番号の確認作業は目が疲れるため、最近は若者に任せていること。

深く立ち入るのを拒まれるかと思いきや、ヨシコは意外にも気持ちよさそうに喋った。食品とベルトコンベアを相手にした単純作業の仕事と、工場の敷地内ですべてが完結する生活。普段から人との繋がりに飢えているから、聞き手が里穂子のような招かれざる客であっても、つい喜びの感情が勝ってしまうのかもしれない。

「失礼ですが……仕事の対価はきちんと受け取っていますか?」

「対価?」

「給与のことです」

悪徳経営者が社会的弱者である無戸籍者を集め、倉庫に住まわせる代わりにタダ働き同然の仕事を押しつけているのではないか。そんな里穂子の懸念は、「もちろんさ」というヨシコの言葉に一蹴された。

「多くもなきゃ少なくもない、ちょうどいいくらいのお給料を毎月受け取ってるよ。ここの食料や日用品、光熱費の類いは会社側で手配してもらってるから、それを引いた金額をね」

「それは、現金で?」

「そりゃそうだ。銀行口座なんて、誰も持っていやしないんだから。リョウがまとめてもらってきて、きっちり管理してくれてるよ。奥には金庫もあるから、安全にしまっておくこともできる」

ヨシコは得意げに言うが、やはりいろいろと問題がある。経営者は、無戸籍者たちに払った給料を経理上どう処理しているのか。生活費を引いた分を給料として渡されているのなら、その額は都の最低賃金を下回っているのではないか。そもそも彼らは従業員の頭数に入れられているのか。

いつの間にか、しかめ面をしていたようだった。里穂子を安心させようとするように、テッペイが初めて口を開く。

「叶内さん――ここの社長は、心があったかい人だからね。俺らみたいな社会のはぐれ者を普通に働かせてくれて、不自由ない暮らしをさせてくれて、お給料まで払ってくれて。それを三十年も続けてるんだから、大したもんだよ、社長は。あっ、今はもう会長か」

「篤志家ってやつだね。あの人がいなきゃ、あたしらはみんな、どこかで野垂れ死にしていただろうよ」

経営者の叶内という人物については、後で詳しく調べてみる必要がありそうだ。

それよりも、テッペイの何気ない台詞に引っかかった。

「……三十年?」

聞き間違いかと思ったが、テッペイはゆっくりと頷いた。

「俺が二十三のときからだから、えーと、三十一年だな。あんときは〝ユートピア〟なんてたいそうなもんじゃなくて、俺が身一つで転がり込んだだけだったけど。ヨシコは俺の次、こん中で二番目の古株だ」

「系列の風俗店で清掃の仕事をしてた無戸籍の男が、普通の食品工場に就職したって噂を聞きつけてね。しかも住み込みで。半信半疑でここへ来て、叶内さんと話して涙が出たよ。ああこれであたしも、風俗嬢の母親の呪縛から逃れられるんだ、って」

「……お二人とも、ここに来る前は風俗店で働いていた？」

「思い出したくもないね。親の無知と怠慢で、出生届すら出してもらえなかったあたしたちの居場所は、そこくらいしかなかったんだよ。ねえ、テッペイ」

「そうだなぁ」

無知と怠慢。ネグレクトだろうか。もしくは、親が精神疾患や軽度の知的障害を抱えていたか。その両方かもしれない。

詳しく尋ねたかったが、思いとどまった。

ここへは、被疑者であるハナに関する事情聴取という名目で来ているのだ。話を聞く相手のことをある程度知っておくのは重要だが、その生い立ちにまで踏み込むのは行き過ぎだった。

ちょうど同じ疑問を抱き始めていたのだろう。ヨシコが片方の眉を上げ、座卓に頬杖をついた。

「そういえば、ハナについて訊きたいんじゃなかったのかい？　さっきからペラペラと喋っちまったけど」

「失礼しました。本題に入りますね」

里穂子は背筋を伸ばし、用意していた質問を頭に思い浮かべた。事情聴取は一人ずつ呼び出して行うのが通例だが、この倉庫には音を遮る個室がない。全員に同時に質問するしかなさそうだった。

「まず……今回の事件の被害者は、ハナさんが交際していた元恋人の男性です。彼は直前にハナさんと別れ話をしていたようで、恨まれて襲われたのではないかと話していました。その男性について、ハナさんから何か聞いたことはありますか？」

「そりゃ、あたしたちに話すわけがないね。〝外の人〟と関わるのは禁止なんだから。ましてや恋人を作ってたなんて、重大なルール違反だ。かわいそうに、あの子はしばらく給料なしだね」

ヨシコが非難がましく言った。隣に座るテッペイや、里穂子たちを遠巻きにしている若者三人も、同意するように何度か頷く。

この〝ユートピア〟には、独自のルールが存在するようだ。それを破った者は、罰として給料を減らされる。

ネットカフェに週一以上のペースで通い、〝外の人〟と交際していたハナは、コミュニティの閉鎖性に嫌気がさしていたのかもしれない。

「皆さんは、ハナさんが被害者の男性をどう思っていたか、一切分からないということですね。殺害動機や事件の計画についても、何も聞いていないと」

「そうさ。事件が起きるまで、ハナが外に男を作ってたことすら知らなかったんだから。『自称・叶内花容疑者、殺人未遂容疑で逮捕』なんて翌朝のニュースを見て、だいたいのことを察したんだ」

「では――」

里穂子は壁際の〝キッチン〟に目をやった。長机の上に、木製の包丁立てが置いてある。

「包丁、はどうでしょう。事件の前後で、数が足りなくなったということはありませんでしたか」

「どうだかね。あたしは最近炊事をやってないから。今月の当番は――ルミカ、何か気づいたことはあるかい？」

ヨシコがおもむろに振り向いた先には、この中で最も年若そうな女性がいた。顔立ちがまだあどけなく、二十歳そこそこに見える。肩の長さで切り揃えられた黒髪に、眉を描いた程度の薄化粧と、ハナに比べて地味な印象だった。

ルミカと呼ばれた彼女は、「うーん」と気まずそうに俯いた。

「そういえば、ないかも。小さめのナイフが……一本」

頼りなげな口調で言い、包丁立てを見やる。小さめのナイフ、という表現に、里穂子は身を乗り出した。

「どんな形状のナイフですか？　色は？　長さは？」

「このくらいの……持つところが黒で、切るところが銀で……」

「果物ナイフだろ？　俺らが炊事当番になったときにはもうなかったよな。だいぶ古かったから、誰かが捨てたんだと思ってたけど」

喋りが苦手そうなルミカに、脇に立つ好青年風の若者が助け舟を出した。「先月はどうだった？」と彼がもう一人の若い男を見る。

話を振られた男は、質問した青年とは対照的に、野暮《やぼ》ったい外見をしていた。天然パーマなのか寝ぐせなのか、長めの黒髪があちこち撥《は》ねている。好青年風の若者からは昭和の男子学生めいた朴訥《ぼくとつ》とした雰囲気が漂っているが、こちらの男はやや東南アジア系の顔立ちというのだろうか、肌の色が濃く、彫りが深い。

彼は、仏頂面のまま首を傾げた。

「さあ。果物なんてほとんど食わないからな。全然気づかなかった」

「三月にはあったぞ。差し入れのリンゴを剝《む》いた覚えがある」

最年長のテッペイが、小学生のようにまっすぐ手を挙げた。

凶器が果物ナイフだったということは、公にしていない。つまり、彼らが刃物の形状をニュースで知った可能性はなく、推定される紛失時期も、事件の発生月と一致している。

ハナの勾留中、どんなに聞き込みをしても得られなかった、第三者の証言だ。

問題は――彼らの発言に、どうやって証拠能力を持たせるか。

凶器の入手経路は判明したが、それを上に報告すると、〝ユートピア〟のことを他言しないというハナとの約束をさっそく違《たが》えることになる。

捜査のためだ。そんな約束、破ってしまえばいい。

自分に言い聞かせるものの、ためらいの気持ちが拭えないのは事実だった。

「それでは……事件当日のハナさんの行動についてはいかがでしょう。何か思い当たることがあれば教えていただけますか？」

「そう言われても、事件ってのは真夜中に起こったんだろ？　ここは十一時には消灯しちまうから、その頃にはみんな眠りこけてたよ。ハナは門限破りの常習犯だったんでね」

ヨシコが顔をしかめた。「リョウはハナに甘いからねえ」と愚痴っぽく呟いてから、思い出したように若者たちのほうを向く。

「けど、タクローは見たんだろ？　あの夜、ハナがいったんここに帰ってきたのを」

「帰ってきた？　ハナさんが？」

その証言に耳を疑う。

それはつまり、ハナには事件当夜のアリバイがある——ということか？

タクローと呼ばれた東南アジア系の男が、ぱっちりとした漆黒の目を瞬かせ、面倒臭そうに言った。

「あの日は俺、仕事が終わってからずっと布団でゴロゴロしてたせいで、夜中に目が冴えちまったんだ。消灯してからも、水を飲んだり夜食を漁ったりしててさ。そしたら、ハナがそーっと帰ってきた」

「それは、何時頃？」

「消灯の三十分後くらいだったから、十一時半」

微妙な時間だ。被害者からの一一〇番通報があったのは午前零時五分。事件発生はその約十五分前の、午後十一時五十分前後。現場は京急蒲田駅の東側だから、ここから行くとしたら三十分はかかる。徒歩で向かうとすれば、だが。

「ニュースで見たけど、事件が起きたのって零時前なんだろ？　だからフツーに、ハナには無理じゃね？　あいつ、確かあのときパンプス履いてたから、長距離を走るとか無理だし」

タクローがぶっきらぼうに言う。それに賛同するように、ルミカがそろそろと手を挙げた。

「私も、聞いたよ。ハナさんが帰ってきた、ドアの音。ね、アツシ？」

「うん。そのせいでミライが起きちゃって、しばらくぐずってたもんな。俺もルミカも寝てたところを起こされたから、正確な時間は分かんないけど……まあ、十一時半前後だったんだろうな。二回も睡眠の邪魔をされて、次の日の仕事、しんどかったなぁ。ハナが突然抜けて人手も足りなかったし」

好青年風の若者の名はアツシ、大人そっちのけでブロックを組み合わせている二歳くらいの女児の名はミライというようだ。

二回も睡眠の邪魔をされたというのは、ハナがいったん帰宅して、しばらくしてまた出ていったため、引き戸が二度開閉したことを言っているのだろう。

ハナが犯行前にここに帰ってきた理由は、容易に想像がつく。突然の別れ話に怒りを募らせた彼女は、斎藤敏樹への強い殺意を胸に、凶器となった果物ナイフを取りにきたのだ。

里穂子はタクローへと向き直り、質問を重ねた。

「ハナさんが十一時半前後に帰宅していたことは知りませんでした。帰宅後何分くらいで彼女がここを出ていったか、覚えていますか？」

「さあ。俺、すぐに自分のスペースに戻って寝たから。五分か十分くらいじゃね？」

「十一時半に一度顔を合わせたきり、その後ハナさんの姿は見なかったということですね」

「ああ……そうだけど？」

タクローの返答に、里穂子は胸を撫で下ろした。

「となると、せっかくお話しいただいたところ申し訳ないのですが、ハナさんが事件を起こしていないという証明にはなりませんね。彼女が十一時半の時点でここにいたのだとしても、自転車やタクシーを使えば、十分から十五分程度で現場に到着できるでしょうから」

その瞬間、はんっ、とタクローが鼻で笑った。

「この蒲田で、自転車なんか使わねえよ。盗まれたり、職質をかけられたりしたら困るだろ。タクシーなんて高級な乗り物、乗り方も分からねえし」

吐き捨てるように言われ、はっとする。タクローの言うとおり、蒲田は都内でも、群を抜いて自転車の盗難件数が多い地域だ。当然、職務質問などによる検挙数も多かった。身分証を持たない彼らは、警察に声をかけられるリスクをことごとく回避して生活しているのだ。

とはいえ、反論としては弱い。若者三人による証言はあるものの、ハナがここに立ち寄った正確な時間はそもそも曖昧で、アリバイにはなりえなかった。

それ以前に、留意すべきは、彼らがハナと家族同然の関係にあるということだ。三人で結託してハナを庇おうとしている可能性は、決して低くない。

里穂子が納得していないことを察したのか、タクローはふてくされたように舌打ちをした。

「ったく、警察ってのはめんどいな。全部ハナのせいだ。あいつが色気づいて外の男と付き合ったりしなけりゃ、こんなことにはならなかったのに。本当にバカだな、脇が甘いんだよ」

明らかにハナを迷惑がっている様子だった。その愚痴っぽい口調を聞いて、ほんの少し考え直す。先ほどから、ハナがここにいないのをいいことに、ヨシコもタクローも歯に衣着せぬ物言いをしている。確かに、外の世界との関わりが禁じられた中で、たった十五人で共同生活を送っているとなると、ぶつかり合うことも少なくないだろう。〝ユートピア〟の住人は、互いに複雑な感情を抱えているのだ。

案外、彼らはハナに気を使うことなく、里穂子の質問に正直に答えているのか――。

里穂子は改めて、目の前の六人を見回した。

彼らが真実を話しているならば、彼らは全員、データ上は日本に存在しない人間ということになる。

もし自分だったらと想像しただけで、身の毛がよだった。

当然のように両親に守られ、学校に通い、就職して社会保険に入り、税金や年金を納めて生きてきた。数年前にマイナンバー通知カードが送られてきたときも、こんな紙っぺら一枚なんだな、としか思わなかった。

この現代日本で、社会に存在すら認められないという状況が、成立しうるなんて。

「あの……見たところ、若い方々が多いんですね。お三方に加え、ハナさんや、リョウさんも。皆さん二十代でしょうか」

里穂子は言葉に詰まりながら、タクロー、アツシ、ルミカの三人に目を向けた。

「若いといっても、タクローはもう三十だよ。リョウがだいたい二十七で、ハナが二十六だったかね。ま、あの子たちの場合は『自称』だけど」

ヨシコが三重顎に手を当てながら答えた。アツシが二十三歳、二歳のミライを除くと最年少のルミカが二十一歳。

夜勤に出ている残り七人のメンバーは、三十代の男性がもう二名いるほかは、全員四、五十代だという。若者が多いわけではなく、日勤と夜勤のメンバーで年齢に偏《かたよ》りがあっただけのようだ。

「ちなみに皆さん……区役所へ相談しに行かれたことは？　無戸籍の方向けに、新しく戸籍を作る手続きについて案内してくれる窓口があるみたいですよ。法務省のホームページに書いてありました」

情報弱者である彼らは、行政に頼ろうとしたことがないのだろう――という里穂子の予想は、またもタクローの嘲笑に撥ね退けられた。

「ここに乗り込むなら、もう少しいろいろ調べてから来いよ」

「調べてって、だからホームページを――」

「役所には何度も行ったさ！　戸籍がほしいと言うと、その前にまずは住民票だと、違う窓口に回される。そっちで訊くと、よく分からないから総合窓口に行けと追い払われる。さんざん待たされた挙句、出てきた職員は戸籍課が担当だと抜かす。最初に行ったと話すと、『じゃあ裁判所に行ってください』だ。ふざけんな。戸籍が取れるなんて、国のお偉いさんが言ってるだけの、真っ赤な嘘じゃねえか」

タクローが歯を剝き出して怒鳴った。彫りの深い顔立ちをしているだけに、その表情には凄みがある。

「大田区だけじゃない。品川区も、目黒区も、隣の川崎市の役所も、ここへ来る前にいくつも回ったさ。全部ダメだった。まともな担当者が書類を持ってきたと思ったら、『日本人であることの証明はできますか?』だ。そんなのどうやってしろってんだよ。こっちは十四歳のときに親に捨てられてんだよ!」

「十四歳……」

タクローの勢いにたじろぐ。里穂子とほとんど歳が変わらない彼は、どんな壮絶な人生を送ってきたのだろう。

日本人であることの証明を求めるのは、おそらく、不法滞在の外国人やその子どもが戸籍を取得するのを防ぐためだ。タクローの場合、外国の血が混じっているように見えなくもないため、それがマイナスに働いたのかもしれない。

国の方針と、現場の担当者の認識は、時に食い違う。しかも役所は厳密な縦割りの組織だ。例外にあたるケースを円滑に処理できず、その結果タクローがたらい回しにされたであろうことは、一公務員として容易に想像がついた。

——今日はもう閉まってるけど、明日の朝にでも窓口に行ってみたら? 戸籍、無事に作れるといいね。

――あ、はい……。

昨日のハナとのやりとりを思い出す。

もしかして自分は、正義を気取って、まるで意味のないアドバイスをしていたのではないだろうか。知ったかぶりをして、勝手に弱者に手を差し伸べている気になって。役所に行っても戸籍は簡単に作れないことを、ハナは当然知っていたに違いない。

かっと頰が熱くなった。そんな里穂子に追い打ちをかけるように、タクローが声を荒らげる。

「ずいぶんと俺らに興味があるみたいだけど、ほっといてくれよ。俺らの居場所はここしかねえんだ。ここは平和で、安全で、金をむしり取られたり餓死したりする心配もない、楽園みたいな場所なんだ。戸籍がちゃんとある奴らに、俺らの気持ちが分かってたまるかよ！」

「こらこらタクロー、刑事さんにそんな態度を取っちゃダメだ。話を聞かれたら愛想よく答えろって、今朝リョウに言われたじゃないか」

テッペイが困ったように眉根を寄せ、激昂するタクローをなだめた。ヨシコが「刑事さん、すまないねえ」と手刀を切る。

「タクローは、この中で一番苦労してるんだ。十四歳から年齢を偽って、ラブホの裏方の仕事を転転としてね。タクローがどうして無戸籍になったか知りたいかい？　母親が出産費用を踏み倒したせいで、病院から出生証明書をもらえなかったからだよ。貧乏ってのは恐ろしいねえ」

「そんな……」

「かわいそうに、学校にだって一度も行ったことがないんだ。――って、それはタクローだけじゃなく、あたしも含め、ここにいる全員がそうなんだけどね」

能天気に笑うヨシコに、タクローが鋭い視線を向けた。余計なことを、とでも言いたげに唇をわずかに動かし、黙って背を向ける。

怒って倉庫から出ていくつもりかと思いきや、タクローはテレビの前の床で遊んでいるミライのところへ向かった。意外に子ども好きなのか、カーペットの上に四つん這いになり、一緒になってブロックを積み始める。ミライがその腕にじゃれつき、きゃっきゃと楽しそうな笑い声を上げた。

それを合図に、アツシとルミカもそちらに近づいていく。里穂子に友好的な態度を示すヨシコとテッペイに比べ、若者たちは一向に心を開く様子がなかった。ぴしゃりと扉を閉ざすような冷淡さが、三人の背中からにじみ出ている。

若い世代ほど、〝ユートピア〟に深く心酔している、ということか。

二歳児と戯れる若者たちをぼんやりと眺めるうちに、ある疑問が首をもたげ、里穂子は同じ座卓を囲んでいるヨシコとテッペイへと向き直った。

「あの、すみません。ミライちゃんって――」

「アツシとルミカの子だよ」

最後まで言う前に、ヨシコがさらりと答えた。薄々予感してはいたが、改めて衝撃が走る。

「子どもって……どうやって？」

「どうやってって、二人が愛し合っちまったんだから、どうにかするしかないわな。言っとくけど、あたしは反対したよ。でもルミカの意志は固かった。命と引き換えにする覚悟で、ミライを産んだんだ。もちろん、ここでね」

医師や助産師の立ち会いなしの、〝自宅〟出産。

国が存在を把握していない男女の元に生まれた、新しい命。

「無戸籍……二世……」

「いや、三世だね。そもそもアツシが無戸籍二世だから」

ヨシコが事もなげに言う。里穂子は目を見開いた。

「ルミカはよくあるパターン。母親がＤＶ夫と離婚できないまま家出して、別の男と恋仲になってルミカを産んだんだ。出生届を出したらＤＶ夫の戸籍に入れられてバレちまうから、娘の存在はひたすら隠すしかない。その母親が死んで、ルミカはここに流れ着いた。ホームレスになっていたルミカをハナが街で偶然見つけなかったら、どうなってたか。だからルミカは、ハナのことを心から慕ってんだ。あの子の出歩き癖も、そう考えると悪いもんじゃゃ――」

「ヨシコさん、あまりペラペラ喋るのはやめようよ。リョウさんだって、そこまで話せとは言ってなかった。リョウさんが聞いたら、きっと怒るよ」

アツシが振り返り、苦言を呈した。ヨシコが不服そうに顔をしかめ、「別にあたしは、ユートピアのことを刑事さんに分かってもらおうと思って」と弁解する。

それよりも、アツシの口調に含まれる熱い感情が気になった。

信仰心――いや、忠誠心といったほうが正確だろうか。リョウさん、と今ここにいない彼の名前を呼んだ瞬間、彼の色白の頬には赤みが差していた。

思わず、入り口のそばの例の貼り紙に目をやる。『ここは守られるべきユートピア』から始まる一節を、里穂子は注意深く読んだ。

「リョウさんが――ここのリーダーなんですか？」

視線を合わせただけでぞっとしてしまう、不思議な雰囲気の瞳。淡々とした声と、目鼻立ちの整った顔、その顎を覆う短い鬚。「リョウに怒られちゃう」「今朝リョウに言われたじゃないか」というハナやヨシコの言葉。

リョウには、指導者の風格があった。

推定二十七歳というと、〝ユートピア〟の中では若い部類に入る。だが、彼がここを〝統治〟していると言われても、里穂子は驚かない。

意外なことに、「そうですよ！」と明るく答えたのは、お喋りなヨシコではなく、さっきまで排他的な雰囲気を醸し出していたアッシだった。

「リョウさんが、ここの〝渉外係〟です」

「渉外……？」

「三十年前から続くこのユートピアを守り、俺たちを率いてくれる人です。叶内さんや〝外の人〟と話し合って、俺たちがここに住み続けられるよう、努力してくれているんですよ。そう、リョウさんは――ここの守り神なんです。俺たちはいつだって、リョウさんに導かれて生きているんですよ！」

それで「渉外」か、と合点する。この倉庫が食品工場の敷地内、ひいては日本国内にある以上、無戸籍者コミュニティの存続には一般人の協力が欠かせない。〝ユートピア〟の中心的人物であるリョウが、ここの生活と秘密を守るため、外部との交渉を担っているのだろう。

単なるリーダーというわけではなさそうだった。アッシの妙に熱狂的な口ぶりからすると、やはりリョウの存在は半ば神格化されている。

〝渉外係〟とは、このコミュニティにとってそれくらい聖なる役職なのか。それとも、リョウ自身に類い稀《まれ》なる求心力が備わっているのか。

「守り神、ですか。あんなに若いのに……」

「もともとは、最年長で最古参のテッペイが〝渉外係〟を務めてたんだ。でも、四年前に、リョウに譲ったんだよ。ねえ?」

ヨシコが感慨深げに言い、隣のテッペイの脇腹を小突いた。話を振られたテッペイは、一瞬驚いた顔をした後、嬉しそうな微笑みを浮かべた。

「だってリョウとハナは、ここの象徴みたいなもんだからよ。小っちゃい頃から、ずーっとここで育ってきて。俺たちの中で、物心つく前からユートピアで暮らしてるのは、リョウとハナ、それからミライの三人だけだ」

「……象徴? 物心つく前から?」

わけが分からず、顔をしかめる。テッペイは大きく頷き、得意げに胸を張って補足した。

「リョウとハナは、捨て子だったんだ。服のタグまで丁寧に切られてて、どこの子だか全然分からなかったけど、リョウのズボンのポケットにはちゃーんと手紙が入ってた。『無戸籍の子です。育てられなくなりました。お願いします』ってな。それで、まだ小さかった兄妹を俺がこの倉庫に連れてきて、大切に育てた」

「何言ってんだい。子どもの寝かしつけ方も知らなかったくせに。あの子たちを育てたのはあたしだよ」

ヨシコがテッペイに抗議する。「それはそうだな」と恥ずかしそうに頭を掻くテッペイを、里穂子は呆然と見つめた。

——リョウとハナが、兄妹?

頭に引っかかったことが、二つあった。一つはいったん思考の外に追いやり、もう一つを口にする。

「ちょっと待ってください。ハナさんは捨て子だったんですか? 取り調べのときは、水商売に従事していた無戸籍の母親と、十七歳まで同じアパートに暮らしていたと言っていましたが」

「ああ、それはアツシのことだね。捨て子だと正直に言うと話が面倒になるから、経歴をそっくり借りたんだろう」

先ほど、アツシが無戸籍二世だと教えられたことを思い出し、そういうことだったのかと歯噛みする。

ちょうどそのとき、背後の引き戸が開く音がした。

「噂をすれば、お兄ちゃんのお帰りだ」

ヨシコが冗談めかした口調で言う。振り返ると、入り口にリョウが立っていた。昨日と同じ、怖いほどに表情のない顔が、里穂子という部外者の存在を検知する。

「ずいぶんと盛り上がっているようだな。俺は何も、刑事と打ち解けろとは言ってないぞ」

「ごめんよ」ヨシコが鷹揚に答えた。「敵視されるよりは、好かれておいたほうがいいと思ってさ」

「必要のないことまで喋らなくていい。そのへんにしておけ」

これまでの会話を聞いていたかのように、リョウが淡々と指示した。

彼は里穂子に一瞥をくれると、〝リビングルーム〟の隅に歩いていき、持っていた手提げ袋の中身を洗濯機に入れた。食品工場で着用する白衣のようだ。そんな生活感のある動作も、どこか神々しく見える。

リョウがこちらを振り向き、短く告げた。

「お引き取り願えますか。それと、訪問は今日を最後にしてください。十五人の人生を尊重する気持ちが、あなたに少しでもあるなら」

その言葉を聞いて、彼の魂胆をようやく理解する。

無戸籍者の現状について、住人に包み隠さず話をさせて、里穂子の同情を誘うつもりだったのだ。だからヨシコやテッペイは、リョウの意図を汲み、招かれざる客であるはずの里穂子に対して積極的に、自分たちや仲間の境遇を語った。

彼らは、里穂子の良心に訴えかけている。

ここを失ったら、自分たちにはどこにも行き場がない。

だからこれ以上立ち入らないでくれ。

この小さくも完璧な社会を破壊しないでくれ――と。

里穂子はゆっくりと立ち上がり、リョウの目を見据えた。

「また来ます。次は、リョウさんにも直接話を伺わせてください」

「……ご了承いただけない、と?」

「申し訳ありませんが、これも捜査の一環ですので」

はっきりと宣言し、軽く一礼する。黒いパンプスを履き、すぐに外に出た。

後ろ手で引き戸を閉め、深く息をつく。

ここに来たときはまだ夕焼けの残り香が漂っていたが、もう辺りはすっかり暗かった。敷地の出口へと歩きながら、先ほどいったん思考の外に追いやった「引っかかり」を、頭の中にぐいと引き戻す。

――その日のリビングは、やけに暗かった。

今から二十五年前のことだ。当時六歳だった里穂子は、信じられないような虐待のニュースを見た。人間を人間と思わない親による、壮絶なまでの育児放棄。あの日、両親がそのニュースをネタに軽口を叩いているのを聞き、吐き気が込み上げた。画面をまっすぐに指差し、かわいそう、かわいそうだと、次々と込み上げる怒りを、大泣きしながら撒き散らした。

忘れもしない、『鳥籠事件』だ。

ペットの鳥と一緒に狭い部屋に押し込められて飼育されていたという兄妹は、里穂子より少し年下だった。確か、上の男の子が三歳、下の女の子が一歳と報道されていたはずだ。繰り返しニュースで流されたその衝撃的な虐待の内容は、小学生から老人まで、日本中で人々の口に上った。

救出された彼らは、児童養護施設に引き取られた。しかし、一年後に、心理カウンセラーを装った何者かに施設から連れ去られ、行方不明となった。

誘拐の発覚に時間がかかって通報が遅れたのが痛手となり、警察の捜査は混迷を極めた。必死の捜査に当たった特別捜査本部も徐々に縮小し、ついぞ犯人の尻尾をつかめないまま解散した。

虐待、誘拐、そして迷宮入り。事件は未解決のまま、世間の人々の記憶に刻み込まれた。

この日本で、幼い兄妹が誰にも目撃されずに、どこかで生き延びられるわけがない。犯人の目的や動機は一切不明のままだったが、もう『鳥籠事件』の兄妹は死んでいるという見方が、いつしか世間に広まった。

里穂子もそう思っていた。あれは二十年以上前に終わった事件であり、連れ去られた兄妹が今さら生きて発見されるはずがないのだと。

――しかし。

「あの倉庫でなら……」

食品工場の敷地内にある、〝ユートピア〟。

三十一年前、里穂子がこの世に生を享《う》けた頃から存在した、無戸籍者たちのための守られた空間。

あそこでなら――誰にも発見されずに、育つことができたかもしれない。

年齢だって、ほとんど一致する。二十七歳と二十六歳と言っていたが、それは当時の身体の大きさから逆算した推定年齢のはずだ。正確な生まれ年は、本人たちも知らない。

心臓が高鳴り、激しく音を立てた。

夜の闇に、里穂子の荒い息が次々と吸い込まれていく。

素性や生い立ちが一切不明で、年齢と性別の条件も合致している、都内の一角で社会から隔離されて育った無戸籍の兄妹。

何度考えても、答えは一つだった。

――これが、ただの偶然であるはずがない。

リョウとハナは、あの日何者かに連れ去られて行方知れずとなった、『鳥籠事件』の被害児童なのではないだろうか?


民法第七七二条。

無戸籍者について調べようとすると、まずこの条文に行き当たる。
一、妻が婚姻中に懐胎した子は、夫の子と推定する。
二、婚姻の成立の日から二百日を経過した後又は婚姻の解消若しくは取消しの日から三百日以内に生まれた子は、婚姻中に懐胎したものと推定する。
いわゆる嫡出推定制度の条文だ。法務省が妊娠中の女性向けにホームページ上で公開しているリーフレットも、このケースを大前提としている。

婚姻期間中に、夫以外の男性との子を出産予定の方へ。もしくは、離婚後三百日以内に、前夫以外の男性との子を出産予定の方へ。出生届のことで、悩みを抱えていませんか。子どもを無戸籍にしないために、ためらわずにご相談ください。

それだけ、件数が多いのだろう。

確かに、よくありそうなことだ。

婚姻中か離婚後三百日以内に、別の男性との子どもが生まれる。そのことを役所に届け出ると、血縁上の父親ではなく、関係が断絶している夫や前夫を父として戸籍に記載されると言われてしまう。

その事実を知った母親は、出生届の提出を保留する。そうして、生まれた子は無戸籍となる。

ただ、この民法第七七二条の問題の場合は、調停や裁判の手続きで解決することができる。

離婚を成立させた上で、前夫から子に対して「嫡出否認の手続」を申し立ててもらうのだ。それが難しい場合には、前夫を相手取る「親子関係不存在確認の手続」や、子の血縁上の父親に対して行う「強制認知の手続」という選択肢もあるらしい。そうすれば、生まれた子は前夫でなく、母の戸籍に記載されることになる。

裁判の手続きなどに関する詳しい説明は、文字を追うだけで頭が痛くなるから、読むのをやめた。

とにかく——大半の無戸籍問題には、道が用意されているのだ。

制度や法律に関する知識と、弁護士を頼めるだけの資金、そして子どもへの深い愛情を併せ持つ血縁上の親がいれば、生まれた子が無戸籍のままになることはない。

しかし、彼らはどうだろう。

ヨシコとテッペイは、「親の無知と怠慢」を仄めかしていた。

タクローは、母親が出産費用を払えないほどの貧困家庭の出身だ。

アツシは無戸籍二世で、ミライは無戸籍三世。

リョウとハナに至っては、出自の一切分からない捨て子だという。

唯一民法第七七二条のケースに当てはまると思われるルミカも、たった一人の肉親である母はすでに死んでいる。彼女がずっと母子家庭で育ったのだとすると、血縁上の父のことは顔も名前も知らないのだろうし、DVを働いていたという母の前夫の素性はなおさら分からないだろう。

戸籍を新しく作るには、「日本人であることの証明」が求められると、タクローは言っていた。母親の戸籍謄抄本。医師の出生証明書。母子健康手帳。小学校等の在学証明。母子ともに写っている、幼い頃の写真。血の繋がった母親が健在かつ協力的で、DNA鑑定に応じてくれれば、それが最も強力な証拠になる。

里穂子が彼らの境遇に少しでも真剣に思いを馳せていれば、事前に分かったはずだ。

あの天涯孤独な〝ユートピア〟の住人たちが、そんな都合のいい資料を持っているはずがない、と。

自分が誰から生まれた何者であるのか。それをはっきりと示す方法がなく、ついぞ社会に発見されることがないまま大人になってしまったからこそ、彼らはあそこに集ったのだ。

だから彼らは、このまま無戸籍者として生き続けるしかない。

――そんなことって。

自宅に向かう電車に揺られながら、里穂子はスマートフォンの画面を見つめ、自分の無知を恥じた。

参考人に話を聞く前に、相手の素性や立場について入念な下調べをしておくのは、刑事の鉄則だ。法務省のホームページをちらりと見ただけの付け焼刃の知識など、持ち出すべきではなかった。これでは、タクローに嘲笑われたのも無理はない。

田町《たまち》駅で山手線に乗り換え、内回りの電車に乗る。

無戸籍者。

鳥籠事件。

先ほどから、同じ単語ばかりが、里穂子の頭の中をぐるぐると回っていた。

リョウには、これ以上関わるなと忠告された。

里穂子はそれを拒否した。理由はいくつかあるが、あの無戸籍者コミュニティが違法状態にあるというのがその一つだ。

ヨシコは篤志家という言葉を使っていたが、叶内という経営者がいくら人助けのためにあの場所を用意したのだとしても、倉庫に人を住まわせるのが法令違反であることに変わりはない。見て見ぬふりをするなど、警察官である里穂子にできるはずがなかった。コミュニティのことを他言しないというハナとの口約束は、あくまで担当事件の捜査を有利に進めるための、一時的なものだ。

とはいえ、迷いはある。

里穂子がいずれ本庁のしかるべき部署に〝ユートピア〟のことを報告し、食品工場の経営陣が摘発されることになったら、彼らはどこに行けばいいのだろう。

警察が介入したからといって、戸籍の取得が認められるわけではない。

社会的弱者たる彼らの立場は、そのまま維持される。ただでさえ倉庫と工場を往復する単調でつましい暮らしをしていたのに、帰る家と職場を同時に失い、頼る先もないまま、外の世界にぽいと放り出されるのだ。

正義を振りかざす一人の刑事の行いが、彼らの人生を破壊してしまう。別に誰にも迷惑はかけていなかったのに。この東京の片隅で、ひっそり生活し、ひっそり死んでいこうとしていただけだったのに。

法律を守ることと、自分の良心に従うことは、イコールだと思っていた。

そうでないかもしれないケースに、里穂子は今、生まれて初めて直面している。

もやもやとした気持ちを抱えたまま、駒込《こまごめ》駅で下車し、家路を急いだ。

駅から徒歩十分ほどで、自宅マンションに到着する。いつもなら、オートロックの自動ドアを入った瞬間に肩の荷が下りたような気分になるのに、今日は全身の筋肉が固くこわばったままだった。

玄関のドアをそっと開け、靴音を立てないよう気をつけながらパンプスを脱ぐ。短い廊下を進むと、ダイニングテーブルでノートパソコンのキーを叩いている夫の陽介《ようすけ》の背中が見えた。

「……ただいま」

「あ、おかえり」

「結菜、もう寝ちゃった?」

「ついさっき。もう十五分くらい起こしておけばよかったかな。そしたらママに会えたのに」

陽介が残念そうな顔をする。その眉を寄せた表情が、機嫌の悪いときの結菜に妙に似ていて、里穂子は思わず笑みをこぼした。

だが、陽介が笑い返してくることはなかった。そのままくるりと背を向け、ノートパソコンのキーを打ち込み始める。

画面には、わけの分からないコードが並んでいた。寝かしつけを終え、仕事の続きに取りかかり始めたところなのだろう。

大学卒業後、IT系の企業でプログラマーとして働いていた陽介は、結菜が生まれてからフリーランスに転身した。「パソコンさえあればどこでもできる仕事だから、その利点を存分に生かそうと思ってさ」と彼は強調していたが、それが刑事課への復帰を希望していた里穂子に配慮した結果だったことは、聞かなくても分かった。

結菜に朝ご飯を食べさせて保育園に送るのはかろうじて里穂子の仕事だが、あとはすべて陽介に甘えている。保育園に迎えに行き、夕食を作って与え、お風呂に入れ、寝かしつけをするのが夫の担当だ。それだけでなく、里穂子の当番明けの日には朝の支度もお願いしているし、当番日や緊急の呼び出しが土日にかぶると、一日中面倒を見てもらうことになる。お互いの両親は遠方に住んでいるため、頼ることはできない。結菜が熱を出したときに病院に連れていくのも、保育園の連絡帳を書いて翌日の準備をするのも、全部夫の役目だ。

陽介とは、高校時代の友人の紹介で出会った。いくら初対面で話が盛り上がったとはいえ、大卒エリートの彼が、高卒で警察官として働いていた自分とよく付き合う気になったものだと思う。同じ大卒か、もしくは高卒でももっと家庭的で生活に余裕のある女性など、世の中にいくらでもいるだろうに。

二年経ち、結婚という単語が彼の口から出たときは、耳を疑った。「でも私、今の仕事を辞める気はないんだけど……」という里穂子の懸念を、「そんなの分かってるさ。俺がなんとかするから、いくらでも続ければいい」と笑い飛ばした陽介の得意げな表情は、妙によく覚えている。

今でも——そう、思ってくれているだろうか。

「晩ご飯、もう食べた?」

「ああ」

「じゃあ、いただくね。お鍋の中身、全部食べちゃっていいよね?」

キッチンから声をかけたが、返事はなかった。見ると、陽介は背中を丸めてパソコンに向かっていた。集中すると周りの音が耳に入らなくなるのは、いつものことだ。

結菜が寝てからでないと、彼の仕事の残りは進まない。このところ、平日夜の夫婦の会話はほとんどなかった。土日も同じだ。里穂子がたまに結菜の面倒を見るときは、陽介が隣室にこもって仕事をし始める。

娘を軸に、夫婦は毎日すれ違う。里穂子も陽介も、仕事と日常の間で、毎日くすぶっている。おかげで、何も分からなかった。

育児中心になった生活について、陽介はどう思っているのか。

不満が溜まっていないか。それとも、意外と楽しくやれているのか。

仕事にきちんと時間を割けているのか。フリーランスになって、収入は落ちていないか。

結菜は今日、どのように過ごしていたのか。

そんなことすら知らない里穂子は、母親失格だと思われていないか。

陽介の仕事の邪魔をしないように気をつけながら、味噌汁の鍋がのったコンロに火を点け、魚の切り身と野菜炒めが盛られた皿を電子レンジに入れた。

料理を温め直している間に、娘の寝顔でも覗いてみようかと、抜き足差し足で廊下に出た。寝室のドアノブに手をかけた瞬間、陽介のピリッとした声が飛んでくる。

「今はやめて。やっと眠ったところだから。寝かしつけリセットは勘弁」

「あっ、ごめん……」

慌てて寝室のドアから離れ、キッチンへと戻った。陽介がパソコンの画面に向かって小さなため息をつく。里穂子に対する不満をあからさまに表しているのではなく、ただ仕事で疲れているだけだと思いたかった。

キッチンに立ったまま、リビングの丸いシーリングライトをぼうっと眺めた。

ほんのりとした暖かみがある、オレンジ色寄りの光。結婚してこの賃貸物件に住み始めたときに、「もっと〝家庭〟って感じにしたいから」と、陽介がもともとついていた古い蛍光灯をわざわざ外して取りつけたLEDライトだ。

その柔らかい光が、床に敷いたカラフルなジョイントマットを照らしている。散らばったままの積み木や絵本が、里穂子の胸を鋭く刺した。

――退勤後にあの倉庫なんかに行かないで、もっと早く帰ってくるべきだったんじゃないか。

――いや、でも。

あの日、暗くなったリビングでアナウンサーの声を聞きながら想像した、〝鳥籠〟の光景が脳裏をよぎった。

小鳥が床に、ぽとりぽとりと落ちている。何羽かは弱っていて、残りは死んでいる。埃《ほこり》、糞尿、よだれ、食べ物のカス、ちぎれた羽。床に落ちているものがベタベタと足の裏にまとわりつき、床に新しい跡を残す。

やがてドアが小さく開く。汚物を見るような母親の目が、こちらに向けられる。生きている小鳥とともに這っていき、できるだけたくさん〝餌〟がもらえるよう、競うように〝くちばし〟を大きく開ける――。

寒気と吐き気が里穂子を襲った。

あの日と同じだ。今自分が眺めている光景が日常的であればあるほど、〝鳥籠〟は里穂子の感情を掻き立てる。

あの子たちのような、かわいそうな人を救いたい。

それが、里穂子が刑事を志したきっかけだった。

鳥籠事件の被害者となった兄妹が何者かに連れ去られた後、未解決のままついに捜査本部が解散したと知った九歳の冬、そう心に決めた。その思いを貫き通して、高校を卒業してすぐ、警察官になった。

だが、こんな選択を迫られる日が来るなんて、思ってもみなかった。

今なら、あの子たちのような、ではなく——あの子たちを救えるかもしれない。

どうするつもりだ、と自分の胸に尋ねる。

〝ユートピア〟で見つけたリョウとハナを、いったい自分はどうしたいのか。

当然、里穂子は鳥籠事件の捜査担当ではない。それでも首を突っ込むのだとすれば、今日のように業務時間外に動き回らなければならない。その間、陽介には負担を強いることになる。結菜にもなかなか会えなくなる。

そもそも、この捜査に意味はあるのか。被害者の兄妹が現在も犯人に監禁されていれば、犯罪事実が継続しているため捜査対象となるが、本人の意思で自由に暮らしているとなると話は別だ。未成年者略取の場合、誘拐行為から五年で時効が完成する。仮にリョウとハナが本当に鳥籠事件の被害児童で、彼らをさらった犯人を特定できたとしても、逮捕して罪を償わせることはできない可能性が高い。

必要な情報へのアクセスができない、という問題もある。鳥籠事件やその一年後に起きた被害児童の誘拐事件について、当時の捜査報告書に目を通したいが、事件が起きたのは新宿区だ。大田区の所轄署勤務である里穂子が情報を照会する理由はどこにもない。上司を通して正規のルートで依頼しようとすれば、ハナとの約束を破り、〝ユートピア〟の存在を公にしなければならなくなる。

キッチンに立ち尽くしたまま、里穂子は頭が痛くなるまで考え続けた。

何度振り返っても、夢のような出来事としか思えなかった。所轄のしがない一刑事である自分が、日本中を騒がせた誘拐事件の、解決の糸口を見つけたかもしれないのだ。それも、自分が警察官を目指すきっかけとなった大事件の。

自分の心に嘘をつくことはできない。

陽介や結菜には申し訳ないが、リョウとハナのことをもっと深く調べてみたいという思いがどんどん強くなっていた。結果的に時効が完成していたとしても、鳥籠事件の真実を突き止めたい。この大事件の捜査に、どうにかして関わってみたい。実の母親からあまりにむごい虐待を受けた末、何者かに連れ去られて姿を消した、あのかわいそうな子たちのために。彼らの無念を晴らすために。

だが、やはり、今すぐに〝ユートピア〟の存在を白日の下にさらすのは避けたかった。リョウとハナが鳥籠事件の被害児童かもしれないというのは、現時点ではただの憶測だ。確たる証拠もないのに、十五人もの無戸籍者の人生を破壊するスイッチをただちに押す勇気は、今の里穂子にはなかった。

では、どうすれば——と、天井のシーリングライトを見つめ、必死に考える。

捜査本部は解散したとはいえ、誘拐殺人や現在進行形の監禁事件の可能性が残されている以上、あの事件の担当捜査員は今もどこかにいるはずだ。

本庁の捜査一課には、未解決事件を専門に扱う部署がある。

特命捜査対策室。

おそらくあそこには、現在も鳥籠事件を追いかけている専従捜査員がいるのではないか——。

「味噌汁、煮立ってない？」

陽介の苛立ち混じりの声で、我に返った。

急いでコンロの火を止める。煮詰まって具ばかりになった味噌汁をお椀に注ぎながら、里穂子は小さく頷き、乾いた唇を引き結んだ。

*

瞬きをするたびバサバサと上下に動く、長すぎる上に太すぎる睫毛《まつげ》。銀色の長い髪を搔き上げる指先に施された、ごてごてとしたネイルアート。ただ粛々と事情聴取を進めたいだけなのに、視神経を刺激する情報が多すぎて、思わず目をつむりたくなる。

「ったく、ふざけんなよな」

濃いチェリーピンクに彩られた唇が、憎々しげに吐き捨てた。里穂子は我に返り、ギャル御用達のアパレルショップ店員だという加賀琴音《かがことね》の派手な顔面に視線を戻した。

「バイトしながら本気でミュージシャン目指してるっていうから、忙しいだろうなーって思って、料理とか洗濯とかやってあげてたんだよ？　トシに尽くしてたあたしのお金と時間、返せよって感じ。まじで」

「ということは、事件が起こるまで、斎藤さんと被疑者の女性の関係については何も知らなかったんですね？」

「全然だよ！　トシを刺したのが女だって知って、ソッコー問い詰めたもん。で、怒り爆発して、同棲解消。あたしが押しかけてただけだから半同棲だけどね。本命があたしだったのか、あっちだったのか、はっきりするまでは会わないって突き放し中」

本命はハナだ。琴音は遊び。何せ、ハナはついこの間プロポーズを受けたと話していて、斎藤もそのことを概ね認めていたのだから——と、刑事の口から教えるわけにはいかない。

ハナが処分保留で釈放となった後、里穂子と林部は念のため、斎藤敏樹の人間関係を洗い直すことにした。渋る斎藤にハナ以外の犯人の心当たりを根気よく尋ね続け、「いやぁ、たぶん違うと思いますけど……」という苦しそうな台詞とともにようやく名前が出てきたのが、この二十歳の浮気相手だった。

「トシってテキトーなとこあるから、その犯人のこともテキトーに遊んで捨てようとしたんじゃん？　だけど相手がヤバイ女で、殺されそうになったってわけ。痛そうな怪我して、事件のニュースのせいであたしにも浮気がバレて、かわいそうなトシ。ま、同情はしないけど」

「今日は、お話を聞かせていただいてありがとうございました。また何かあったらご連絡します」

「あ、もう終わり？　相手の女がどんな奴かとか、もっと知りたかったのになー。まあいいや。さよならー」

ひらひらと手を振る加賀琴音に送り出され、里穂子と林部は彼女の自宅マンションを後にした。亀戸《かめいど》駅の方向へと引き返しながら、酷使した視神経を癒すべく、目頭を指先でマッサージする。隣を歩く林部も、どっと疲れが出たのか、深いため息をついた。

「今時、ギャルって絶滅危惧種じゃないですか？　マル害自身、チャラそうな印象でしたけど……いやはや」

「でも、彼女、浮気の事実は本当に知らなかったみたいね。事件が起こるまで」

「めちゃくちゃ怒ってましたもんね。『先に知ってたら、犯人より先にトシをボコボコにしてやった』とか『あたしだったら確実に仕留めた』とか、物騒なこと言ってたし。十中八九、あれは完全なる部外者です」

「私も同感。サイコパスや常習犯でもなければ、刑事相手にあそこまで開けっ広げな態度は取れないでしょう。一応彼女には、友人と朝まで飲んでたってアリバイもあるようだし」

「むしろ……やっぱり……というか」

「ハナさんが加賀琴音という浮気相手の存在を知っていたら、それも有力な殺害動機になるものね」

林部が言おうとしたことを代弁すると、彼はほっとした様子で頷いた。期限までに証拠を固められず、処分保留で釈放となってしまったが、やはり犯人は無戸籍者のハナ。先輩刑事である里穂子と意見が一致したことに、安心したようだ。

「この捜査、いつまで続ければいいんですかね」

「係長がもういいと言うまで、かな」

里穂子の返答に、林部は肩を落とした。最有力の被疑者であるハナは不起訴になる見込みで、他に目立って怪しい影も見当たらない。すべてが徒労に終わるやるせなさは、刑事なら誰でも味わう感覚だ。新人の林部にとって、今がその洗礼を受けるときなのだろう。

時刻は午後五時十五分を回っていた。署に戻って事務仕事を片付けるという林部と、乗換駅の秋《あき》葉原《はばら》で別れる。定時を過ぎたので直帰するという里穂子の言葉を彼が訝っている様子はなかったが、不審に思われないよう、念のため化粧室に入って五分ほど時間をつぶしてから、自宅に帰るのとは反対方面のホームに向かった。

向かう先は、品川だった。本当は、これから会う相手が勤務する深川《ふかがわ》分庁舎の近くまで出向くつもりだったのだが、「どうせ帰る方向はそっちだから」と駅を指定されたのだ。

相手の配慮に感謝しつつ、こちらが決めた待ち合わせ場所へと急ぐ。駅から少し歩いたところにある、広々としたカフェレストランだ。

しかし、予約名を告げて一番奥の席に座ってから、店選びを間違ったかもしれないと不安になった。周りに会話の内容を聞かれないようにと、テーブル同士が十分に離れている店を選んだのだが、他の客はOLらしき女性客や若いカップルばかりだ。BGMも明るく、都会の夜らしいお洒落な雰囲気が漂っている。とてもではないが、本庁のむさ苦しい男性刑事を呼び出す場所ではない――。

そう思ったのも束の間、「森垣さん?」という低い声が聞こえ、里穂子は慌てて立ち上がった。

驚いたことに、目の前に佇んでいるのは、むさ苦しさの欠片もない、容姿端麗な男だった。

マスクをしていても、人並み外れた外見をしているのがよく分かる。色白の肌、すっと通った鼻筋、毛先をやや遊ばせながらも清潔感にあふれている柔らかそうな黒髪。見上げるほどの長身で、グレーのスーツがよく似合っている。年齢は、里穂子より少し上くらいだろうか。銀行員やコンサルタントという肩書きが似合いそうだが、鷹のように鋭い目つきだけが、このお洒落な店に溶け込めそうもない彼の正体を窺わせた。

「あ、蒲田署の森垣里穂子です。今日はありがとうございます」

「どうも。特命捜査対策室の羽山圭司《はやまけいじ》です」

刑事の密会場所としては明らかに違和感があるだろうに、羽山は店の印象にまったく触れることなく、里穂子の向かいに平然と腰を下ろした。ディナーメニューの説明をしようと近寄ってきた店員に目もくれず、「ブレンドで」と淡々と言い放つ。その合理主義者的な言動にやや面食らいながら、里穂子も同じものを頼んだ。

「突然こんなところにお呼び立てしてすみません。うちの署で取り調べをしている暴行事件の被疑者が、鳥籠事件について供述しているとご連絡した件ですが――」

「──嘘だろ？　それは」

羽山があっさりと、そして意外にラフな口調で返してきた。思わず目を瞬くと、彼は呆れたように眉をハの字にした。

「嘘というか、方便だ。周りに気取られずに俺と会うための。鳥籠事件のことを喋っている被疑者がいるってのに、蒲田署に俺を呼び出すわけでもなく、深川まで来ると言うわりには分庁舎付近で落ち合いたいと希望し──その時点でワケアリだと分かる。どうせ、俺と会うことは上司にも言ってないんだろ？」

「……そのとおりです。すみません」

　里穂子が自分の携帯電話から警視庁捜査一課の特命捜査対策室に電話をかけたのは、今日の昼前のことだった。最初に出た相手には、「供述が曖昧で真偽の程は不明だが、鳥籠事件について供述している可能性のある被疑者がいるため、念のため担当捜査員の判断を仰ぎたい」と嘘八百を言い、電話を代わった羽山には「具体的なことは一度会ってお話ししたい」の一点張りで押し切った。

　電話では特に何も訊き返されなかったため、伝えた内容をそのまま信じてくれたのかと思っていたのだが、本庁の刑事を甘く見ていたようだ。その場で厳しく追及することなく、こうして里穂子の意図を汲んで会いに来てくれただけでも、感謝しなければならない。

「で、本当の用件は？」

　コーヒーもまだ運ばれてこないうちから、羽山は腕組みをして尋ねてきた。里穂子は腹を決め、無戸籍者の女性による殺人未遂事件に端を発したあれこれについて、声を潜めて話し始めた。

　食品工場の敷地内にある古い倉庫で、人知れず集団生活を営んでいる無戸籍者たちがいる。そのコミュニティのリーダーを務める二十代後半の男は、捨て子として彼らに拾われ、一、二歳年下の妹とともに、幼い頃からそこで育ってきた――。

　話がリョウとハナの兄妹のことに及ぶと、羽山はテーブルに肘をついて身を乗り出した。途端に目をらんらんと輝かせ始める。

「捨て子として人知れず育てられてきた、出自がまったく不明の、二十代後半とみられる兄妹？　それも二十三区内で？　無戸籍者については門外漢だが、全員が全員、親の顔や名前を知らないわけじゃないよな。とても偶然では片付けられない……いや、こんな偶然があってたまるか」

　ここ数年間で間違いなく最有力の手がかりだ、と羽山は真剣な顔で断言した。彼の反応に、里穂子はひとまず胸を撫で下ろす。令状なしで私有地に侵入したことを咎められたり、証拠もないのに憶測で物を言うなと一蹴されたりしたらと不安に思っていたのだが、杞憂だったようだ。

「そうだ、妹のほうは殺人未遂で逮捕されたということだが、ＤＮＡは採取したか？」

「いえ、拒否されました。もしかしたら前歴を隠しているのかもしれないと思って裁判所に身体検査令状を請求したのですが、凶器や事件現場からＤＮＡが検出されなかったため、『事件捜査に直接関係がない』と却下されてしまって。指紋なら、逮捕時に強制採取しましたが」

「指紋はダメだな。誘拐された当時、被害児童は百名規模の施設で集団生活をしてたんだ。ああいうところは入所児童の入れ替わりも激しいし、特に幼児となると私物もあってないようなものだから、施設の職員や他の子どもらが何でも上からベタベタ触る。鑑定に堪えうるようなのが残らず、指紋の特定ができなかった」

「ＤＮＡならあるんですか？」

「ああ。施設で使われていた歯ブラシから検出できた。綺麗に洗ってはあったが、科捜研が本気を出したらしい。現物も冷凍保存されているはずだ」

羽山は顔をしかめ、「これは余談だが」と不快そうに続けた。

「鳥籠事件の兄妹は、生まれてから一度も親に歯磨きをしてもらったことがなかったため、虫歯だらけだったそうだ。当時二人を世話していた施設の職員が、初めて歯磨きをしようとして口を覗き込んだ瞬間に悲鳴を上げたくらいに。ただ、二十四年も経った今じゃ、この情報も意味がない。乳歯がすべて生え替わる前に発見できればよかったんだが」

「悲惨……ですね」

そう答えながらも、里穂子は別のことを考えていた。

鳥籠事件の被害児童のＤＮＡデータは、本庁に保管されている。

それならば、リョウとハナに、ＤＮＡ採取を打診すればいいのではないか。

被害者に対する強制はできないため、任意での協力依頼になる。もし一致が確認できれば、事件は七割方解決したようなものだ。誘拐犯は誰だったのかという問題は残るものの、二十四年前に姿を消した兄妹が無事に発見されたという喜びのニュースは、瞬く間に日本中を駆け巡ることだろう。

ハナにはすでに一度採取を拒否されているし、警戒心が強いリョウを説得するのはそれ以上に難しそうだが、事情を話してみる価値は十分にある。彼らだって、自分のルーツには興味を持つはずだ。

「顔はどうだ？　子どもの頃の面影はあったか？」

「インターネットに出回っている写真と見比べてみたところ、肌の色や目元の印象などが、似ているといえば似ています。ただ、目立ったほくろや痣《あざ》があるわけではないので、あくまで主観的な印象ですね」

「まあ、それは仕方ないか。あの頃は二人とも幼児だった上、細かい特徴が分かるような写真も残っていない。男は骨格がごつくなるし、女も化粧一つで印象ががらりと変わるから、二十四年も経てば別人みたいなもんだ」

「正体を確定するには、やはりＤＮＡ鑑定が必須でしょうか」

「それが一番手っ取り早いのは確かだろうな」

運ばれてきたコーヒーを飲もうと、羽山がマスクを外した。先の尖った高い鼻と、薄めで形のいい唇が、その下から現れる。やや乱暴な手つきでカップをソーサーに戻した羽山は、何やら口の中で呟いたのち、満足げに首を反らした。

「さて、これは君の話を聞いて立てた仮説だが――鳥籠事件の兄妹を誘拐したのは、宗教的性質を帯びつつある無戸籍者コミュニティの構成員だった。その動機は、日本中を震撼させた有名な虐待事件の被害児童を、身寄りのない者が集まる〝ユートピア〟を象徴する存在として迎え入れ、将来的に教祖として祭り上げるため――いや、違うな」

いったん言葉を切って首を捻り、羽山が自身の仮説を修正する。

「何らかの教義を中心にコミュニティを形成するのが宗教だとすると、この場合はおそらく当てはまらない。とすると〝国家〟か」

「……〝国家〟？」

「無戸籍者という日本における少数民族が、勝手に独立を目論んで、自分たちの国を作り上げようとしているんだ。戸籍なんていうのは日本をはじめ、一部の国にしかない制度だよな？　そこに記載されていないというだけで人間としての尊厳が否定され、爪弾きにされるなら、自分たちが主権を行使できる社会を自力で作ってしまえばいい。だから〝国家〟だ。宗教よりは、まだしっくりこないか？」

なるほど、と頷く。彼らが世間から隠れて集団生活を営んでいることから、怪しい新興宗教のようなものと先ほど羽山に説明してしまったのだが、言われてみればそうかもしれない。リョウは〝ユートピア〟の守り神だとアッシは熱く語っていたが、その言葉から色濃く漂ってくる思いは、信仰というより、君主への熱い忠誠心だったような気もする。

「そうすると、リーダーのリョウさんは、差し詰め小国の王というわけですか」

「ああ。身を寄せ合ってひっそりと暮らしていた無戸籍者たちが、母親に見放されて動物扱いされていたかわいそうな兄妹に深い同情と共感を覚え、二人を苛酷な日本社会から救い出すつもりで自分たちの仲間に入れた。やがて時が経ち、数奇な運命を乗り越えて立派な大人に成長した兄を神聖視し、国の王として仰ぎ始めたのだった——うん、いささか突飛だが、ありそうな話じゃないか?」

仮説の内容はともかく、本庁の刑事に太鼓判を押され、里穂子はほっと胸を撫で下ろした。自分が今まさにあの鳥籠事件の捜査に関わっているのだという実感がようやくわいてくる。

「そう言っていただけてよかったです。例のコミュニティを発見した経緯が大っぴらに言えるものではないので、いったんこういう形でご報告するほかなかったのですが……」

「事情は分かった。今後の捜査は俺一人で進めるから、心配は無用だ。その二人が間違いなく鳥籠事件の兄妹だという確証をつかむまでは、上にも報告しないし、食品工場のことも他言しない」

「……一人で?」

聞き間違いかと思ったが、羽山はコーヒーを一口飲むと、ぶっきらぼうに吐き捨てた。

「鳥籠兄妹誘拐事件の専従捜査員は、俺だけだからな」

「班で捜査してるわけじゃないんですか？　ペアの方は?」

「いない。あいにく俺は一匹狼でね」羽山が自嘲気味に鼻を鳴らす。「スタンドプレーばかりで扱いにくいと幹部に嫌われて、窓際に追いやられてるんだ。特命捜査対策室は五十人で百件の未解決事件を扱っているわけだが、それならあいつには解決の糸口がまったく見えないヤマを一件担当させとけ、それで結果が出れば儲けもんだ——と、無理やりな」

「それで鳥籠事件を、一人で……」

「俺が孤独に耐えかねて辞表を出したら万々歳。逆に精力的に捜査して取っかかりを見つけたら、班や係を正式に割り当てて瞬く間に手柄を奪い去ろうって魂胆だな。ったく、うちの幹部はたちが悪い。今回こそ、水面下で進めてぱっと手柄を立てて、すぐにでも霞《かすみ》が関《せき》の強行犯捜査に返り咲いてやる」

初対面の相手に愚痴をぶつけられ、里穂子は困惑した。いくら未解決のまま二十四年が経過したとはいえ、これほど有名な誘拐事件に割り当てられる捜査員が一人だなんてことがあっていいのだろうか。未解決事件は年々増える一方で、常に人手が足りないのかもしれないが、それにしても型破りな人員配置だ。

「ただ、その状況だと……まずいぞ。時効が完成している可能性がある」

羽山の低い声に、里穂子ははっと我に返った。「やっぱり、そうですか」と、膝の上に置いた両手を握りしめる。

「君が見つけた兄妹は、殺されてるわけでも、監禁されてるわけでもないんだよな？　物理的な拘束や脅迫などされていないのに逃げ出そうとせず、本人たちの意思でそこにとどまっている。だとすれば、未成年者略取や逮捕監禁の公訴時効は五年だから、仮に犯人を見つけてもまず罪に問えない。手立てがあるとすれば、本当は戸籍があるのにないことにされ、食品工場の外に居場所はないと思い込まされたことがすなわち心理的な拘束だとして、現在も監禁状態が続いているとみなし

――いや、さすがにダメか」

「難しいでしょうか」

「百パーセント無理とは言わないが、分《ぶ》が悪いだろうな。今や家族同然であろう犯人を、被害者本人たちが庇いでもしたら終わりだ。くそ、時効か……あーあ、死んでくれてたほうが楽だったんだが」

人の心がないような発言は、聞かなかったことにする。出世欲が人一倍強い捜査一課の刑事ともなると、事件に対するスタンスもこんなものなのかもしれない。

誘拐事件が発生した一九九七年当時、殺人罪の公訴時効は十五年だった。その後、二〇一〇年の法改正で時効が廃止となった。対象となったのは、その時点でまだ時効が成立していなかった、九五年四月二十八日以降の殺人事件。発生時期だけを見れば、鳥籠兄妹誘拐事件は問題なく当てはまる。

おかしな話だ。殺人なら裁ける。未成年者略取だと時間切れ。どちらも、同じ犯罪には変わりないのに。

今現在の二人の心理状態がどうであれ、それは誘拐の結果として生じた洗脳にすぎないのだから、本来の名前や居場所を奪った犯人は当然罰されるべきだ。そう考えるのが自然ではないのだろうか。

「話は終わりか？　なら、食品工場の場所を教えてくれ。この件については、引き続きこちらで捜査を進める」

「あの……私も、協力させていただけませんか？」

里穂子がおずおずと申し出ると、羽山は綺麗な形の眉を怪訝《けげん》そうに寄せた。

「協力？　こちらの捜査に？　君は君で、所轄の仕事があるだろう」

「もともと、自分のヤマを追っていて見つけたコミュニティです。妹のほうは、鳥籠事件の被害児童の可能性があると同時に、私が担当する殺人未遂事件の被疑者でもあります。そちらの捜査に関わるメリットがあるかは分かりませんが、デメリットはないのではないかと」

これはあくまで、表面上の理由だった。きっと羽山にも、そのことは見抜かれている。

なぜ、鳥籠事件の捜査に加わりたいか。真正面からそう問われると、答えるのが難しい。刑事を志したきっかけが他でもない鳥籠事件で、その解決の糸口を自分がつかんだかもしれないという可能性を前に胸が高鳴っているのは確かだが、それをそのまま羽山に伝えるのは幼稚にすぎる。

自分の心の中を探りつつ、里穂子は懸命に言葉を絞り出した。

「それに……放っておけないんです」

「無戸籍者たちをか?」

はい、とためらいながら頷き、コーヒーの表面に漂う天井の光を見つめた。

無理やり捻り出した口実ではない。これはこれで本心だった。鳥籠事件の捜査を脇に置いても、あの場所で暮らす無戸籍者たちのことが、どうにも気にかかっている。

「あのコミュニティで暮らす無戸籍者たちは皆、悲惨な境遇を生き抜いてきたようです。彼らが寄り集まって、やっと手に入れたささやかな生活を、その苦しみを知らない私たちがみすみす壊していいものかと……。もちろん、〝ユートピア〟が違法状態にあることは分かってますよ。でも、私が最初に発見した以上、事のなりゆきを見届ける責任を感じるんです」

「ほう」

「〝ユートピア〟を解体したところで、彼らが戸籍を取得する未来は望めず、かといって不法滞在者のように国外退去させられるわけでもありません。何の解決策もないまま、日本国内で宙ぶらりんになるだけです。そんな彼らの生活を、どうにかして守ることはできないものか——その方法を探りたいんです」

「ずいぶんと真面目なんだな。疲れないか？」

羽山が椅子に背をもたせかけながら、呆れたように言った。

里穂子は奥歯を強く嚙み締める。申し出を拒否されるのではないかと、

「……まあいい。一人よりは二人のほうが捜査もしやすいだろう。ただし、君の協力は非公式だ。手柄は全部、俺がもらうからな」

「もちろんです。それで構いません」

「なら、契約成立だ」

羽山の言葉に、ふっと肩の力が抜けた。最悪の場合、捜査を横取りされ、令状なしでの私有地侵入を明るみに出され、無戸籍者コミュニティを本庁の刑事にめちゃくちゃに荒らされた上、ハナからかろうじて寄せられている信頼を失う羽目になるのではないかと危惧していたが、その心配はなさそうだ。

手をつけていなかったコーヒーカップを引き寄せ、マスクを外して一口飲んだ。心の中で、自宅で里穂子の帰りを待っている陽介と結菜に謝罪する。この事件の片がついたら、休みの日にきちんと時間を取って、ショッピングモールにでも遊びにいくことにしよう。

「羽山さんは——あ、ええと……」

「俺は巡査部長だ。君もか？」

「そうです」

「だったら階級をつける必要はないだろう」

皆まで言わないうちに、羽山は里穂子の迷いを汲み取った。念のため入庁年次を尋ねると、里穂子の一年後だという。大卒で、歳は三十四。勤務歴は里穂子より短いが、年齢は三つ上だ。

「では――羽山さんは、いつから鳥籠事件を担当してるんですか？」

「四年前からだな。定年を迎えた捜査員から引き継いだ」

「これまでに、どんな捜査を？」

軽い気持ちで質問したのだが、羽山は薄い唇を苦々しく歪ませた。

「もう手あたり次第さ。両目をつむって闇夜を歩くようなもんだからな。現場周辺の聞き込みを最初からやり直したり、同じ参考人を何度も呼び出して聴取したり、数千人にも上る被疑者リストのうち保留中だった人物を片っ端から調べたり。ほとんどは、事件発生当時に特別捜査本部がやったことの繰り返しだ。『いい加減にしてくれ』と相手にキレられるばかりで、当然、新しい手がかりは何も出てこない」

「それを、一人で……」

「六十か所ある都内の児童養護施設を全部回って、しらみつぶしに周辺住民への聞き込みをしたこともあったな」

「事件以前に、犯人が下見に来たかもしれないから――ですか？」

「ああ。あの事件はもともと、救出された被害児童のその後についてマスコミがむやみやたらに報道しすぎたことが、犯人による二人の居場所の特定を招いたと言われている。とはいっても、モザイクをかけた写真が一部の週刊誌に掲載されたくらいで、施設の具体的な名称や住所が出回ったわけじゃない。だから犯人は正解に辿りつく前に、他の児童養護施設にも足を運んだはずなんだ。だが、これも成果はゼロだった」

里穂子の記憶が正しければ、実際にいくつかの児童養護施設で不審者が目撃されていたはずだ。当時のニュースに、「『鳥みたいな歩き方をする子はここにいる？』って眼鏡とマスクをつけた変な男の人に訊かれた」といった子どもの証言が取り上げられていた気がする。

誘拐事件が起きた後、世間はマスコミに冷ややかな目を向けた。特に集中砲火を浴びたのは、とある大手出版社が発行する週刊誌だった。代理のカウンセラーを装って施設から堂々と二人を連れ出したという犯人の手口は、おそらく心身のケアのため臨床心理士が頻繁に面談し、時には散歩にも同行しているというその週刊誌の記事にヒントを得たものだったからだ。世間が鳥籠事件の被害児童に同情を寄せる中、『日本初の野生児』などと煽情的な見出しをつけて好奇心丸出しの記事を繰り返し書いていたことも、同時に大きく批判を浴びた。

マスコミの報道が過熱しなければ、誘拐事件は起こらなかった。それが世間の共通見解であり、事実だ。

「せめて防犯カメラの映像でも残ってりゃよかったんだが、当時はまだまだ少なかったからな。犯人らしき中年男を目撃したのもほとんどは小さい子どもたちで、今となっては記憶も曖昧だし」

「そうなると、できることは少ないですね」

「それでも諦めずに事件を掘り下げ続けるのが、俺の仕事だ。『もうやめにしよう』『どこかの部署に引き継ごう』の選択肢はない。特命捜査対策室は、いわば事件の墓場だからな」

その言葉にはっとした。この羽山という男は普段、どういう思いで、たった一つの未解決事件と朝から晩まで向き合っているのだろう。

「あとは、他の事案との関連性も要チェックだ。身元不明の遺体が上がったと聞けば、顔写真を取り寄せ、推定年齢や性別を確かめて、少しでも気になればＤＮＡの照合をしてもらう。日本のどこかで四十代以上の男による誘拐事件が起きれば、とりあえず鳥籠事件との連続性を疑って、現地の捜査に参加させてもらう。去年千葉で起きた、学校帰りの小四女児が近所に住むトラックの運転手に連れ去られて殺害された事件、覚えてるか？」

「ええ。確か犯人の妻が、夫の異変に気づいて通報したっていう……」

「あれの捜査本部には、実は俺も一時期加わっていた。千葉県警に無理を言って、取り調べや事情聴取に片っ端から同席させてもらったよ。結局、何もかも空振りだったが」

「……そこまでやるんですね」

「当然だ」羽山が小さく鼻を鳴らした。「他には——ああ、ずいぶん前になるが、子どもが死んだ事故の記録を片っ端からひっくり返したこともあったな。警視庁だけじゃなく、全国の警察本部にも協力を依頼して、十年前から二十年前くらいに起きた事故の情報をあるだけ掻き集めて」

「子どもが死んだ事故？　なぜです？」

「二十四年もの間、消息がつかめないんだ。被害者はとっくに死んでいるものと仮定するのは不自然じゃないだろ。明らかに殺人と分かる状況じゃなく、事故に見せかけて殺されたのかもしれない」

「でも——」

「子どもの死亡事故は、案外多いよ。一番よくあるのは交通事故だ。自転車で横断歩道を渡ろうとして撥ねられる。高齢者の車が歩道に突っ込む。家族でドライブの最中、信号無視の車が後部座席に衝突する。他にもいろいろあるな。食べ物の誤嚥《ごえん》やビニール袋による窒息死。医者の手術ミス。事故というよりは事件だが、虐待死だって無視できない。小学生以上になれば自殺もある」

そりゃそうだろう、と思う。件数が多すぎてきりがないはずだ。

「中には、きょうだいが同時に亡くなったケースもあった。茨城に住む六歳の姉と四歳の弟が、自宅で風呂に潜る遊びをしていて溺れ死んだ事故。小学校六年と三年の兄妹が、台風が来る直前に京都の川で水遊びをしていて流された事故。親が夜の仕事をしていた福岡の母子家庭で、未明に火事が起きて小学一年生の双子の男女が焼け死んだ事故。五歳と四歳の年子の兄妹が、手を繋いだままマンションのベランダをよじ登って七階から転落した静岡の事故」

うっ、と喉から声が漏れそうになるのをこらえた。羽山が半ば嫌がらせのように並べ立てる、人の親として胸が痛くなる言葉のオンパレードに、耳を塞ぎたくなる。

「でも……あの……それって全部、何の関係もない子どもたちですよね？　当然親がいるでしょうし、名前も報道されたでしょうし。それなのにどうして捜査を……あ、いえ、身元不明の子どもが亡くなったとしたら、もっと大きなニュースになって、それこそ鳥籠事件への関与も疑わ——」

「分かってんだ。こんな捜査に意味はないって。それでもほんのコンマ数パーセントの可能性に懸けるのが、未解決事件の捜査なんだよ」

心なしか、彼の言葉は憂いを帯びていた。

「少なくとも、当時の俺はそう信じてた。本当は子どもがいないのに、死んだのは自分の子だと偽った人間がいたんじゃないか？　それをバカで無責任な担当刑事が見逃したんじゃないか？　マスコミに大きく取沙汰されることなく、それこそ無戸籍として秘密裏に処理された子どもがいなかったか？　例えば犯人が地元の有力者で、警察に圧力がかかったんじゃないか？」

「そんな……」

「だがお察しのとおり、全部外れだった。亡くなったのは、生まれたときからその家庭で育った、普通の子どもたち。もちろん戸籍もあって、死亡届もきちんと出ていたさ。ただのかわいそうな事故だった。すべてが無駄足、収穫はゼロ、中途半端に遺族とコンタクトを取った俺の気が滅入っただけ」

羽山がそのセンで捜査を続けるのをやめたのは、風呂や川での溺死や火事による焼死など、男女のきょうだいが同時に死亡した事故の遺族に順繰りに会っていき、最後にマンション転落事故の母親に連絡したときだったのだという。

「電話越しに、途切れ途切れのかすれ声で言われたんだ。『今さら何ですか』ってな。それで目が醒めたよ。俺は特命捜査対策室だとか、未解決事件専従だとかいうたいそうな肩書きに酔って、不必要に他人の人生を荒らし回っていただけだったんだ。正義のヒーローぶってな」

「不必要、ということは……いえ……」

「それからは、憶測に基づくぶっ飛んだ捜査はやめて、誘拐現場付近の地道な聞き込みや当時の参考人聴取に立ち返ることにした。毎日代わり映えがしないし、大した刺激もない。成果の見えない悪あがきのようなものだが、まあ、窓際に押しつけるのにちょうどいい仕事ってやつさ」

彼の話を聞いていると、特命捜査対策室に対して漠然と抱いていたイメージがどんどん崩れていく。迷宮入りの事件に立ち向かう精鋭集団だと思っていたが、実情は、捜査を継続しているという体裁を取り繕うためだけの部署なのだろうか。もちろん全員がそうではないだろうが、重箱の隅をつつくような捜査を気が遠くなるほど何度も繰り返すうち、羽山のように参考人の反発に遭い、やる気を削がれてしまう刑事は大勢いそうだ。

警察署で経験を積んで、いつかは本庁の花形部署へ。栄転を夢見る所轄の刑事たちは、羽山の現状を聞いたらどう思うだろう。

里穂子だって、そのうちの一人だ。本庁の刑事部にいつか異動することができたら、今よりもっと重大な事件に関わり、多くの人を救いたい。そんな希望を密かに抱いていたのだが、これではあまり期待しすぎないほうがよさそうだった。

「とまあ、そんな俺の徒労も、たった今もたらされた新情報により報われることになるわけだ。誘拐殺人ではなかったとなると、先ほど話した仮説どおり、願わくはその〝ユートピア〟内に犯人がいて、現在も監禁の犯罪事実が継続しているとして引っ張れるのが理想だが……うーん」

羽山は小さく唸ると、つるりとした顎を撫でていた手を止めた。

「どうせ時効の壁にぶち当たるんだろうが、いずれにせよ、この事件が解決して担当を外れられるとしたら朗報か。四年間は長い。もう飽きた」

あっけらかんと言い、席を立つ。里穂子も慌てて伝票をつかみ、腰を浮かした。

出口へと歩き始めていた羽山が、不意にこちらを振り返る。

「森垣。その〝ユートピア〟とやらに案内しろ」

「今から、ですか?」

「当然だ。最初に言っておくが、所轄署の本務がどれくらい忙しかろうが、家庭の事情があろうが、こちらは容赦しないぞ。どうしてもついてくるというなら、俺の捜査がやりやすくなるよう補佐するのが、ペアであるお前の役目だ。足を引っ張ろうものならその場で切り捨てる。捜査の邪魔をされると苛つくからな」

こちらはさん付けで呼んでいるのに、里穂子のことは呼び捨てか。

バディを組むことになった途端、「君」が「お前」に変わったのも、羽山という男の面倒臭さを象徴しているようだった。こういうところが、捜査一課内で敬遠されている所以《ゆえん》なのかもしれない。

しかし——なぜだか、嬉しい。

羽山が里穂子を女扱いしないからだろうか。それとも、自分が今最も興味を持っている大事件の捜査に、晴れて関われることになったからだろうか。

会計は里穂子が持った。それが当然とばかりに先を歩いていく羽山に、改めて好感を抱く。

里穂子がハナと交わした約束を尊重してくれる上、鳥籠事件の捜査にも快く協力させてくれるというのだ。コーヒー代など、いくらおごっても足りない。

＊

開放感のある店内だった。

立ち込める甘い匂いに、各テーブルに置かれた純白のティーポット。窓にかけられたブラインドももともとは真っ白なのだろうが、西日が当たって朱色に輝いている。

蒲田署に勤めて四年になるが、駅直結の商業施設に人気のパンケーキカフェが入っていたとは知らなかった。目の前では、チョコレートソースがたっぷりかかったパンケーキを、ハナが美味《おい》しそうにほおばっている。

「知らなかったなぁ。こういうお洒落なお店って、別に一人で入ってもいいんだ。今度から、勇気を出していろいろ行ってみようかなぁ」

この店を指定したのはハナだった。「食事代は出すから、行きたいところがあったら遠慮なく言って」と里穂子が持ちかけると、すぐさまこのカフェの名前が返ってきたのだ。駅近くで看板を見かけ、ずっと気になっていたのだが、なぜか女友達と一緒でないと入店できないと思い込んでいたらしい。

ハナを懐柔するためとはいえ、さすがに自腹だ。処分保留で釈放された被疑者に経費でパンケーキを食べさせられるほど、警察組織は寛容ではない。

第一、今日は非番だった。勤務は昼前に終わっているのだ。ハナの仕事が休みだというから身体に鞭打って出てきたものの、当番明けの胃にパンケーキは重い。上司の野木やペアの林部には、ハナと個人的に会うことを伝えていなかった。

「えっと……今日はなんで、私をここに？」

「どう？　心境の変化は。事件のこと、喋る気になった？」

質問に質問で返すと、ハナは途端に顔を曇らせた。「これって、取り調べの続きなの？」と、不安げに上目遣いをする。

担当事件に進展があればラッキーと、ダメもとで尋ねてみたものの、予想どおりの反応だった。二十日以上も取調室で否認を貫き通したハナが、パンケーキくらいで態度を翻すはずがない。

里穂子は降参するように両手を上げてみせ、「冗談、冗談」と微笑みを浮かべた。

「今日はパソコンで調書を取る人もいないし、録音だってしていないでしょう？　わざわざ呼び出したのは、ハナさんのことをもっとよく知るため。倉庫で話すより、二人きりのほうがリラックスできるかと思って」

精一杯のホスピタリティを言葉に込め、ハナの心に響くことを願って送り出す。するとハナは、安心したように頬を緩ませた。

「よかった！　確かにリラックスできるかも。今日はもう一人の刑事さんもいないしね」

「もう一人の刑事っていうのは、林部？　それとも――」

「こないだ、倉庫に連れてきた人のこと。ＤＮＡを採るのに協力しろっていきなり言ってきて、すごく怖かったもん。リョウもヨシコさんも、森垣さんたちが帰った後、めちゃくちゃ怒ってたんだよ」

羽山圭司のことだ。四日前、品川のカフェレストランから直接、〝ユートピア〟に向かった。手始めに場所を確認するだけかと思いきや、「どうせ話を聞くなら早いほうがいい」と羽山は無遠慮に敷地に入り込んでいき、リョウやハナをはじめとした〝ユートピア〟の住人たちと、さっそく顔を合わせることとなったのだった。

兄妹発見の顚末を報告したときに、羽山が里穂子の不法侵入を咎めなかった理由がよく分かった。彼自身が、捜査のためという大義名分があれば、多少なら法を犯しても構わないと思っているのだ。

「どうせそいつらは俺らのことをチクれないだろ。隠れ家が摘発されるほうがヤバいんだから」という羽山の言葉は、合理的であると同時に冷徹だった。

「あの人はダメだよ。森垣さんとは全然違う」

「そう?」

「こっちの気持ちはガン無視だもん。怖い顔をして、言いたいことを好きなだけ喋って、はい終わり。できれば連れてこないでほしかったなぁ……」

「ごめんね。捜査上、そうせざるをえなくて」

「あの怖い刑事さんも、ちゃんと秘密は守ってくれるんだよね?」

「大丈夫。しっかり約束してもらったから」

そう言いながら、右手の小指を立ててみる。ハナがほっと息をつき、セットの紅茶を一口飲んだ。

釈放の日にネットカフェまで送っていったときも思ったが、ハナは意外に人懐こい。里穂子が取り調べ中に彼女にしたことといえば、戸籍の新規取得についてのアドバイスだけで、しかもその内容は見当違いだった。恨まれこそすれ慕われる覚えはないのだが、〝外の人〟との健全な関わりがほとんどなかったハナの目には、里穂子の気遣いが特別なものとして映ったのかもしれない。

自分たちの関係は、あくまで刑事と被疑者だ。彼女の妙に親しげな態度には、未だ若干の違和感が残る。ただ、この近すぎる距離感が気のせいでないとすれば、それはきっと、彼女の孤独からくるものなのだろう。

「ねえねえ、森垣さん」

「何？」

「さっき、私のことをもっとよく知りたいって言ってたでしょ。それって……私が誘拐された子かもしれないから？　二十年くらい前の……鳥籠事件、だっけ」

里穂子が切り出そうとしていた本題を、恐る恐る、ハナのほうから振ってきた。

彼女はおそらく、警察という組織内に細かい縄張りがあることを知らない。ハナ自身が起こした痴情のもつれによる殺人未遂事件と、二十四年前に日本中を騒がせた鳥籠兄妹誘拐事件、その両方を所轄の一刑事である里穂子が同時に捜査していることに、特に疑問は覚えていないようだった。

「こないだ森垣さんたちに言われて、本当にびっくりしたんだぁ。もし私が名取桃花《ももか》ちゃんで、リヨウが将太《しょうた》くんだとしたら、めちゃくちゃ有名人なんだよね？」

「そういうことになるね」

「うわぁ……」ハナが口元を緩め、天井を見上げる。「なんか、嬉しいかも」

「え、どうして？」

「だって、ずっと倉庫に隠れて暮らしてきたのに、実は日本中の人が私とリヨウのことを知ってたかもしれないんでしょ？　私はこんなだから、二十五年前の鳥籠事件って言われても全然ピンとこなかったけど、ヨシコさんやテッペイは事件の名前を聞いたことがあったみたいで、目を真ん丸にしてたし。それってさ、すごいことだよ！」

ハナは興奮を隠さない。自分が凄惨な環境で育てられていた被虐待児だったと知ったら、ショックを受けるのではないかと思ったが、杞憂だったようだ。物心ついたときから人知れず倉庫で暮らしてきた捨て子が、初めて〝外の世界〟と繋がった実感を得たときの喜びがいかほどのものか、里穂子が正確に測る術はない。

リョウとハナが鳥籠事件の被害児童である可能性を〝ユートピア〟の住人に告げたのは、四日前、羽山とともにあの倉庫を訪れたときのことだった。

ハナは今と同じように、期待に目を輝かせていた。リョウは眉も動かさずにこちらを睨み続けていた。タクローは興味がなさそうにもじゃもじゃの頭を掻いていた。まだ二十代前半のアツシとルミカは、じっと首を傾げていた。鳥籠事件を知らないはずがない年長のヨシコとテッペイは、心なしか青ざめているようだった。

誘拐当時四歳だった名取将太と、二歳の桃花。リョウとハナという名は〝拾い親〟のテッペイがつけたのだというが、その響きや意味の微妙な共通点が気になった。「すごいね、テッペイ！　よく似てるよ」と偶然を信じている様子のハナと、「たまたまだよ。俺が好きな名前をつけただけなんだ」と慌てたようにこちらを見るテッペイの対照的な表情が、まぶたの裏に焼きついている。

「ハナさんが名取桃花ちゃんと同一人物なのかどうか、一発で分かる方法があるんだけど」

「えっ、何？」

「ＤＮＡ鑑定」

里穂子がティーカップを片手に短く言うと、ハナは落胆したように眉尻を下げた。

「それは……リョウがダメって言うから」

「そうね。この間も羽山が直接打診したけど、取りつく島もなかったものね」

「リョウはそういうのに厳しいんだ。警察には絶対に個人情報を渡すな、自分たちが生きている痕跡をどこにも残すなって、普段からみんなに注意してるの。今回も、ＤＮＡのデータなんて差し出したら何に使われるか分かったもんじゃないぞって、すごく怒ってた」

逮捕後にハナがＤＮＡ採取を拒否したのは、リョウの言いつけが原因だったというわけだ。彼に限らず、この日本には、公権力に個人情報を握られることを極端に恐れる陰謀論者が一定数いる。警察がＤＮＡデータベースを活用するのは再犯者を特定するときだけだから、常習犯でもなければ特に不利益はないはずなのだが、こちらの言い分はそう簡単には信じてもらえない。

彼らは「知られている」こと自体に気持ち悪さを覚える。何の関係もない事件の被疑者に仕立て上げられるのではないかと、警察を疑り続ける。よって、権力側に立つ羽山や里穂子がいくら説得しても、リョウの心は動かない。

「別にね、悪用するわけじゃないんだよ。すべての捜査が終わったらデータは破棄すると約束する。リョウさんの協力を取りつけるのが難しそうなら、まずはハナさんだけでもいい。もちろん、リョウさんには秘密にする。それならどう？」

「でも……やっぱり、ごめんなさい」

ハナが弱々しく俯き、首を左右に振った。

「これ以上リョウに逆らったり、ルールを破ったりしたら、私、ユートピアにいられなくなっちゃう。居場所がなくなるのは困るの。私にはあそこしかないんだって、トシくんに振られてよく分かったから」

やはりパンケーキは交渉材料として弱かったか、と臍を噬む。これでハナがDNA採取に応じてくれれば話が早かったのだが、そうトントン拍子にはいかないようだ。

彼女の茶色い髪の一本でもこっそり持って帰って鑑定できれば——と危険な考えが脳内で首をもたげるが、その行為が露見したら最後、羽山もろとも懲戒処分は免れない。それどころか、仮にその結果として誘拐犯を逮捕できたとしても、裁判で捜査の違法性を指摘されて無罪となり、代わりに虚偽の捜査報告書を書いた羽山が公文書偽造で刑事罰を受ける可能性すらある。すでに不法侵入は犯しているのだから、これ以上危険な橋を渡るわけにはいかない。

いったん、作戦を切り替えることにした。

「ごめんね、今の話は忘れて。さっきも言ったけど、今日はハナさんのことをもっと知りたいと思ってるの。いろいろ、お話を聞かせてもらってもいいかな」

「私のことって……どんな？」

「〝ユートピア〟に初めて来たときのこと、覚えてる？」

予想していたとおり、ううん、という否定の言葉が返ってきた。

「私、まだ小さかったみたいだから。リョウも私も、ほとんど言葉が喋れなかったんだって」

「ほとんどってことは、少しは喋れたの？」

「バイバイとか、マンマとか、それくらいかな」

鳥籠事件の兄妹は、救出された当時、三歳と一歳。その時点では、二人とも日本語を一切話せなかったという。それから誘拐されるまでの一年の間に、簡単な言語を獲得していたのだろうか。詳しく調べてみる必要がありそうだ。

「ハナさんが物心ついた頃には、何人くらいが〝ユートピア〟で暮らしてたの？　ヨシコさんとテッペイさんは、すでにいたんだよね」

「そうだよ。たぶん、全部で七人くらいかな。でも最初の頃は、ふらっと出ていっちゃう人もけっこういたから、あとの人たちはもういない」

ふうん、と息が漏れる。〝ユートピア〟の現メンバーの中で、リョウとハナがやってきた当時のことを知っているのは、ヨシコとテッペイのみというわけか。

「失礼な言い方だけど――あんな場所で、生活に不便はなかった？」

「どうなのかなぁ。あそこしか知らずに育ってきたから、不便だと思ったことはないけど……」

ハナが首を傾げ、腕組みをする。ピンときていない様子の彼女に、里穂子は「例えば」と問いかけた。

「ああいう工場だと、消防の立ち入り検査なんかもあるんじゃない？」

「あっ、それはあるよ。一年に一回くらい」

「よく見つからなかったね」

「消防の検査って、前もって日にちを教えてもらえるんだよね。だからそれまでに、カーテンや布団を全部片づけて、人が住んでる雰囲気を消しちゃう。ソファとか洗濯機があるからちょっと変に思われるかもしれないけど、古くなった家具を社長が置いてるだけってことにしてるんじゃないかなぁ」

黄ばんだカーテンがいくつも吊り下がった倉庫内の光景を思い出す。仕切りの壁を強固な板や衝立で作ってしまわないのは、立ち入り検査やその他の有事の際に、簡単に取り払えるようにするためだったのだ。

「不便かぁ……食料とか、生活に必要なものは、会社の人がまとめて差し入れてくれるし。本や服も、たぶん新品より叶内家のお下がりが多いんだけど、たくさんもらえるし。テレビもいつでも見られるし、私が十歳くらいの頃から、パソコンでインターネットも使えるようになったし」

「倉庫には、トイレやお風呂はないでしょう？」

「それは工場のを使うんだ。私たち、裏口の鍵を持たされてて、いつでも入れるの」

「工場にお風呂が？」

「ううん、シャワー室。初期の頃はいちいち銭湯に行ってたらしいんだけど、それじゃ大変だろうからって、叶内さんが工場内に作ってくれたんだって。私たちだけじゃなくて、社員なら誰でも使えるから、夏はけっこう人気」

福利厚生の一環、という建前か。多量の汗をかくスポーツジムや建設会社ならともかく、食品工場にシャワー室があるのは少々不自然な気もするが、絶対的に違和感があるというほどでもない。

「それでも、小さな子どもが出入りしていたら、他の従業員が不審に感じると思うけど」

「食品工場の仕事って、三時間に一回しか休憩がないんだ。その十分間休憩と、食堂でご飯を食べる時間を避ければ、誰にも見つからないよ。もしバレても、叶内さんの親戚ってことにしちゃえばいいし」

なるほど上手くできている。食品工場ともなると、入退室時に手洗いや着替え、エアーシャワーといった厳重な衛生チェックが求められるため、何の前触れもなくふらりとトイレにやってくる従業員もいないのだろう。会社を私物化する中小企業の経営者というのも、世の中に大勢いそうだ。

「子どもの頃は『平日の真っ昼間には出歩かないで』ってヨシコさんに厳しく言われてたし、今だって門限が決まってるから、普通に生活してたら、〝外の人〟と接触することは全然ないよ」

「他の従業員とも？」

「うん。私たち、障害者雇用枠ってことになってるから。向こうから話しかけられたとしても、聞こえないふりをするの」

「障害者雇用枠……」問題のある発言だが、ハナ相手に指摘しても仕方ない。「それじゃ、仕事に支障が生じない？」

「大丈夫だよ。工場では、私たち専用の部屋が一つ、割り当てられてるから。私たち、そこから出ないいんだ。社員さんや、他の部屋で作業してる人とやりとりするのは、リーダーのリョウだけ。あとはシフトを作ったり、お給料を配ったりするのも」

「仕事でも日常生活でも、リョウさんが皆を率いているのね」

「そうだよ。だって〝渉外係〟だもん」

さも当然というふうに、ハナは答えた。だが、リョウのことを半ば神格化し熱く語っていたアツシと違い、彼女の顔には暗い影が差していた。

少し考えれば分かる。週に一回は駅前のネットカフェに通って漫画を読み、他の住人に隠れて斎藤敏樹という〝外の人〟と交際していたハナが、閉鎖的で制限の多い〝ユートピア〟に不満を抱えていないはずがない。「不便だと思ったことはない」という先ほどの発言は、あくまで「生存する上では」という最低限度の前提に基づくものだ。

「でもさ。大変なこと、いろいろあるんじゃない？」

あえて軽い調子で尋ねると、ハナの茶色い瞳がぱっと輝いた。

「そう……なんだよね」

「何でも話していいんだよ。あそこの秘密を知ってる部外者なんて、私と羽山くらいでしょう？一緒に住んでる方々には言いづらいでしょうし」

ハナはためらっていたが、やがてぽつぽつと不満を並べ立て始めた。

門限が厳しいこと。街に人が多い通勤時間帯しか、敷地外に出ることを許されない。原則、朝の七時から十時と、夜の六時から十時の合計七時間のみ。深夜は、警察官による職質や酔っ払いとの無用なトラブルを避けるため、外出は禁止されている。

仕事の選択肢がないこと。食品工場では、朝から晩まで、単純作業を延々とやらなくてはならない。チョコレートをマス目に納め続ける、シールを貼り続ける、機械の出口で生産番号を目視確認し続ける。リョウはこまめに配置換えを行い、週に二日ほどはきちんと休みが取れるよう気を使ってくれているが、一日の終わりには大抵、気が狂いそうになっている。

病院に行けないこと。怪我も病気も、市販薬で何とかするしかない。よっぽど重病の場合は、〝渉外係〟から叶内家に打診し、誰かしらの保険証を借りて病院に行くことになっているが、幸か不幸か、まだ過去に例はない。

好きな服装で出歩けないこと。近所の住人に不審に思われないよう、外に出るときは目立たない格好をする必要がある。今の茶髪にするときも、リョウやヨシコに相当文句を言われたが強行突破した。派手な色や形の服はもちろん、歩くと音が響くため、ヒールの高い靴も禁止。だからデートの前は、隠しておいた服やパンプスをバッグに詰めて持ち出し、わざわざ駅ビルのトイレで着替えていた。

外部の人間との関わりが一切禁じられていること。万が一接触してしまったら、その相手の身元と会話の内容を、速やかに〝渉外係〟に報告しなければならない。場合によっては、ルール破りとして罰を与えられることになる。暴力や食事抜きといった身体を痛めつけるような行為は、ユートピアでは最も罪深い行為として禁止されているものの、減給や謹慎などの罰もやはりこたえる。

「私ね、十七歳のときに、初めて夜に一人で外出したの」

ナイフとフォークを握りしめたまま、ハナが寂しそうに言った。

「そしたらね、駅前で声をかけてくれた男の人がいた。一緒にお酒を飲んで、お金がないって言ったら全部おごってくれて、すごく楽しかった。それからは、みんなにバレないように外出して、いろんな男の人にナンパされた。そのうちの一人にネットカフェのことを教えてもらって、漫画もたくさん読んだ。で、去年出会ったのが、トシくんだった」

「ああ……彼ね」

「家の門限があるから夜十時までに帰らなきゃいけなくて、携帯も持ってないから連絡も取れないって話したら、『何だよそれ』って面白がってくれた。一人の男の人と何度も会うのは初めてで、ワクワクした。トシくんは、私が知らなかった〝外の世界〟のことを、いっぱい教えてくれた。居酒屋でのバイトのこととか、趣味で弾いてるギターのこととか」

ここにきて斎藤敏樹に対する殺人未遂を自供するつもりだろうか、と訝しむ。だがハナの話は、里穂子の予想とは違う方向へと転がっていった。

「トシくんと付き合っている間、私、ずっと不思議に思ってたの。ユートピアの仲間の中には、私やリョウやミライみたいに、小さい頃からあの倉庫で暮らしてたわけじゃなく、わざわざ外からやってきた大人たちがたくさんいる。それなのに――〝外の世界〟はこんなに楽しくて自由なのに、どうしてあんなにつまらない生活にじっと耐えてるんだろう、って。でも……トシくんに振られて、やっと分かったんだ」

ハナの右手に力がこもる。ナイフが皿に当たり、カチャリと音を立てた。

「私の居場所は、ユートピアにしかない。〝外の世界〟は、絶対に、私なんかを受け入れてくれない」

「そんなことな――」

「そんなことあるの」

珍しく、ハナがぴしゃりと言った。思わず黙った里穂子に、「あ、ごめんね！」とハナが慌てた様子で話しかけてくる。

「森垣さん、私のことをもっと知りたいって言ってたけど……こんな感じで大丈夫だった？　上手く話せたかなぁ」

「十分よ。ハナさんやお兄さんが育ってきた環境について、理解を深められたと思う」

「本当？　よかった！　だったら今度は、森垣さんのことを教えて」

「……私のこと？」

おそらく話題を変えたかったのだろう。ハナはフォークとナイフを手にしたままテーブルに身を乗り出し、熱く訴えかけた。

「だって、こうやって〝外の人〟とゆっくり話すこと、めったにないんだもん！　特に女の人なんて、森垣さんが生まれて初めてだったんだよ？」

「生まれて初めて……」

そういうことだったのか、とようやく理解する。

勾留中にしつこく取り調べを繰り返し、今に至るまでハナを疑い続けているにもかかわらず、彼女が自然と自分を慕うようになったのは、里穂子が記念すべき第一号だったからなのだ。〝外の人〟に対する彼女の強い興味は、刑事と被疑者という関係を、あっさり飛び越えた。

ハナが何でもないことのように言うのが、余計に恐ろしかった。閉ざされた場所で四半世紀近くもの時を過ごしてきた彼女は、無戸籍者の同居人や支援者の叶内丈《じょう》を除けば、街で声をかけてきた遊び人の男たちとしかまともな会話をしたことがないのだ。彼女が思い描く〝外の世界〟は、少数の偏った人間で構成されている。

里穂子は単に、無数にわいてくる犯罪者の一人を取り調べていたつもりだった。

だが、ハナにとってはそうではなかった。

不意に、自分が全世界の女性の代表として振る舞わなければならないような気がして、背筋が伸びる。

「森垣さんって、何歳で警察官になったの？」

「十八よ。高校を出てすぐ」

「それって、小学校と、中学校に通って、それから高校に行ったってこと？　大学には行かなくてもいいんだね。あっ、小学校の前に、保育園っていうのもあるんだっけ」

「そう。私の場合、小学校に上がる前までは母が専業主婦をしていたから、幼稚園だったけど」

「専業主婦……って何？　お仕事？」

ハナの質問は、驚くほどとりとめがなく、多方面にわたっていた。

へえ、専業主婦って、仕事をしないで家にいていいの？　あ、森垣さんって、お父さんもいる？お仕事は？　教師って、学校の先生のこと？　中学？　すごいね！　先生ってやっぱり、みんなすごく頭がいいの？　みんな東大とか？　知ってるよ、ドラマでちょっとだけ見たことあるから。いつもは黒板に何か書いて勉強を教えてて、生徒が大変な目に遭うとすぐに駆けつけてきてくれる、正義のヒーローみたいな人たちでしょ。違うの？　じゃあ先生って何？

制服ってなんでいろんな種類があるの？　同じ制服を着てる子たちは、同じ学校ってこと？　学校にシャツやスカートの売り場があるの？　森垣さんの高校はどんなだった？　テレビで野球の試合を見たことあるけど、勉強コースとスポーツコースとかで分かれるの？　部活？　何それ、私なら勉強だけであっぷあっぷかなぁ。

病院って行ったことある？　熱が出てなくても、風邪くらいでかかってもいいの？　待ち時間が長い？　それは嫌だなぁ。お医者さんを増やせばいいのに。なんで無理なの？

森垣さんのおじいちゃんやおばあちゃんって、まだ生きてる？　やっぱりお父さん側とお母さん側で二人ずついるんだよね？　じゃあ呼び方はどうするの？　一緒？　ごっちゃにならない？　亡くなる前は一緒に住んでた？　普通の家ってどんな感じ？　二階建て？　三階建て？　自分の部屋もある？　テレビではスリッパを履いてることが多いけど、やっぱり森垣さんちも？　えっ、結婚してるの？　わぁ、一歳の！　ミライの一個下だね。

根掘り葉掘り、という言葉がぴったりだった。一般社会に生きる里穂子にしてみれば、それについて考えたこともないくらい当たり前のことを、次々と尋ねてくる。

その一つ一つに、里穂子は真摯《しんし》に答えた。自分の話をしながらも、情報が主観に偏りすぎないように注意した。自分の何気ない言葉が、そのまま彼女の抱く〝外の世界〟のイメージになってしまうと思うと、重圧が肩にのしかかる。

ハナの質問攻めがようやく落ち着いた頃には、皿にまだ半分近く残っているパンケーキは、すっかり冷めきっていた。

「今日の夜も、行かせてもらうから」

里穂子がさりげなく告げると、パンケーキの欠片を口に放り込もうとしていたハナが、「あっ、そうなの？」と目を丸くした。

「……あの刑事さんも、また一緒？」

「羽山ね。申し訳ないけど、二人でお邪魔させてもらおうかなと」

「はあー、嫌だなぁ」

ハナのストレートな物言いが可笑しく、里穂子は口元に手をやった。戸籍のあるなしにかかわらず、最近の二十代というのは皆こうなのか。どことなく、新人の林部を彷彿《ほうふつ》とさせる。

パンケーキを食べ終わってすぐ、ハナとはいったん店の前で別れた。

無地のグレーのパーカーに、黒いスキニーパンツ、特徴のない白スニーカー。

見てはいけないものを見てしまったような気分になりながら、里穂子はそのモノクロの後ろ姿を見送った。


カナウチ食品の工場周辺に、待ち合わせの目印になるような場所はない。

夜の色が濃くなってきた午後七時半前に、暗い色のスーツに身を包んだ里穂子と羽山は、工場の門の前で直接落ち合った。

「前回ここを訪れてから四日ですね。どうして間を空けたんですか？」

「そっちの非番の日に合わせたんだ」

「別に土日でもよかったんですよ。私は当番日以外の夜ならいつでも動けるとお伝えしたはずですが」

「実を言うと、上司や幹部への根回しをしていた。一か月以内に鳥籠兄妹誘拐事件を解決するから、その暁には強行犯捜査に戻せと大見得を切って」

「一か月以内とは、大きく出ましたね」

「そうやって幹部の言質を取っておけば、後で強く出られるだろ。捜査はいつどのように進展するか読めないんだ。やっぱり時効を迎えていて犯人を逮捕できなかった場合でも、兄妹を無事に発見した俺の手柄は認めてもらわないと困る」

「無事、言質は取れたわけですか」

「ああ。あとは事件解決のために最善を尽くすだけだ。栄転を勝ち取るには最低限、あいつらが名取兄妹だと断じられるだけの証拠を一か月以内に挙げる必要がある」

里穂子は四回目、羽山は二回目ともなると、不法侵入も手慣れたものだ。小声で挨拶代わりの雑談をしながら、敷地内を奥へ奥へと歩く。

〝ユートピア〟の住人は、日勤と夜勤の二つのグループに分かれて食品工場で働いているという。日勤が朝七時から夜七時、夜勤が残りの十二時間で、本人たちが特に希望しない限りは、勤務時間帯は固定。工場の敷地内で生活のすべてが完結する彼らにとって、昼間に働くか、夜中に働くかというのは、さしたる問題ではないのだろう。

リョウとハナが二人とも日勤のため、捜査は必然的に夜になる。羽山は不服そうだったが、本業と両立している里穂子にとっては都合がよかった。

赤茶けた倉庫の前に立ち、引き戸をノックする。

「はい」

出てきたのはアツシだった。里穂子と羽山の顔を見た瞬間、あからさまに顔をしかめる。

里穂子たちが靴を脱いでいる間に、アツシは無言で離れていった。テレビの前で人形遊びをしている娘のミライと、それに付き合っているタクローのところへ、そそくさと戻っていく。野暮ったい外見の若者が自分の娘でもない二歳児の相手をしているのは一見ちぐはぐな光景に見えたが、ここではこうした助け合いが日常茶飯事なのだろう。

部屋の端にある長机では、ルミカが夕飯の支度をしていた。彼女が今月の炊事当番だと、ヨシコが言っていたことを思い出す。今夜はカレーか何かだろうか、野菜の煮える匂いが充満している。

座卓の周りには、茶を啜っている中年男女が集っていた。でっぷりと太ったヨシコ、ぼうっとした顔のテッペイ、それから初めて見る男性が一人。普段は夜勤担当だが今日は仕事が休みなのだろうと、すぐに察した。

肝心のリョウとハナの姿はない。尋ねると、ヨシコが大儀そうに答えた。

「リョウはまだ仕事。ハナは奥で寝てるよ。昼間の外出はダメだって言ったのに、『刑事さんに呼び出されてるからこれはルール破りじゃない』って屁理屈こねて、嬉しそうに出かけていったからね。慣れないことをして、疲れたんじゃないか」

ヨシコが猫のように目を細めて里穂子を見る。そういえばハナは、外出が許されているのは朝と夜の通勤ラッシュ前後だけだと不満げに言っていた。四日前にここに来たとき、外でゆっくり話したいという里穂子の打診を二つ返事で受け入れ、仕事が休みの日と行きたい店を妙に乗り気で告げてきたのは、昼間に堂々と外出したかったからだったのか。確かにパンケーキカフェは、基本的には昼に行くものだ。

「それならそれで、むしろ都合がいい。二三《にさん》、訊きたいことがある」

羽山がヨシコらに断りもせずに、座卓の前にどっかりと腰を下ろした。

前回の訪問では、DNA採取も住人への事情聴取もリョウに頑なに拒まれ、大した収穫を得られなかった。このコミュニティのリーダーが手強い存在であることは、そのときに羽山も思い知らされたはずだ。まずは鬼の居ぬ間に洗濯、ということか。

「森垣に聞いたが、あの兄妹は捨て子だったそうだな。拾ったのは誰だ？」

「お、俺だよ」

上から目線の態度に気圧されたのか、テッペイが萎縮したように手を挙げる。

「見つけたときの様子を、具体的に教えてくれ」

「ええっと……段ボール箱に入れられてたよ。門のすぐ内側に置かれてたのを、朝早くコンビニに出かけようとして見つけたんだ。その頃はまだ、門限なんてもんはなかったから……」

「段ボール箱？」羽山が鷹のような目を細める。「彼らが鳥籠事件の被害児童だとすると、誘拐時は四歳と二歳だ。いくら虐待の影響で身体的な発達が遅れていたとしても、大人しく箱に入っていられる年齢じゃない気がするが」

「違うんだ！　箱がでかかったんだよ。家電かなんかを入れるやつだったんじゃないかな。それに、俺が見つけたとき、二人は寝てたんだ」

「寝てた？　屋外に置かれた段ボール箱の中で？　近くに親もいないのに？」

「そうだよ。俺が声をかけても、ぐっすりだった。本当だよ」

「怪しいな。犬猫じゃあるまいし」

羽山の突き放すような言葉に、テッペイが身を縮める。するとヨシコが気怠《けだる》そうに口を挟んできた。

「抱き上げてここに連れてきても、しばらくすやすや眠ってたからね。あれは睡眠薬でも盛られてたんじゃないか。あのときは不思議に思ったけど、あの子たちが誘拐事件の被害者ってんなら、なおさらね」

隙のないフォローだ。ふうん、と羽山は面白くなさそうに顎をこすった。

「だがその状況なら、普通は警察に届けるはずだな。なぜ、ここで育てようという結論になる？」

「こんな場所で暮らしてるあたしたちが、警察の前にのこのこ出ていけると思うかい？」

「だったら児童相談所でもいい。素性を知られたくないなら、通報するのは叶内とかいうここの社長に託せばよかったんだ。それでもお前らは二人を手放さず、世間から隠すようにして育てた。これだけでも誘拐に当たる可能性が高いな」

「誘拐だなんて、とんでもない！」

テッペイが唇をわななかせ、座卓に両手をついた。

「俺は——俺は、よかれと思ってここに連れてきたんだ。リョウのズボンのポケットに入ってた手紙に、誰にも助けてもらえない無戸籍の子だって書いてあったから。施設で育つのはかわいそうだからどうか面倒を見てやってくれって、手紙を書いた本当の親にお願いされたんだ。だからきちんと名前をつけて、今の今まで——」

「それは妙だな。となると、二人を段ボール箱に入れて捨てていった人物は、ここが無戸籍者の根城だと知っていたことになる。お前らは誰にも見つからないように、ひっそりと暮らしてきたんだろ？　どう考えてもおかしいじゃないか」

羽山の攻撃に、テッペイが怯《ひる》む。

「本当は、お前らがあの兄妹を児童養護施設からさらってきたんじゃないのか？　幼児が段ボール箱に入って捨てられていたとか、実の親が書いた置手紙があったとかは、全部嘘だ。違うか？」

「誘拐だなんて……そんなこと、絶対にしてねえ！」

「とぼけるのはいい加減にしろ。さっきから突っ込みどころだらけの嘘ばかり並べ立てやがって」

「——新聞だよ」

唐突に割って入ったのは、またしてもヨシコだった。「新聞？」と反応した里穂子を、面倒臭そうに一瞥する。

「叶内さんがね、一度だけ、新聞に投書したことがあったんだ。自分は以前から無戸籍者支援をしている、困っている人がいたらいつでも訪ねてきてほしい、ってね。それで一時期、相談が相次いだ。といってもまあ、新聞を取ってる無戸籍者なんてのはほとんどいないから、数はそう多くなかったけどね。リョウとハナがここに捨てられていったのは、その波が少し落ち着いた頃だった」

「つまり、その新聞の投書を読んだ人であれば、この倉庫の存在までは分からずとも、叶内社長が積極的に無戸籍者支援をしていることは把握できたと？」

里穂子が念のため確認すると、ヨシコは「そうさ」と首の肉を震わせて頷いた。床にあぐらをかいている羽山が苦い顔をする。

「投書なんて、そう簡単には掲載されないはずだがな」

「貧困問題と絡めて、上手いこと書いてたんだと思うよ。それこそ鳥籠事件以来、どの新聞もそういう話を好んで取り上げてたんじゃないのかい？　叶内さんが、確かそんなことを言っていた気がするよ」

「どれに載ったんだ？　読売？　朝日か？」

「知らないよ。叶内さんがいくら恩人とはいえ、勝手に新聞なんかに投書されて、こっちも迷惑してたんだ。近所の目が怖いから、敷地から一歩も出られない生活が続いてねえ。だから実際の記事は見てないよ」

「であれば、こちらでウラを取る。投書が載ったのはいつだ？」

「よく覚えてないけどさ。鳥籠事件の前か後かでいったら、後なんだろうね」

「虐待発覚のほうだな。誘拐よりは？」

「それよりは少し前じゃないかね。誘拐の後だと、鳥籠事件ってのは、貧困だとか虐待だとか、そういう単純な問題じゃなくなったわけだろう？」

ヨシコがのらりくらりと答える。ひどく動揺していたテッペイと違って、彼女が羽山の攻勢に屈する気配はなかった。

リョウとハナの兄妹は、門の内側に捨てられていた。ヨシコやテッペイが二人を〝ユートピア〟に迎え入れて育てたのは、置手紙にそれを希望する旨が書かれていたから。叶内社長による無戸籍者支援については、ある特定の新聞を読んでいれば情報を得ることができた。

細かい部分に疑問は残るものの、一応、話の筋は通っている。

とはいえ、証拠があるわけではない。羽山の凜々しい眉の間にも、まだしわが寄ったままだった。

「質問を変えよう。お前らがあの兄妹を拾ったのは、具体的にいつだ？」

「ええっと……そうだなあ、あれはちょうど暖かくなってきた頃だったから……」

「具体的に、と聞いている」

「ずいぶん前のことだから、思い出すのも一苦労なんだよ！」

テッペイが弁解するように言った。

「今、リョウが二十七で、ハナが二十六だろ。……ってことは、二十四年前だ。夏にはなってなかったから、六月……いや、五月か？　うーん、もっと前かもしれない」

羽山の目が鋭く煌《きら》めいた。

鳥籠兄妹誘拐事件が起きたのは、今から二十四年前、一九九七年四月のことだ。

リョウとハナがここで暮らし始めたおおよその時期と、見事に一致している。

──これで確定だ。

里穂子が発見した無戸籍者の兄妹の正体は、名取将太と桃花。ここまで要素が揃えば、さすがにそうとしか考えられない。

よく見ると、羽山は膝の上で握り拳を作っていた。無駄な捜査に時間を費やした、専従捜査員としての出口の見えない四年間。その日々の中でうずたかく積もった苛立ちと不満、そして今のテッペイの発言で増大した自信を燃料に、水を得た魚のごとく攻勢をかける。

「その頃は、数百名規模の捜査本部が立って、兄妹の行方を捜していた。テレビでも新聞でも連日大きく報道され、二人の顔写真を見ない日はなかった。全国の警察署や交番前にポスターも貼られたな。それなのに、お前らは気づかなかったのか？　自分たちが拾った幼児が、誘拐された鳥籠事件の兄妹かもしれないと」

「その頃は、テレビも新聞も、もちろんパソコンも、ここにはまだ何にもなかったんだよ！」テッペイが必死に訴えた。「ポスターは……街中でちらっと見たことはあるかもしれないけど、それくらいじゃ分からねえ。外出するのは夜ばっかだったし、交番の前は通らないようにしてたし、子どもの顔なんてすぐ変わるし」

「苦しい言い訳だな」

羽山が舌打ちをした。つつけばすぐにでもボロが出そうなのに、決定的な一言が引き出せないのがもどかしいのだろう。

「刑事さんのほうこそ、あたしたちの素性が知れないからって、ちと疑いすぎじゃないかい？　今テッペイが話したことがすべてだ。あたしたちは、社会に居場所がない無戸籍者同士で助け合いながら、このユートピアで一生懸命あの子たちの成長を見守ってきた。これのどこがいけないっっていうのかね」

「そうだそうだ！　誘拐なんてとんでもねえ。捨て子だったあいつらを拾って、大切に大切に育ててきたんだ。まあ、リョウもハナも、すごく大人しくて、心配になるくらい聞き分けがよかったから、苦労はしなかったけど」

「ほう、それは興味深い情報だ」

羽山が腕組みをし、テッペイをちらりと見た。

「兄も妹も、自分を極度に抑圧していたということだな。捜査資料によると、名取将太と桃花は、普段からほとんど声を発することがなかったらしい。長年、叫んだり泣いたりすると、暴力や食事抜きといった身体的な罰を与えられていたから、その影響で」

「うーん、いや……どうだろう」

急に、テッペイが不安げな表情になり、もぞもぞと上半身を動かし始める。

「リョウとハナは普通に元気だったし……そういえば、慣れたらよく喋るようになったな。やんちゃをして叱ったことだってあった。きっと、来たばかりの頃は緊張してたんだ。大人しかったのは最初だけで――」

「言っていることがさっきと食い違っている気がするが？　なぜ証言を翻す？　この期に及んで、二人が鳥籠事件の被害児童とは別人とでも言い出すつもりか？」

「いやいや、とんでもねえ！　刑事さんがそう言うなら、たぶんそうなんだろう」

テッペイが、降参とばかりに両手を上げた。その背後で、天井から吊り下げられた黄ばんだカーテンが揺れる。

カーテンの隙間から顔を出したのは、ハナだった。疲れて寝ているというのは本当だったようで、顔が全体的に腫れぼったい。

「ああ、ごめんね、森垣さん――と、羽山さん」

かろうじて付け加えるように言い、ハナは〝リビングルーム〟にやってきた。灰色のパーカーに黒いスキニーパンツという、昼にパンケーキカフェで会ったときと同じ、没個性的な格好をしている。

「最近、夜にあんまり眠れなくて。ちょっと寝ちゃってた」

「この騒がしい中でよく眠れたものだな」

「別に……みんなの声が聞こえるのはいつものことだし」

ハナが羽山に不快そうな視線を向ける。当の羽山は、相手の反応を一切気に留めていないようだった。

座卓の会話に交じるか、ミライの相手をしているアツシとタクローの元へ行くか、それともルミカを手伝って食事の支度をするか。迷っている様子のハナに、羽山が横柄な口調で話しかける。

「少しは考え直したか？　自分が本当は何者なのか、だんだん気になってきたんじゃないか」

「森垣さんにも言ったけど……ＤＮＡ鑑定のことなら、私はしないよ」

「メリットとデメリットをよく比較してみろ。自分が被虐待児だったという過去が確定するのはつらいかもしれないが、晴れて名取桃花と同一人物だと証明できれば、念願の戸籍が手に入るんだぞ」

「それはそう、だけど……」

「こんなところで、制限だらけの生活をする必要がなくなるんだ。職業の選択も自由、住む場所も自由。なぜこの絶好のチャンスを拒む？」

戸籍が手に入る、という言葉に、ハナはやや心を動かされているようだった。羽山がこの調子でプレッシャーをかけ続ければ、じきに折れるかもしれない。

そう期待した直後、背後で引き戸が開く音がした。

「……またか」

工場から帰ってきたリョウが、里穂子と羽山を冷たく一瞥し、ため息をついた。

一瞬目が合い、全身に寒気が走る。やはり自分と同じ人間が醸し出す空気とは思えない。

「お邪魔しているよ。今日は君と妹さんに、もう一度ＤＮＡ鑑定を勧めにきたんだ。そろそろ気が変わったんじゃないかと期待してな」

「何度来ていただいても、答えは同じですよ。鑑定には協力しません」

「鳥籠事件のことが気にならないのか？　本当の親や、ここに連れてこられた経緯も。元の戸籍だって、喉から手が出るほど欲しいだろうに」

「俺は自分に戸籍があろうとなかろうと、〝ユートピア〟を出る気はありません。リーダーとしての使命を全うする責務がありますから」

「殊勝な心がけだな」

羽山が皮肉混じりに言い、ハナを振り返る。兄の登場により、彼女の表情はすっかり硬くなっていた。

やはり、警察に不信感を抱いている様子のリョウを説き伏せ、任意でＤＮＡを提出させるのは相当に難しそうだ。

ならば——と頭の中で他の可能性を探り、里穂子はゆっくりと口を開く。

「ＤＮＡが無理なら、幼少期の写真を見せてもらえませんか？　証拠としては不十分かもしれませんが、何枚かいただければ、名取兄妹の写真と照合できるかと——」

「そんなものはないね」

答えたのはヨシコだった。呆気に取られ、彼女を見つめ返す。

「写真ってのは、過去を振り返りたがる人間が撮るもんだ。暮らしが保証されるだけで大喜びしてたあの頃のあたしたちに、そんな余裕があると思うかい？　そもそも、あたしもテッペイも、親が子どもの写真を撮るような家庭に生まれてないんだよ。アルバムなんて、生まれてから五十二年経つけど、一度も実物を見たことがないね」

「今思うと、カメラの一つや二つ、貯金で買っておけばよかったな」テッペイが声に悔しさをにじませる。「アッシとルミカは、ちゃーんとミライの写真を撮ってるのに」

「それは自分の子だからだろ。今はわざわざ写真屋に行かなくても、簡単にパソコンに画像を保存できるみたいだし」

「でも、俺だって、リョウとハナを自分の子だと思って育ててきたんだぞ」

「そりゃあたしだって同じさ。まあ、あんたの言うとおり、写真の一枚や二枚くらいは残してやりたかったね。今となっては後の祭りだけど」

ヨシコとテッペイの会話の内容に、思わず絶句した。

幼少期の写真が、一枚もない。この現代に、そんなことがあっていいのか。しかも、リョウやハナだけでなく、おそらくヨシコやテッペイをはじめとした他の住人も、自分の小さい頃の姿を知らないのだ。

里穂子の〝当たり前〟が、ここでは端から崩されていく。

「俺とハナの正体を確かめたいというのは、警察側の事情でしょう？　今さら自分が何者かが判明したところで、こちらには関係ないんです。俺たちはここで問題なく暮らせているし、これからも同じように過ごしていく。それだけのことです」

リョウが淡々と言い放った。

「どうか、我々のユートピアを汚《けが》さないでください。これ以上土足で踏み込むのはやめていただけませんか」

「そう言われても、捜査は捜査だからな」

「あなた方は、俺たちをどうするつもりなんですか？」

冷静さの中に凄みを利かせた問いに、里穂子は思わず息を呑む。

リョウの言うとおりだ。

自分たちは、鳥籠事件の真実を解明して、彼らをどうしたいのだろう。

羽山は、ただ手柄を立てたい。

では——里穂子は？

「ユートピア、か」

リョウの問いには直接答えず、羽山が背中を反らした。

「ユートピアというのは、理想郷のことだよな。楽園、といったイメージで使われることが多い」

「……それが何か？」

「ここは本当にそうだろうか、とね」

羽山が嘲るようにふんと鼻を鳴らし、倉庫の赤茶けたトタン屋根を見上げた。バカにされたと分かったのか、リョウの顔がにわかに赤くなる。

「俺たちの生活に、部外者が口を出さないでください」

「部外者ではない。警察だ。必要な捜査で来ている。何なら君の妹は、今もまだ殺人未遂事件の被疑者だ」

羽山の辛辣な言葉に、リョウの視線がいっそう険しくなった。このコミュニティの〝渉外係〟たる彼の、〝外の世界〟に対する敵意をひしひしと感じる。

鍋の中身がコトコトと煮える音だけが、辺りに響いた。長い沈黙の後、二名の刑事と八名の無戸籍者仲間に見守られる中、リョウが諦めたように口を開いた。

「どうやらお二人とは、今後も顔を合わせることになりそうですね。次からはお茶でも出しましょう。もう少し長居されるおつもりなら、今すぐにでも。それとも、感染対策上、やめておいたほうがいいでしょうか？　お二人と違って、我々は病院にも行けない身ですしね」

分かりやすい皮肉だった。その真意は、図太い神経の持ち主である羽山にも伝わったようだった。

リョウの申し出を断り、二人並んで倉庫を後にする。

工場の表に回り込むと、長い影と短い影が一つずつ、アスファルトにぼんやりと映った。建物入り口の白い光が、隣を歩く羽山の面長の顔を淡く照らす。

「……どう思います？」

里穂子が小声で尋ねると、彼は目だけを鋭くこちらに向けた。

「どう思うというのは？　あの兄妹が本当に鳥籠事件の被害児童かどうか？　それとも誘拐犯が誰かということか？」

「後者です。前者はもはや自明かと」

羽山は一つ頷いて同感の意を示し、「そりゃ、今日の奴らが怪しいだろう」と即答した。

「荒唐無稽な話が多かったし、突っ込まれると妙に動揺していた。都合が悪くなると言うことが変わるのは、何か後ろめたいことがあるからだ」

「テッペイさんはともかく、ヨシコさんの話は理路整然としていた気もしますが」

「俺には苦しい弁解に聞こえたがな。犯人が当時三十代から五十代の男性と言われていたことを考えると、実行犯は男のほうで、あの女が裏で糸を引いていたのかもしれない。そうだ、新聞の投書の件はウラを取っておいてくれ」

さらりと重い仕事を押しつけられる。担当外の捜査に無理を言って参加させてもらっている手前、文句は言えない。

「あの兄妹が鳥籠事件の被害児童だという前提で話すが」

羽山が門の手前でふと立ち止まり、上着のポケットに手を突っ込んだ。

「誘拐犯が〝ユートピア〟と関係のある人物であることは、ほぼ確定だな」

「確定？　なぜです？」

「仮に、あいつらが言っていた捨て子という主張が正しいとしよう。そうすると、誘拐犯はあの兄妹を児童養護施設から誘拐した後、特に身代金を要求したり暴行を加えたりすることもなく、新聞の投書で知った叶内丈という支援者の元に置いていったということになる。なぜそんな意味のないことを、部外者がわざわざリスクを冒してやらなければならない？　第三者から見れば、兄妹が児童養護施設で育とうが、無戸籍者支援の活動家の元で育とうが、さして違いはないだろうに」

「確かに、それはそうですね」

「となるとやはり、〝ユートピア〟内部の者、もしくはその関係者が兄妹を誘拐したと考えたほうが自然だ。幼子二人をコミュニティに引きずり込むこと自体に意味を見出さないと、こんな不可思議な犯行にはならないからな」

この短時間で、よくそこまで頭が回るものだ。本庁、しかも捜査一課の刑事と対等に意見を交わそうとすると、脳が普段の倍速で疲労する。

あとは――と羽山は思案げに続け、背後の工場を振り返った。

「ここの経営者が気になるな」

「叶内丈、ですか？　現会長の」

先ほど、羽山の口からもその名前が出ていた。里穂子と同じように、インターネットで調べたのだろう。カナウチ食品株式会社のホームページは思いのほか充実していて、創業からの沿革や取締役の簡単なプロフィールが掲載されていた。

取締役会長、叶内丈。一九四二年生まれということは、今年で七十九歳。カナウチ食品株式会社の創業者だ。現在は息子の叶内勝《まさる》が後を継いで、代表取締役社長を務めている。父が四十代の息子に社長の座を引き継いだのは、わずか五年前のことらしい。

当然、無戸籍者支援については、ホームページに何の記載もなかった。

「〝ユートピア〟は叶内丈の助力なしには存続しえない。そして支援者である彼が、二十四年前に突然仲間に加わった未就学児の兄妹のことを知らなかったはずはない。とすると、叶内丈も誘拐に関わった可能性があるんじゃないか？　さすがに動機までは読めないが」

「気になるところですね。純粋な善意で無戸籍者の支援をしている人物なのか、それとも裏があるのか」

「思い立ったが吉日だ。行くぞ」

身を翻して工場の入り口へと歩き出した羽山を、里穂子は面食らって呼び止めた。

「もう八時過ぎですよ？　いくら工場が二十四時間稼働しているといっても、会長が勤務中とは思えません。会社の実質的なトップは息子のほうとなると、そもそも普段から出勤していない可能性も――」

「そんなことは分かっている。その実質的なトップを狙い撃つんだ」

「……叶内勝を？」

「実は昨日の昼間、ここの事務室を訪ねて会長の叶内丈に会いたいと申し出たら、すげなく断られてな。体調が思わしくなく、長らく出社もしていない、と。それなら息子のほうに会わせてくれと打診したところ、関西に出張中だという。その場で電話をかけさせたが、繋がらなかった」

知らないうちに、羽山は独自に捜査を進めていたようだ。土日を挟んだこの四日間で行っていたことは、自分の異動に関する根回しだけではなかったらしい。

「戻ってきたら社長から電話を寄越すようにと名刺を渡したにもかかわらず、今の今まで連絡がない。おおよそ、こちらの目的の見当がついて、頭を抱えてるんだろう。敷地内の建物の利用用途の件、と含みを持たせて言付けておいたからな」

「確かに、実務に直接携わっている社長なら、この時間でも会社に残っているかもしれませんね」

「もし空振りなら、明日以降に出直す。何度でもな」

低い階段を上ってガラス戸の前に立った羽山が、肩を怒らせてインターホンを押した。しばらくして、「はい」という眠そうな女性の声が聞こえる。

「警視庁の羽山と申します。社長の叶内勝さんはまだいらっしゃいますか」

『えっ、社長ですか？』

「こちらで捜査中の案件についてお話を伺いたいとお伝えしていたのですが、なかなかご連絡いただけず、直接伺いました。そろそろ出張から戻られている頃かと思うのですが」

『あ、はい……確認しますので、少々お待ちくださいね』

女性の戸惑ったような声が聞こえ、スピーカーから聞こえていたかすかな雑音がぷつりと途絶えた。「確認するというのは、社長本人にでしょうか」「だろうな」と短く言葉を交わし、無言でその場に佇む。

しばらく待たされたのち、昔ながらの制服を着た中年の女性事務員が、ガラス戸の向こうに現れた。

慌てた様子で顔を出した彼女に案内され、中に入る。「居留守を使う勇気はなかったようだな」という羽山の満足げな独り言は、事務員の手前、聞き流すことにした。立ち並ぶ下駄箱の一角から彼女が出してきた来客用スリッパに履き替え、灰色のカーペットが敷き詰められた廊下を進む。

どうやら一階が食品工場で、二階に細々した部屋が並んでいるようだった。『無事故連続一八四日』の貼り紙を横目に折り返しの長い階段を上ると、事務室や更衣室といった表記が見えてくる。

社長室は、従業員が使用する更衣室や食堂とは反対側の、廊下の突き当たりにあった。女性事務員が軽くノックをし、ドアを開ける。社長室だからといって特に華美でも何でもない、少々スペースにゆとりのある一人用の執務室といった内装が、ぱっと目に飛び込んできた。

叶内勝は、おろおろとした様子で、部屋の真ん中に立っていた。

薄くなりかかった髪を不自然なほど真っ黒に染め、四角い銀縁の眼鏡をかけた、気弱そうな人物だった。ホームページの記載からするとまだ四十七か八のはずだが、優に五十代に見える。

「どっ……どうぞ、こちらへお座りください」

明らかに上ずっている社長の声に従い、部屋の隅にある応接スペースのソファに腰を下ろした。

「お茶は要りませんので」と羽山に声をかけられた女性事務員が、驚いた顔で頷いてから、丁寧に一礼して社長室を出ていく。

部屋に三人きりになった途端、叶内勝がしきりに頭を下げ始めた。

「すみません。出張が泊まりがけだったもので、その、帰ってきたのが今日の夕方近くで……事務のほうから名刺とメモは受け取っていたんですが、今の今まで慌ただしくしておりまして……すっかり遅くなってしまったので、明日にでもご連絡差し上げようと思っていたんです」

「我々にとっては、遅いというほどの時間でもありませんがね」

「申し訳ありません。わざわざこんなところまで、二度もご足労いただいて……」

勝手な印象ではあるが、中小企業のトップらしい風格がまるでない男だった。自ら起業したわけでもなく、親からすでに軌道に乗っている会社を引き継ぐだけの二代目であれば、こういうタイプの男にも社長は務まるのかもしれない。周りにとっては少々お荷物だろうが、実務を支えてくれる古株の従業員たちもいるはずだ。

「それで……あのう……今日のご用件は……」

「この工場の裏手にある、倉庫の件で来ました」

羽山が単刀直入に切り出すと、相手の顔が分かりやすく青ざめた。

「ああ、すみません。本当にすみません。あんなところに人を住まわせて、まずいとは分かってたんです。でも、これは、父の意思で」

「叶内丈さんの？」

「はい！　僕は言われるままに引き継いだだけなんです。一年くらい前までは父があの人たちを支援していたんですが、突然病気をしてしまって。それでやむをえず僕が、父の言いつけどおりに食料や日用品の差し入れを……もちろん、その、まずいとは分かってたんですが」

「あなたはあくまで一時的にお父さんの代わりをしているだけで、ご自身としては無戸籍者支援には消極的だった、と？」

「そんな感じですね、はい。さすがに、病人の頼みを無下にはできなくて……」

叶内勝が俯く。彼は今日、自分が警察に捕まると思っているのだろう。羽山は事前に「建物の利用用途の件」と頭出ししたようだが、実際にはよほど悪質な違反でない限り、一度の勧告もなしに所有者が逮捕されることはない。

それに、羽山と里穂子の目的は、あくまで別のところにある。

「お父様は、今どちらに？」

「あ、病院です。長らく入院しておりまして……」

「明日にでも面会することは可能でしょうか。倉庫の住人たちのことで、詳しくお話を聞かせていただきたいのですが」

「それは、あの……」叶内勝が苦しそうに顔を歪める。「……難しいと思います。ここのところ、容態がずっとよくないので」

「捜査上、必要だと言っても？」

「このご時世ということもありまして。病院側が感染予防を徹底していて、家族の面会にすら制限がかかっている状態なんです。何より父自身が、長生きしたいと願っていて……」

「そう言われましてもね」

羽山は不機嫌そうに眉を寄せ、懲りずに同じ依頼を繰り返した。しかし叶内勝も決して折れず、「すみません、すみません」と頑なに首を横に振り続けた。

新型コロナウイルスを盾にされると、こちらも無闇に公権力を振りかざすことはできない。捜査は命に優先しない――叶内勝も、そのことを分かった上で、強気に出ているのだろう。証言の裏取りついでに、入院患者の事情聴取をしたいと病院側に直接打診する手もなくはないが、本人や家族の意向を無視して進めるとなると、任意捜査のままではおそらく難しい。

羽山も、里穂子と同様の結論に辿りついたようだった。押し問答の末に病院名を何とか聞き出すと、羽山は小さくため息をつき、「ご病気ならば仕方ないですね」と叶内勝の顔を鋭く見据えた。

「それでは、あなた自身の知っていることを教えてください。我々が知りたいのは、二十四年前にあの無戸籍者コミュニティで起こった、とある出来事についてなんですが」

「……二十四年前?」

叶内勝は意外そうに目を瞬き、小さく首を傾げた。

「それじゃ、お力にはなれないかと。無戸籍者の支援は父が勝手にやっていたことで、僕も正式に入社するまでは何も知らなかったんです。まさか、あんなふうに無戸籍者たちを匿《かくま》っているなんて」

「失礼ですが、おいくつですか? 二十四年前は、すでに二十代半ばに差し掛かっていたのではないかとお見受けしますが」

「今、四十七です。だから当時は二十三ですね。ただ僕、大学を一浪一留していまして……二十四の歳にやっと入社したものですから」

「では、その後のことでも構いません。知っている範囲で、あの無戸籍者コミュニティのことを教えてください」

羽山が促すと、叶内勝はおどおどした口調で、倉庫に暮らす住人たちのことを語り始めた。その話に耳を傾ける羽山の顔が、次第に曇っていく。叶内勝の話の内容はごく表面的で、住人たちから直接聞き出した情報量を上回るものではなかった。父親の叶内丈が無戸籍者支援を始めたきっかけも、リョウやハナをはじめとした住人が増えていった経緯も、何も知らないという。

驚いたのは、〝ユートピア〟というコミュニティの名称すら、彼の口から出てこなかったことだった。羽山がそのことに触れると、「へえ……あの人たち、あそこをそんなふうに呼んでるのか」と、叶内勝は不思議そうな顔をした。

「父が倒れるまで、僕はここの社長だというのに、工場裏への立ち入りさえ固く禁じられていたんですよ。倉庫の手前にロープが張ってあったでしょう？　あれは父が設置したもので、ずっと昔からあるんです」

「なるほど。では息子のあなたのほかに、あのコミュニティについて知る方は？」

「父が無戸籍者支援のことをきちんと打ち明けていたのは、家族に対してだけだったので……僕のほかには母だけかと。でも母は、三年前に亡くなっていますよ」

「昔からの従業員は？　いくら無戸籍者たちが人目を忍んで暮らしているとはいえ、同じ敷地内に三十年も勤めていれば、隠し通せるはずがないと思いますが」

「何人か、いますよ。面と向かってこの件について話したことはないですが……工場裏に人が住んでることも、今は僕が何らかの支援をしていることも、薄々感づいているんじゃないですかね。公然の秘密ってやつです。たださすがに、二十四年も前のことは分からないんじゃないかな。ロープの向こうへの立ち入りが禁止されていたのは、彼らも同じなので」

「念のため、その従業員の方々にも個別にお話を伺わせてください。明日の日中に出直しますので」

「ああ……ええ、はい。お役に立てるようなお話はできないと思いますが、それでもよければ」

「今日はありがとうございました」

羽山がソファから腰を浮かしたのを見て、里穂子も慌てて立ち上がった。叶内勝はソファに腰かけたまま、口を半開きにしてこちらを見上げていた。刑事の目的が二十四年前の無戸籍者コミュニティについての事情聴取だけで、倉庫の違法実態についてのお咎めはなかったことに拍子抜けしているようだった。

社長室を後にし、元来た道を戻る。事務室に声をかけてから階段を下り、来客用のスリッパを下駄箱に入れて外に出た。

「あの様子じゃ、無戸籍者十五人の名前もろくに覚えてないな」

羽山が小声で毒を吐く。「重要な証言は出ませんでしたね」と囁くと、「まったくだ」とかすかな怒りを含む言葉が返ってきた。

「肝心の叶内丈は入院中で、妻はすでに死亡、息子の社長はあの調子ときた。古株の従業員への聞き込みと、病院への裏取りは、明日の日中に俺のほうで行っておく。ただ、新たな収穫が得られる気はしないな」

ほぼ手詰まりというわけだ。結局のところ、鳥籠兄妹誘拐事件の真相を知るには、〝ユートピア〟の住人たちのところに足繁く通い、彼らが抱える秘密を暴き出すしかない。

二人並んで工場の門を抜け、住宅街に出た。革靴とパンプスの踵《かかと》が一定の間隔でアスファルトを打ち、靴音が辺りに木霊《こだま》する。

「羽山さん、私……」

「ん？」

「リョウさんとハナさんについて、一つだけ、引っかかっていることがあるんです」

「何だ？　言ってみろ」

「鳥籠事件の兄妹は、救出当時、言葉が一切話せなかったんですよね。週刊誌の報道によると、食事はすべて手づかみで、歩き方も鳥のようだったとか。そんな状態だった兄妹が、今のリョウさんとハナさんのように、特に目に見える障害も残らずに普通に成長できるものでしょうか？　海外の野生児の例を調べた限りでは、ついぞ立つことも喋ることも叶わずに亡くなるケースが多かったようですが……」

「いいところに目をつけたな」

羽山が不敵な笑みを浮かべ、手を突っ込んでいた上着のポケットから携帯電話を取り出した。

「実は俺も、まったく同じことを考えていてな。その疑問を解決してくれそうな人物にちょうど今朝連絡したところだ。九時半から会う約束をしている。お前も来るか？」

「九時半って……まさか、これから？」

ああ、と羽山が事もなげに頷いた。先ほど彼が唐突に叶内勝への事情聴取を試みたのは、微妙に空いた時間を有効に使うためだったようだ。

「夜遅い時間のほうが、先方も都合がいいそうだ。日中は仕事で、退勤後は高校生の子どもに夕飯を出さなきゃならないんだと」

子どもという言葉を聞いて、反射的に結菜の顔を思い浮かべた。今ごろ陽介が寝かしつけてくれているだろう――と、その可愛らしい笑顔を無理やり頭から追い出し、羽山に短く問いかける。

「で、どなたですか？」

「臨床心理士だ。二十四年前の誘拐事件発生当時、児童養護施設の非常勤職員として、名取兄妹の発達支援やカウンセリングを担当していた」

羽山が踏み出す一歩が、心なしか大股になる。

遠ざかりかける背中を、里穂子は早足で追った。

羽山が向かった先は、小さな雑居ビルの三階にある貸会議室だった。

緊急事態宣言が発令されている今、手頃なファミレスやカフェはすべて八時で閉まる。かといって、高校生の子どもがいる自宅に押しかけるのも憚《はばか》られたのだろう。ホワイトボードとテーブルと椅子だけが置かれている殺風景な部屋で、羽山と時たま言葉を交わしつつ、参考人を待った。

待ち合わせ時刻より数分早く現れたのは、ショートボブの黒髪がよく似合う、温和そうな中年女性だった。

四十代にも見えるが、二十四年前にすでに臨床心理士として働いていたことを鑑みるに、おそらく五十は超えているのだろう。やや緊張した面持ちで近づいてきた彼女は、同じ女性の里穂子の姿を認めて安心したのか、「こんばんは」と小さく微笑んだ。

「伊藤《いとう》さん、お久しぶりです。どうぞこちらへ」

倉庫で見せていた尊大な態度が嘘のように、羽山が丁重に腰を折って向かいの椅子を勧めた。職業柄、こうした専門家と接する機会は多い。自供を引き出さなければならない被疑者と、捜査に有用な情報をもたらしてくれる専門家とで、態度をがらりと変える刑事は珍しくなかった。

「遅い時間にもかかわらず、今日はありがとうございます。四年ほど前にも一度お話を聞かせていただいた、警視庁捜査一課の羽山です。こちらは――」

「蒲田署の森垣です」

テーブル越しに名刺を手渡す。警視庁のマスコットキャラクターが印刷された名刺に目を落とした伊藤は、不思議そうに眉を寄せた。蒲田という地名が事件とどう関係するのか測りかねているのだろう。鳥籠事件の舞台は新宿区、児童養護施設があったのは八王子市、そしてここは伊藤の自宅のある世田谷区だ。

しかし彼女は特に質問することなく、里穂子の名刺をテーブルの端に置いた。その何気ない仕草に、聡明さがにじみ出ている。

「お電話でちらりと聞きましたけど……将太くんと桃花ちゃんが、見つかったんですって？」

「まだ内密にお願いしたいのですが、その可能性が非常に高いです。実は、二十四年前の春頃から捨て子として都内某所で育てられていた、身元不明の男女が発見されまして。二人は兄と妹の関係にあるとのことで、年齢も、二十代半ばから後半と推定されています」

「ああ……それって！」

伊藤が両手で口元を押さえ、声を震わせた。感極まったのか、続く言葉がなかなか出てこない。

「二十四年前の春って、誘拐事件直後ってことですよね。あの子たち、生きてたんですね。よかった……本当によかった」

彼女の両目が、見る間に潤む。二十四年分の痛みと苦しみが解き放たれた瞬間を目の当たりにし、里穂子は改めて、自分がした発見の大きさを思い知る。

名取将太と桃花には、ろくな親がいなかった。父親は不明。母親は二人をペットの鳥とともに部屋に監禁し、最低限の食事だけを放り込んだ。二十五年前のあの日、異臭がするとアパートの大家から通報を受けた警察官の手によって救出されるまで、二人は親の肌の温もりどころか、満腹感や清潔感さえも知らずに育った。

だが、二人に愛情を注いでいた大人たちはいたのだ。救出から誘拐までのたった一年弱ではあるが、名取兄妹の療育に心血を注ぎ、温かく成長を見守っていた人々がいた。そのうちの一人が、今目の前にいる伊藤優《ゆう》だ。

誘拐犯は代理のカウンセラーを名乗り、受付で応対した職員を巧みに騙して、幼い兄妹を施設から連れ去ったという。何も知らずに別の場所で仕事をしていた伊藤は、連絡を受けて狼狽したことだろう。

夜の九時半からという遅い時間の約束を、伊藤が快諾した理由がやっと分かった。彼女は一刻も早く、名取兄妹の安否を知りたかったのだ。

羽山によると、伊藤は誘拐された兄妹と深い関わりのあった人物の一人として、事件直後はしつこく事情を訊かれたらしい。しかし犯人とは性別が異なる上、その日は別の児童養護施設で勤務中だったことが確認できたため、早々に被疑者から外れたのだという。捜査本部が解散した後も、担当の専従捜査員が変わるたび、彼女は快く事情聴取に応じてくれていた。

「大変お手数ですが、今日は改めて、当時のことを詳しくお聞かせ願えませんか。特に、保護された二人がどのような状態で、伊藤さんが発達支援をしていた約一年の間にどれくらいの成長を遂げたのか」

羽山が至って丁寧に尋ねると、伊藤は顔を輝かせ、バッグから一冊のノートを取り出した。

「これ、将太くんと桃花ちゃんの成長記録です。個人情報にあたるので、本当は職場から持ち出さないようにと言われてたんですけど、これだけは手元に置いておきたくて。結局、この二十四年間、ずっと私の家の本棚に……」

伊藤が宝物に触れるように、そっとページを開く。「拝見していいですか」と羽山が手を伸ばし、里穂子も横から覗き込んだ。

成長記録というから身長や体重の推移でも書いてあるのかと思ったが、中身は伊藤をはじめとした職員らによる日記のようだった。『将太くんが初めて、嫌がらずにスプーンからご飯を食べてくれた』『桃花ちゃんがやっと、目を合わせてにっこり笑ってくれるようになった』などの発達段階を示した文章が、日付や曜日とともにしたためられている。

里穂子にも一歳二か月の娘がいるから、よく分かる。ここに書いてあることはいずれも、普通の子なら生後半年以内でクリアする内容だ。保護された当時、将太は三歳ちょうど、桃花は一歳半過ぎ。二人は伊藤優をはじめとした職員らに支えられ、一歩一歩ゆっくりと、人間らしさを獲得していったのだろう。

羽山がパラパラとページをめくった。最後のほうの記録には、『将太くんが車を見て《ブーブー》と言えた』『桃花ちゃんに《ちょうだい》と言うと、積み木を手渡してくれるようになった』などとあり、一年間で目覚ましい成長を遂げたことが窺える。

「これを見る限り……」事情聴取は羽山に任せるつもりだったのだが、微笑ましい成長記録を前に、里穂子は思わず口を開いた。「二人は、順調に育っていたようですね」

「ええ。初めて会ったときは、将太くんも桃花ちゃんも床を這いずり回ってばかりで、にこりともしなかったんです。自分の髪を抜いたり顔を引っかいたりする自傷行為も見受けられました。それが、一年間でどんどんいろんなことができるようになって、表情も豊かになって。私がカウンセリングをするのは週に二回ほどでしたけど、会うたびに成長が実感できるのが、本当に嬉しかったですね」

「専門家の方に対して失礼かもしれませんが、ちょっと意外です」

里穂子はノートから目を上げ、懐かしそうに目元を緩めている伊藤を見やった。

「名取兄妹は、鳥と一緒にアパートの一室に閉じ込められて、ほとんど野生児のような育ち方をしたわけですよね。人間の言葉を知らず、普通に歩くことさえできなかったのに、一年でそこまで変化するものですか」

「野生児……」伊藤がテーブルに視線を落とし、小さく頷いた。「確かに、そうですよね。当時も二人に興味を持つ人はたくさんいて、追い払うのが大変でした」

「週刊誌の記者とか？」

「マスコミもそうですし、あとは大学の研究者なんかも」

意外な答えに目を瞬く。考えてみれば、森やジャングルで動物に育てられた真の意味での野生児というのは、日本では過去に例がない。それに限りなく近い存在である名取兄妹のところに、物好きが殺到してしまったのだろう。

「鳥みたいな歩き方をしていたとか、鳥の鳴き真似しかできないとか、手を羽ばたかせたりするとか――『日本初の野生児』だなんて、一部の週刊誌でおかしなふうに報道されたので、皆さん、あの狼少女のような子たちを想像したんでしょうね。アマラとカマラって、ご存じですか？」

「ええ」

海外に数多《あまた》ある野生児の事例のうち、最も有名なインドの姉妹だ。実は野生児ではなく森に捨てられた自閉症の孤児だったという説もあるが、その逸話は本にもなり、多くの人が知るところとなっている。

アマラとカマラが発見された当時の推定年齢は、八歳と一歳半。狼と一緒に暮らしているところを、牧師に保護された。立つことや歩くことはできず、常に四つん這いで移動。食事は生肉と牛乳を好み、地面に置かれた皿に顔を近づけて食べる。真夜中になると遠吠えをするが、それ以外は一切声を出さない。里穂子がうろ覚えだった内容を、伊藤がテキパキと説明した。

「将太くんと桃花ちゃんの状態は、あそこまでひどくはなかったと思うんです」

「週刊誌報道が誤っていた、と？」

「少なくとも、大幅に誇張されてはいました。二人の知的な発達は遅れ気味でしたし、先ほど申し上げた自傷行為や、自分の排泄物をつかんで投げようとするなどの異常行動には当初悩まされましたけど、普段は一見しておかしいと分かるほどではなかったんです。本来は頭がよかったんでしょうね、吸収力も高くて、すぐにいろんな仕草や簡単な単語を覚えていきましたよ。監禁されていた当時、隣の部屋から話し声やテレビの音が聞こえていたのもよかったのかもしれません。誘拐される直前の時期には、異常行動もほとんどなくなり、普通の幼児らしくなりつつあったと記憶しています」

ほう、と隣で羽山が相槌を打った。

「つまり、大人になった彼らに目立った知能上の問題や障害が見当たらなかったとしても、不自然ではない。……そういうことですね？」

「はい。おそらくは」

先ほどから抱いていた疑問が、伊藤の証言で氷解した。

アパートから助け出された名取兄妹は、世間のイメージほどひどい状態にはなかった。児童養護施設で過ごした一年の間に食事の取り方を学び、言葉もいくつか覚えていたのだとすれば、子育て経験のない〝ユートピア〟の住人が問題なく育ててこられたのも頷ける。

ただ、多少の違和感くらいは抱いてもよさそうなものだ。その点で、話が二転三転したテッペイは、やはり怪しい。

「将太くんと桃花ちゃんは……今、どこにいるんですか」

伊藤が、思いつめた表情で言った。

羽山と一瞬目を見合わせ、「すみません、それはお答えできないのですが」と質問を退ける。すると、伊藤は悲痛そうに顔を歪ませた。

「お願いです。将太くんと桃花ちゃんに、会わせてもらえませんか。二人が元気なら、その姿を見たいんです。私――直接、謝罪をしたいんです」

「謝罪？　なぜ伊藤さんが」

「あのとき、私があの子たちを何度も散歩に連れていかず、突然話しかけてきた週刊誌の記者の質問に安易に答えたりしなければ、犯人に決定的な情報を与えずに済んだかもしれないんです。まさか、私がいない日にカウンセラーの代理を名乗って、二人を堂々と外に連れ出すなんて……。将太くんと桃花ちゃんをみすみす誘拐させてしまったのは、私なんですよ」

「いえ、ご自分を責めないでください」

「虐待を受けて育った子は、愛着障害といって、人との距離感をつかむのが苦手なケースが多いんです。人を過度に遠ざけるか、もしくは誰にでもべったりなつくか。あの子たちは、どちらかというと後者でした。きっと、誘拐犯に対しても、何も警戒心を抱かずについていってしまったに違いありません。そういう特徴を一番よく知っていたはずなのに、私は――」

「悪いのは犯人です。伊藤さんが罪悪感を覚える必要はないんですよ。まったく」

里穂子が語調を強めてもう一度なだめると、伊藤は我に返ったように目を見開き、「すみません」と力なく俯いた。

名取将太と桃花は、これほどまでに愛され、成長を期待されていた。

いったい誰が、そんな幼い二人を誘拐し、〝ユートピア〟に閉じ込めたのか――。

「伊藤さんの思いはよく分かりました」

羽山が両手の指を組み合わせ、静かに言った。

「二人の幼少期をよく知る伊藤さんが、会いたいと切望している。そう言えば、彼らも応じるかもしれない。誰だって、自分の過去に興味がないわけがないですからね。こちらから、本人たちに打診してみるとしましょう」

自信ありげな口調だった。

羽山の魂胆は手に取るように分かる。伊藤と直接会わせることで、リョウとハナの心を揺さぶり、最終的にＤＮＡ鑑定を了承させようとしているのだ。

果たして、彼らは応じるだろうか。伊藤の喜びには、彼らの感情をも共振させるほどの力があるだろうか。

「ありがとうございます。ものすごく嬉しいです！　ああ、将太くんと桃花ちゃん……今頃、どんな大人になってるんだろう」

伊藤優が感激したように言い、貸会議室の無機質な天井を見上げる。

——初めて、嫌がらずにスプーンからご飯を食べてくれた。

——やっと、目を合わせてにっこり笑ってくれるようになった。

成長記録ノートに書かれた右上がりの丁寧な文字は、その日里穂子が帰宅して就寝する頃になっても、まだまぶたの裏に焼きついていた。

第二章　ここはユートピア？

「ここは守られるべきユートピア
仲間の恩には恩を
仇には慈しみを
力を排して和を保て」

ぶつぶつと呟く複数の声が、錆びついた鋼色の引き戸を隔てて聞こえてくる。

入り口のそばに貼ってあるこの文章を読み上げてから仕事に行くのが、ここのルールらしい。工場でも業務上の注意事項を始業前に全員で音読させられるから、それと似たようなものだとハナはパンケーキカフェで言っていたが、さすがに同意しかねた。大の大人が声を合わせるのを立ち聞きしているだけで、背中が薄ら寒くなる。

コミュニティの和を説く文章の音読を全員に義務づけるのは、外出制限等の細かいルールを課すのと同様、十四名の〝民衆〟を束ねるためにリョウが考案した一手段なのだろう。あの得体の知れない年下の男は、いったいどこまで本気で、ここに〝国家〟を樹立しようとしているのか。

里穂子が軽い吐き気をこらえながら倉庫の壁に背をもたせかけていると、じきに引き戸が開き、地味な格好の無戸籍者たちがぞろぞろと中から出てきた。

一瞬驚いたように里穂子を見た彼らが、示し合わせたように目を逸らし、工場の裏口へと去っていく。スーツ姿の女が来ても話をしないようにと、リョウに言い含められているのか。もしくは、今日の日中に一人で事情聴取に訪れたという羽山が、彼らの感情をいたずらに刺激してしまったか。案外、可能性が高いのは後者かもしれない。

夜勤メンバーは全員男性だった。三十代が二人、残りは四、五十代だとヨシコに説明を受けたことを思い出す。二歳のミライを除くと三人しかいない女性を片方のグループにまとめ、ハナの兄のリョウ、兄妹をヨシコとともに育ててきたテッペイ、ルミカの夫のアッシ、残りの男性の中で最もリョウやアッシに歳が近いタクローを加えた結果が、この組分けなのだろう。

この無戸籍者コミュニティの男女比が偏っている理由は、現代の日本社会において、女性のほうが男性の庇護を受けて暮らしやすいからかもしれない。例えば、内縁の妻や愛人になる、というような。

彼らが夜勤の仕事に出かけていったということは、リョウやハナの帰りもまもなくだ。

里穂子は再び、迫りくる夜の闇に紛れ、彼らを待った。

七時を回ってしばらくした頃、工場の裏口に小柄な人影が現れた。一見して終業時間を心待ちにしていたことが窺える軽やかな足取りで、こちらに近づいてくる。ハナさん、と声をかけて一歩踏み出すと、彼女は「わっ！」と素っ頓狂な声を上げた。

「びっくりした、森垣さんかぁ。暗くて全然見えなかったよ」

引き戸の隙間からかすかに漏れる黄色い光に照らされ、ハナが相好を崩すのが見えた。

「あれ、今日は森垣さん一人なの？　やったぁ」

「たまたま早めに着いただけ。羽山も後から来る」

「ええー」

ハナは不満げに下唇を突き出したが、すぐに笑顔に戻り、「ほら、一緒に入ろ」と引き戸に手をかけた。親友を初めて家に招き入れる小学生のような幼い口ぶりに、彼女がこれまでの人生で抱えてきたそこはかとない孤独を想う。

たまたま、というのは嘘だった。今日は新人教育という名目で林部に残りの仕事を押しつけ、羽山との待ち合わせ時刻より意図的に早くやってきた。羽山がいると、どうしても空気が緊迫するからだ。

十五分でも二十分でもいい。

里穂子は、〝ユートピア〟の住人と「対話」がしたかった。

取り調べの相手にアメとムチを与えるのは、捜査の常道だ。彼らを一方的な言葉で脅して罪を吐かせようとする羽山のやり方も決して間違っていないが、それならば自分はひたすら真摯に接し続ける役目に徹したい。相手が被疑者であろうと被害者であろうと、彼らと距離を詰めることでしか見えてこないものもあるはずだと、里穂子は愚直に信じている。

できればその努力が、鳥籠事件の真相解明に繋がってほしい。

倉庫の中に入ると、テレビの前に座っていた女児が、ぱっと顔を輝かせて駆け寄ってきた。

「ハナちゃん、おかえり！」

「ただいまぁ。パパとママももうすぐ帰ってくるからね」

ニコリと笑ってミライの頭に手をのせると、ハナは中腰の体勢のままこちらを振り向いた。

「あ、森垣さん、そこ座ってね」

「いいの、私は立ったままで」

「そんなこと言わないでさぁ」

ハナに勧められるがまま、座布団に腰を下ろした。雑然とした倉庫内を改めて見回しながら、夕方にかかってきた羽山からの電話の内容を思い返す。

今日の昼間に、カナウチ食品の古株従業員や〝ユートピア〟の夜勤メンバーの事情聴取に加え、食品工場の周辺住民への聞き込みも行った、と羽山は言っていた。事件の概要や無戸籍者らの存在は伏せながら探りを入れてみたものの、二十四年前の捨て子について知る者はいなかった。夜勤メンバーも、リョウやハナの後に加入した者ばかりで、特に気になる証言は得られず。やはり、鍵はいつものメンバーが握っているのではないか――。

まずは雑談でもいいのだ、と自分に言い聞かせる。〝外の人〟を排除しようとする彼らの心の中に、どうにかして入り込みたい。

ハナが持ち帰ってきた白衣を洗濯機に放り込んで戻ってくるのと、入り口の引き戸が開いたのは、ほぼ同時だった。

アツシ、ルミカ、タクロー、テッペイ、ヨシコ。リーダーのリョウを除く残りの日勤メンバーが、続々と姿を現した。

アツシの脚に、駆け寄ってきたミライがまとわりつく。里穂子に一瞬目を留めたルミカが黙って俯き、幼い娘の頭を撫でる。タクローが里穂子を見て聞こえよがしに舌打ちをし、ヨシコが「今日もご苦労様だねえ」と天を仰いで皮肉を言う。

その中で一人だけ、期待に満ちた表情を浮かべている人物がいた。テッペイだ。両手を横に広げ、やっと会えた、と言わんばかりの顔で近づいてくる。

「刑事さん、待ってたよ」

昨日羽山の厳しい尋問を受けて平静を失っていたテッペイが、なぜ刑事の来訪を心待ちにしていたのか。考える間もなく、「裏に来てくれ」とテッペイがせがむように言った。

「……裏、というのは？」

「見せたいものがあるんだ。ちゃーんと、証拠があったんだよ」

手招きされ、困惑しつつ立ち上がる。テッペイは再び靴を履き、入り口のそばに転がっていた懐中電灯を手に、引き戸から外へと出ていった。倉庫の裏に回るつもりのようだ。

パンプスを履いて、テッペイの後ろをついていく。これが罠で、人目につかないところで暴行するつもりだったらと一瞬身構えたが、テッペイはそんなそぶりも見せず、倉庫の裏に置いてある横長の収納ボックスを懐中電灯で照らした。

「これは？」

「しばらく使わなそうなものを、ここに入れてるんだ。いくらこの倉庫が広いとはいっても、さすがに十五人で暮らしてちゃ物を置く場所がなくなるからな」

「で、証拠というのは？」

のんびりと喋るテッペイを急かすと、彼は申し訳なさそうに身を縮め、収納ボックスの蓋を開けた。「これだよ、これ！」と小声で嬉しそうに言いながら、幾枚かのボロ切れのようなものを押しつけてくる。

そう言われても、暗くてよく見えない。そのことに数秒遅れて気づいたテッペイが、懐中電灯を里穂子の手元に向けた。

光に照らし出されたのは、子ども用の服だった。

長袖Tシャツと長ズボンが、それぞれ二枚ずつある。Tシャツは大きいほうが恐竜柄、小さいほうがハート柄だった。全体的に薄汚れていて、布地が傷んでいるように見える。

「リョウとハナがここに捨てられたときに、着てた服だ」

テッペイが得意げに、胸を反らして言った。

「昨日、男のほうの刑事さんに疑われて悔しかったから、一生懸命探したんだよ。そしたら、ちゃーんと見つかったんだ！　いつ本当の親が戻ってくるかも分からねえからって、大事に取っておいたんだよな。リョウとハナが捨て子だったってこと、これで信じてもらえるだろ？」

期待のこもった、まっすぐな視線を感じる。里穂子は眉を寄せ、手元の子ども服を再び見下ろした。

念のため、恐竜柄の長袖Tシャツをひっくり返す。ブランド名が書いてあるはずの首の裏側のタグも、左脇部分の洗濯タグも、どちらも根元から切られていた。

「これ、タグはないんですか？」

「最初から、全部切ってあったんだ」テッペイは不安げに顔を歪めた。「もしかして、タグがないと、証拠にならないのか？」

「いえ、そういうわけでは」

テッペイが何を思ってこの子ども服を見せてきたかは分からないが、タグがあろうとなかろうと、二人が捨て子だったという証拠にはならない。

ただし、これらが名取兄妹の誘拐時の服装と一致すれば、リョウとハナが将太と桃花であることはほぼ確実になる。

真っ先にタグの有無を確認したのは、メーカー名やその連絡先が分かれば、製造年が割り出せるのではないかと思ったからだった。なければないで構わない。名取兄妹が誘拐時に着ていた服の柄などについては、当然羽山が情報を持っているだろう。

「申し訳ないですが、これは証拠になりませんね」

「ええっ、なんでだ?」

「リョウさんとハナさんが当時着ていたものとは限らないからです。仮にそうだとしても、残念ながら、テッペイさんが誘拐犯である可能性を排除する理由にはなりません」

「そんな、待ってくれ。誘拐犯だったら、こんなに大事に服を取っておかねえよ!」

「最近購入した服のタグを切り、わざと汚して古そうな服に見せかけている可能性も考えられますので……」

突き放した口調にならないよう、語尾をすぼめた。

呆然としていたテッペイが、お手上げだと言わんばかりに首を左右に振る。

「刑事さんってのは、疑うのが仕事なんです」

「すみません。疑り深いなぁ」

里穂子が答えると、テッペイはなぜかきょとんとしてこちらを見つめた。

ややあって、へえ、と意外そうに笑う。その反応でようやく、謝ったことを驚かれたのだと気がついた。

「謝れる人は……いい人だよ」

何かを懐かしむように、感慨深げに言う。

てっきり言葉を続けるものかと思ったが、テッペイはぼんやりとしたまま黙っていた。それならば、と里穂子は慎重に口を開く。

「こちらの服、持って帰ってもいいですか?」

「や、それはダメだ」テッペイが途端に慌てた。「リョウに止められてるからな。ええと……個人情報を悪用されるとか何とかで」

では、とすかさずスマートフォンを取り出し、懐中電灯に照らされている子ども服を問答無用で写真に収めた。本当はもっと明るいところで撮影したかったが、倉庫に戻ればテッペイより警戒心の強い人間、例えばヨシコやタクローに咎められかねない。

里穂子が写真を撮り終えるのを、テッペイは律義に懐中電灯を掲げたまま待っていた。

「個人情報って……俺、よく分かんねえんだよな。俺たちにさ、そんなもんあるのかな」

テッペイがポリポリと頭を掻いた。その口調は、不満げでも訝しげでもなく、ただ寂しげだった。

「情報も何も、俺たちはもともとどこにも登録されてない、『存在しない人間』なのにな。でもまあ、リョウが言うならそうなんだろ——」

「やっぱり」切り込むならここだ、と直感する。「『存在する人間』でありたかったですか?」

二人の間に、生温い夜風が吹いた。

束の間の沈黙の後、「そりゃあな」という呟きが返ってくる。

もう数秒間の静寂を経て、テッペイがぽつりと言った。

「結婚したいと思った女がいたんだ」

仁野芙三子《じんのふみこ》という名を、彼は懐中電灯の光の下で、わざわざ漢字を空書きして説明した。「頭がよさそうな名前だろ? 本当にそうだったんだ」と一方的に言って胸を張る。

「ここに来る前、二十一のときだ。俺が清掃の仕事をしてた風俗店の近くに、小っちゃい居酒屋があってな。芙三子はそこで働いてた」

彼女は同い年だったという。芙三子が働く店は、安居酒屋が多い蒲田の中でも一、二を争う安さを誇っていて、テッペイの雀の涙ほどの給料でも、二週間に一度くらいは一杯飲みにいくことができた。

二人が接近したきっかけは、芙三子が酔っ払った客に足を引っかけられて転び、運んでいたビールを盛大にテッペイのシャツにかけてしまうというハプニングだった。クリーニング代の入った封筒を押しつけられたり、それを押し戻したり、店に行くたびに謝られたり、そのついでに雑談したりしているうちに、次第に距離が縮まっていった。

テッペイの住むボロアパートよりも多少は広い芙三子の部屋に入り浸り、一年ほど交際した。自分が無戸籍だということを恐る恐る伝えても、芙三子の態度は変わらなかった。あたしも家出した身だし、結婚願望なんてないし、いいよ。そう言って、テッペイのそばにいようとしてくれた。

「芙三子はなぁ、『ありがとう』と『ごめんなさい』をまめに口に出す、優しくて思いやりのある女だったんだ。でも……いつからか、『ごめんなさい』しか言わなくなった」

「それは、どうして?」

「俺が毎日毎日、ひどい暴力を振るったからさ」

ひゅっと息を呑む。

間を置いてようやく出てきた言葉は、里穂子の本心だった。

「……意外です。テッペイさんは温和そうに見えるのに」

「あのときはさ、ダメだったんだ。俺みたいのを雇う風俗店は大抵やくざの息がかかってて、オーナーもスタッフもとんでもねえ奴ばっか。ちょっとでも掃除が行き届いてないと、殴る蹴るは当たり前。だからやめていく新入りは多かったけど、俺だけは他に逃げ場がねえ。清掃係は客の前に出ないからって、顔じゅう腫れ上がるまでボコボコにされたこともあったな。それでも、生きるためにはあそこにいなきゃいけなかった。身分証なしでできる仕事なんて、なかなかないんだから」

「つまり、職場で日常的に暴力を受けていたテッペイさんが、ストレスを発散するために矛先を向けたのが――」

「うん、芙三子だった。一緒に暮らしてて気に入らないことがあると、俺が職場でやられたように、すぐ殴ったり蹴ったりしてたな。ある日、気がついたら、芙三子が部屋の隅に座り込んでて、顔じゅう紫色になってたんだ。うわごとのように『ごめんなさい』って繰り返す芙三子を見て、さすがにまずいと思った。だけど、仕事の時間が近かったから家を出た。働いて戻ってくると、部屋がすっからかんになってた。芙三子とはそれっきりさ」

つらい思い出だからか、テッペイは早口で語り終えた。

職場で殴られる。他に働き口がないため逃げ出せない。こいつは大丈夫だとまた殴られる。鬱憤が溜まる。家で恋人を殴る。そもそも幼い頃の家庭環境も荒れ果てていた。物事の解決方法を、暴力以外に知らない。

典型的な負の連鎖だ。

頭では分かる。だがどうしても、度重なる暴力により恋人の女性に逃げられた風俗店の清掃員が、目の前にいる無害そうな中年男性と結びつかなかった。

「俺を変えたのは、リョウとハナだよ」

里穂子の困惑を察したのか、テッペイが一転して嬉しそうな口調で言った。

「あいつらを拾ったとき、真っ先に叶内さんに相談したんだ。無戸籍の兄妹が門のそばに捨てられてた、どうしよう、って。そしたら叶内さんは、俺の目を見てこう言ったんだ。自分の息子と娘だと思って育ててやれ。君ならきっとできる。でも手だけは絶対に上げるな。暴力は憎しみしか生まないから、ってね。叶内さんの言うとおりだった。子どもは可愛い。飢えや暴力を知らない子どもは、なおさら可愛い。何てったって、いつ見ても幸せそうだからな。ヨシコと協力して二人を育てるうちに、俺は自分のことを『父親』だと思えるようになった。ヨシコがお母ちゃん、俺がお父ちゃん。俺はこのユートピアで、生まれて初めて、温かい家族の形を知ったんだ。ここはまるで天国だよ。本当にそうだ」

暗くて表情はよく見えないが、声から喜びがあふれ出ているのが分かる。

いつの間にか、テッペイへの同情と共感が芽生えそうになっていた。しかし、警察官としての理性がかろうじてそれを阻んでいる。刑事である里穂子が、〝ユートピア〟の存在を肯定するわけにはいかない。

「失礼ですが――」

感情の波に押し流されまいと、里穂子は意図的に話の方向を変えた。

「ヨシコさんが母、テッペイさんが父とおっしゃいましたよね。お二人のご関係は？」

「いやぁ……ヨシコとは、違うよ」テッペイが照れたように言う。「ま、長い付き合いだし、一時期そういう関係になりかけたこともあったけど」

「アツシさんとルミカさんのようなご関係ではないんですね」

「全然。夫婦じゃないし、恋人でもない。あえて言うなら、仲間……いや、アダムとイブかな」

「……アダムとイブ？」

「そう。ここにやってきたのは、俺が一番でヨシコが二番だった。このユートピアを作り上げたのは、俺とヨシコだ。だから、アダムとイブ」

学校に一度も通ったことがないテッペイが、旧約聖書に記された人類の始祖のエピソードをよく知っていたものだ。不思議に思っていると、テッペイが弁解するように付け加えた。

「――って、全部リョウからの受け売りなんだけどな。あいつは優秀な〝渉外係〟だから、本や新聞をたくさん読んで、いろんなことを勉強してるんだ。歴史も法律も、本当によく知ってる。あいつは偉いよ。元〝渉外係〟の俺とは比べものにならないくらい」

それを聞いて、先ほど標語らしき文章の音読を聞いていたときの薄ら寒さが蘇った。

この無戸籍者コミュニティの象徴的存在であるリーダーのリョウが、最初期からの住人であるテッペイとヨシコを、旧約聖書の『創世記』に登場するアダムとイブになぞらえた。そしてここのメンバーには、すでにミライという〝純血種〟がいる。

つまり、リョウは本気で、〝国家〟を樹立するだけでなく、〝ユートピア〟を長く繁栄させるつもりなのではないか――。

「俺はさ、ヨシコと一緒にアダムとイブとして作り上げたこのユートピアを、誇りに思ってるんだ。何せ、俺たちのための場所だから、最高に居心地がいい。ここでは無戸籍者がマイノリティじゃない。マジョリティなんだ。あ、これもリョウに教えてもらった言葉なんだけどな」

「何バカなことを話してんだい」

愉快そうに笑うテッペイの頭をぴしゃりと叩くような、低い声が飛んだ。

振り返ると、暗がりに大きなシルエットが見えた。ヨシコがのしりのしりと近づいてきて、聞こえよがしにため息をつく。

「帰りが遅いと思ったら、呑気に刑事さんとご歓談かね。リョウが知ったら激怒するよ」

「す、すまない。リョウはもう戻ってきてんのか？」

「まだだよ。あいにくね。もう晩飯の時間だから戻っておいで。といっても、刑事さんに出すものはないけどね」

「分かっています」

里穂子が動じずに短く答えると、ヨシコは不満げに鼻を鳴らした。

ここのところ、ヨシコの態度は徐々に硬化していた。初めて会ったときに〝ユートピア〟の内情を積極的に語ってくれたのが嘘のようだ。リョウの指示を忠実に守っているのか、常に居丈高な羽山に反感を覚えているのか、はたまたその両方なのか。

彼女にも心を開いてもらいたい。

だが、突破口はまだ見えない。

ヨシコの後に続いて、懐中電灯の光を頼りに倉庫の入り口へと戻った。

中に入ると、カレーのいい匂いが立ち込めていた。昨日作ったものを温め直したようだ。すでに若者四人とミライが座卓をぐるりと囲み、ヨシコとテッペイが腰を下ろすのを待っている。

いただきます、というシンプルな掛け声で、夕飯の時間が始まった。全員揃って食事前の祈りの言葉でも斉唱するのではないかと思ったが、そういった習慣はないようだ。やはり宗教集団とは違う。黙々とスプーンを口に運ぶ無戸籍者たちに、里穂子はあえて空気を読まずに声をかけた。

「今日は、夜勤担当の方は全員出勤されているんですね」

「うん！」と明るい声で答えたのはハナだった。「ちょっとノルマがきついときは、全員で作業したほうが早く終わるから。ちょうど、限定品のチョコレートの製造が始まっちゃって——」

「いやいや、刑事さんに根掘り葉掘り訊かれるのが面倒で出かけたんだろ。ゆっくり休みたかったろうに、かわいそうにねえ」

ヨシコが棘《とげ》のある口調で言う。何かとっかかりはないかと、里穂子は怯まずに質問を重ねた。

「夜勤の方々も、皆さん無戸籍なんですよね」

「当然だろ。じゃなきゃ、ここには住めない」

「どのような事情で無戸籍になったのでしょう?」

「いろいろだよ。けど、ルミカみたいなパターンがやっぱり多いかね」

民法第七七二条のケースだ。婚姻中か離婚後三百日以内に、別の男性との子どもが生まれた場合。離婚が成立していて、かつ前夫か新しい夫の全面的な協力を取りつけられれば裁判により正しい戸籍を得られるが、それができずに出生届を提出しないと無戸籍のままになる。

「ひどい法律だよ。昔だったら生まれた日付を誤魔化しゃよかったんだろうけど、みんなが病院で子どもを産む今は、そうもいかないだろ。ねえ、ルミカ」

「あ、うん……」

「ああ、ルミカの場合はそれでもダメか。母親がDV夫と離婚できてなかったからね。それにしたって、昔に比べて無戸籍者ってのは増えてるんじゃないかい? こんな嘘のつきようのない世の中じゃねえ。刑事さん、あんたが何とかしとくれよ」

態度が厳しくなったとはいえ、喋りたがりの性格は変わっていない。食事の間、どうにかしてヨシコを介して住人たちと交流を図ろうと、里穂子は積極的に話を振り続けた。今日から製造が始まった限定品のチョコレートのこと。コミュニティ内での役割分担のこと。そして。

「そういえば……親が出産費用を踏み倒して出生証明書をもらわなかったために、無戸籍になった方がいましたよね」

「タクローだね。それが何か？」

「ふと思ったんです。タクローさんが生まれた産婦人科医院に行って、お母さんが受け取らなかった出生証明書が保管されていないか、尋ねてみたらどうでしょうか。もし出生証明書がもらえれば、『日本人であることの証明』になります。戸籍取得への道が開けるかもしれません」

「ふうん……どうだい？　タクロー」

ヨシコが鷹揚に声をかける。すでにカレー皿を空にしていたタクローは、少しは興味を持つかと思いきや、里穂子を一睨みして座布団から立ち上がった。

「部外者が適当なこと言ってんじゃねえよ」

「適当ではありません。きちんと考えた上でお話ししています」

「無理だって言ってんだろ」

「最後に区役所に行ったのはいつですか？　近年、メディアで無戸籍問題も多く取り上げられるようになりましたし、窓口の担当者も替わっているでしょうから、過度に怖がる必要はないと思いますよ。産婦人科医院の協力さえ得られれば、なんとか――」

「ならねえよ！」

タクローが吠えた。倉庫のトタン屋根を震わせるような声に、アツシとハナが「ちょっと！」「静かに！」と驚いた顔をする。

二人の注意を受けて声の音量を落としつつも、里穂子を見据えるタクローの黒々とした瞳には、依然として憤怒の色が浮かんでいた。

「俺の母親はな、男と見りゃ誰にでもついていって、いろんな家を転々としてたんだ。十四歳のときにいきなり俺を置いて母親が蒸発するまで、何人の男と一緒に住んで、そいつらに邪魔だのゴミだのと罵られてきたと思う？　俺がこのへんに住み着いたのも、たまたま最後の男の家が東京だったからだ。そんな母親が俺を生んだ産婦人科を、どうやって見つけるってんだよ？　日本中の病院に一軒一軒、電話でもかけろってのか？　ええ？」

とっさに反論できなかった。母親の所在どころか、自分の出身地さえ分からないなんて。――いや、分からないのではなく、ないなんて。

「一般人が首を突っ込むんじゃねえよ」

唾を飛ばしながら吐き捨てると、タクローは流しに皿を下げ、そのまま奥のカーテンの向こうに消えていった。

失敗だ。

食卓の空気は冷え切っていた。先ほどまで会話に応じていたヨシコまでもが、呆れた目で里穂子を見ている。

「それをさ、偽善って言うんだよ」

ヨシコが億劫そうに言い、皿を持って腰を上げた。裏で里穂子と話しているのを咎められた負い目からか、テッペイもそそくさと立ち上がり、ヨシコの後に続いて食卓を離れていく。

その言葉が、深々と胸に刺さった。

座卓を囲んでいるのは、四人だけになった。口の回りを茶色く汚しながら子ども用スプーンを口に運んでいるミライと、娘が食べ終わるのを根気よく待っているアツシとルミカ、そして気まずそうに食事を続けているハナだ。

里穂子の目は、自然とミライに引き寄せられた。子どもの口にも合うよう甘口に作ってあるのか、ニコニコと無邪気な笑みを浮かべながらカレーを食べている。

「ねえねえ、カレー、食べないの？」

不意にミライがこちらを見て、不思議そうに尋ねてきた。

そのたどたどしい口調に胸を打たれる。瞳の大きな丸い目も、ぷっくりとした頬も、普通の二歳児と何も変わらない。結菜が通う保育園の一つ上のクラスに交じれば、まったく判別はつかないだろう。だがこの子は、保育園にも、児童館にも、同年代の子どもたちが集まる公園にも、一度も行ったことはないし、これからも行かない。

こんな場所でよく元気に育ってきたね、と褒めてあげたくなる。

一歳二か月の娘の顔が頭に浮かんだ。結菜も、いずれこの子のように、可愛らしくお喋りをするようになるのだろうか。

そんなことを考えていたら、返事をするのが遅れてしまった。意識的に口角を上げ、座卓に近づいて、子ども用の椅子に座るミライのそばに屈み込む。

「カレー、美味しそうね。でも、私は——」

「やめてください！」

手前に座っていたルミカが、里穂子とミライの間に割って入った。寡黙な印象の強い彼女が声を荒らげたのを聞き、ドキリとする。

「何のつもりですか」ミライの向こうに座るアッシも、唇を歪ませていた。「ミライに近づかないでください」

「近づかないでって……私はただ、話しかけられたから」

「外部の人間と交流させたくないんです」

アッシがぴしゃりと言った。

「本当は、ここに刑事さんが来るだけでも悪影響なんですが、それは仕方ないと思って我慢しています。でも、ミライと話す必要はないですよね？　捜査に関係あるんですか？」

「関係はありません、けど……」

「それなら、この子のことは放っておいてください。ミライは、ずっとここで生きていくんです。初めてこのユートピアで生まれた、神聖な子なんです。汚らわしくて不自由な〝外の世界〟のことなんて、知らなくていいんです」

「アツシの言うとおりです。だから、やめてください」

ミライの肩を抱き寄せたルミカも、こちらに恨めしげな目を向けた。

若い無戸籍者夫婦の鋭い視線に、恐怖を覚える。

外部から隔絶されたこのコミュニティの異常性に最も毒されているのは、この二人のようだった。リーダーのリョウより年下だからこそ、崇拝の気持ちが生まれ、〝ユートピア〟の素晴らしさを妄信しているのかもしれない。

見たところ、〝ユートピア〟への忠誠心――羽山の言うようにここが一つの〝国家〟なのだとすれば、愛国心――の度合いは、住人により異なる。アツシやルミカは高い。ヨシコとテッペイも、比較的そちら側か。ハナは極端に低い。それが証拠に、〝外の人〟である斎藤敏樹と交際したり、門限破りを繰り返したりしていた。リーダーのリョウの実の妹という立場上、何をしても見放されることはないという自信があったからこそ、大胆な行動に出ることができたのだろう。

そのハナは、座布団に正座したまま、しゅんとして俯いている。殺人未遂事件の被疑者として逮捕された上、尾行を撒くことができずに刑事を連れてきてしまうという失態を演じたため、さすがに他の住人に対する発言権が弱まっているようだった。

ならば里穂子が自力で、アッシとルミカを懐柔しなければならない。

策は一つ、用意していた。

「無戸籍でも、通えるようですよ。学校には」

えっ、とハナが小さく声を発する。アッシが片方の眉を上げ、ルミカが細い目を限界まで丸くした。

無戸籍問題についてインターネットで調べているときに、文部科学省のサイトの中の『戸籍や住民票がない場合の就学手続について』というページに辿りついた。『無戸籍の場合は、保護者がその子を就学させることができないのではないかと誤解している場合があり、積極的に就学手続をとるよう促す必要があります』というそのものずばりの文章を読み、これは使えると膝を打ったのだった。

「アッシさんやルミカさんは、『無戸籍だから学校には通えない』と言われて生きてきたんですよね？　自治体から案内が届くわけでもないので、親御さんがそう思い込んだのも当然だと思います。でも実際には、学齢期に達する頃にミライちゃんを区役所の窓口に連れていけば、少なくとも義務教育は受けさせることができる」

語っているうちに、身体が火照《ほて》ってくる。

「つまり、アッシさんやルミカさんはともかく、ミライちゃんまでもが〝ユートピア〟に閉じこもる必要はないんですよ。だから勇気を出して、ミライちゃんを外の世界と触れ合わせてあげてください。私も、できる限りお手伝いしますから」

だが次の瞬間、里穂子の身体の熱は急激に奪われた。

「……それが？」

冷ややかな声は、アツシの口から発されていた。

説得が彼の心を一ミリも動かさなかったことに気づき、里穂子は愕然とした。愛娘が学校に通えると聞けば、少しは興味を持つかと思ったのだが――。

「何度もここに来ていて、どうしてまだ分からないんですか？　俺たちはとっくに、〝外の世界〟と縁を切ったんですよ。俺たちはずっとここで暮らすし、俺たちの子どもはユートピアを作っていくんです。無戸籍者が自由に暮らせる、新しい社会を。それが一番の幸せなんです」

「そんなわけないでしょう」

「学校なんてどうでもいい。通わせたいとも思わない。そちらの世界の価値観を、俺たちに押しつけないでもらえませんか」

「――バカ言え」

ガラリと引き戸が開く音がした。振り向くと、淡いグレーのスーツに身を包んだ羽山が入り口に立っていた。「言い争いが聞こえたから、何かと思えば」とぼやきながら、革靴を脱いで近づいてくる。

羽山は立ったままアツシを見下ろし、ふんと鼻を鳴らした。

「学校に通っていないお前は知らないと思うが、日本国憲法には三大義務の規定がある。勤労の義務、納税の義務、それから教育を受けさせる義務だ。まあ納税には目をつぶるとして、この国に住むお前に、娘を学校に通わせないという選択肢はないな」

「そんなの、俺たちには関係ない。国は俺たちに何もしてくれてないんだから、義務だってない。さっきも言ったけど、〝外の世界〟とは縁を切ったんだ」

「国が何もしていない？　そうだろうか。お前らが外出したときに歩く道路は誰が整備した？　蛇口をひねればいつでも出てくる水は？　一般社会と縁を切ったと言うが、お前らが食品工場で働いて得る金はどこから来ている？　そのへんに備蓄している食料や日用品は？　そもそも、叶内家からの支援が打ち切られたら、お前らは生きていけるのか？」

「そっ……それは」

「このおんぼろ倉庫が独立した一つの社会だと思っているのなら、それはお前らの王が見せているまやかしだ。そういうバカげた考えは今すぐ捨てろ。娘はどう考えても、学校に入れてやったほうが幸せだ」

羽山の歯に衣着せぬ物言いに、アツシは肩を震わせ、勢いよく立ち上がった。まだミライがカレーを食べ終えていないというのに、妻とともに娘の二の腕を引っ張り、無理やり奥のカーテンの向こうへと連れていく。

やだぁ、まだ食べたいぃ、という幼児の声が、倉庫に反響した。

ハナと羽山と里穂子の三人だけが、〝リビングルーム〟に取り残される。

「あいつらはどうしてこんなところに閉じこもりたがるんだ。無戸籍でも学校に行けることを教えてやったんだろ？　理解できないな」

羽山の呆れたような声で、里穂子は我に返った。床から立ち上がり、背の高い羽山の横に並んで立つ。

「アツシさんが、無戸籍二世だから、ですかね」

「無戸籍……二世」

「だから、その娘のミライちゃんは三世です」

羽山の返答はなかった。

数秒後、代わりに不服そうな声が返ってくる。

「それにしても、森垣。先に来ていたなら、連絡の一本くらい入れろ」

「すみません」

「捜査を先に進められるのは困る。鳥籠事件の担当は俺だぞ」

「こちらも殺人未遂事件の捜査を兼ねていますので」

里穂子がハナを指して平然と答えると、羽山は苦虫を噛み潰したような顔をした。

「……何か収穫はあったか」

「ええ、少しは。あとでお話しします」

テッペイが取り出してきた子ども服のことを思い出すと同時に、仁野芙三子との別れの話が脳裏をよぎり、胸が痛んだ。

本当にこれが、同じ日本の話なのか。母親に連れられて数えきれないほどの男の家で寝泊まりし、しまいに十四歳で社会に放り出されたというタクローの境遇もそうだ。

詳しく訊くことはできていないが、他の住人たちも皆同じなのだろう。無教養な人々に囲まれ、肉体的にも精神的にも暴力が当たり前の環境で育った。その背景を知れば、彼らがここを天国のような場所だと言うのも頷ける。

進学。就職。人並みに娘の将来を心配する、中学校教師の父と学校事務職員の母との、些細な喧嘩。これまでの人生のところどころで里穂子が抱えてきた悩みとは、なんとちっぽけだったのだろう。

子育てもそうだ。結菜がいずれ非行に走っても、怪我や病気をしても、ただ社会に認められた存在であるというだけで、大きな関門を一つ突破していることになる。

「――あいつは？　まだ仕事か？」

「リョウさんですか？　そのようですね」

里穂子が素早く答えると、羽山は面白くなさそうに上着のポケットに手を突っ込んだ。一人でぽつりと食事をしていたハナが、「あのう……」と遠慮がちに話しかけてくる。

「いくら羽山さんと森垣さんが言っても、リョウはやらないと思うよ」

「DNA鑑定のことか？　頭の固い奴だな」

「あれ？　今日もそのことで来たんじゃないの？」

ハナがぱちくりと目を瞬いた。羽山の含みのある言い方から、別の用件があることを敏感に察したようだ。

「もちろん、お前一人でもDNA採取に応じるというなら、回りくどいことはしなくて済むんだが。どうだ、まだ気持ちは変わらないか？」

「だから、それは……」

「自分が何者であるかが気にならないのか？」

「気になるけど……私がもし、名取桃花ちゃんだったら嬉しいけど……でも……」

引き戸が静かに開く音で、羽山とハナの会話は中断した。

黒い手提げ袋を持ったリョウが、無表情のまま入り口から入ってくる。

リョウは黙って人気《ひとけ》のない〝リビングルーム〟を見回すと、長身の羽山をまっすぐに見上げた。

その視線に強烈な怒りが含まれていることに気づき、全身の肌が粟立つ。

羽山とリョウの鋭い視線が、空中でぶつかり合った。

「また今日もずいぶんと掻き回してくれたようですね」

リョウが低い声で言い、倉庫の隅に向かう。手提げ袋から白衣を出して洗濯機に放り込み、「茶くらい出せと言ったのに」と急須に緑茶のティーバッグを入れ始めた。さっさと帰れ、という皮肉のつもりだろうが、今日はまだ切り上げるわけにはいかない。

リーダーが帰宅したことに気がついた住人たちが、一人、また一人と〝ベッドルーム〟から姿を現す。

アツシとルミカは、ミライをシャワー室に連れていくと言い残し、羽山と里穂子に目を向けずに倉庫を出ていった。タクローは三人掛けのソファを独占して寝転がり、ヨシコはハナを監視するように座卓に陣取る。所在なげに倉庫内を見回していたテッペイは、ためらうそぶりを見せながらも、最終的にヨシコの隣に腰を下ろした。

リョウが自ら湯呑みを二つ運んできて、卓上に置いた。「どうぞ」と抑揚のない声で勧めてくる。里穂子は断ろうとしたが、羽山が遠慮もなしに座布団にあぐらをかいたため、並んで座らざるを得なくなった。

リョウは立ったままだった。見上げた拍子に、綺麗に手入れされた顎鬚が目に入る。

この年齢不詳の外見といい、冷静が服を着たような態度といい、やはり自分よりいくつも年下の若者とは思えない。

社会から切り離されて育つという不遇な状況下で、常に強くあらなければならなかったから、だろうか。反対に、彼がしっかりしていたからこそ、妹のハナは天真爛漫な自由人に成長したのかもしれない。

「妹をたぶらかさないでいただけますか」

リョウがこちらを見下ろし、淡々と言った。帰宅直前の会話が聞こえていたようだった。

「我々はＤＮＡ鑑定に協力しないと、何度も申し上げたはずです。いくら訪問されても答えは変わりませんよ」

「本当にしつこいねえ」ヨシコが怒気を含んだ声でぼやく。「この人たちが警察官でさえなかったら、今頃――」

「ヨシコさん」

リョウがこちらを見据えたまま、ヨシコをたしなめた。

ヨシコが続けようとしていた言葉は、羽山や里穂子に対する脅迫だったに違いない。今頃ここから出られないように監禁していたとか、集団リンチにかけていたとか。

リョウはさすがにまずいと感じ、ヨシコの暴言を止めたのだろう。彼らにしてみれば、羽山や里穂子の存在自体が脅迫なのだ。

ヨシコが不完全燃焼気味に口をつぐむ。テッペイは目を泳がせ、ハナはますます萎縮して背中を丸めた。

「名取将太」

不意に羽山が明後日の方向を向き、よく通る声で言い放った。

リョウの肩が、驚いたようにぴくりと動く。名前に反応したのは明らかだった。

羽山が意地悪く笑い、リョウへと向き直る。

「――お前の本名だ。そうだな？」

「俺は何も覚えていない」

「真実を知りたいだろ？」

「だからＤＮＡ鑑定には――」

「お前らに会わせたい人間がいる」

今日の本題を、羽山が唐突に切り出した。

「幼い頃のお前らをよく知る女性だ。記憶にはないだろうが、お前らは誘拐される前、八王子にある児童養護施設で暮らしていた。そこで働いていたカウンセラーの女性が、お前らを犯人の手に渡してしまった責任を感じて、この二十四年間ずっと苦しみ続けていたというんだな」

「八王子の、児童養護施設？」

おそらく誘拐されて以来一度も訪れたことがないであろう地名に、ハナが目を輝かせる。

その傍らで、リョウはじっと黙っていた。羽山の出方を窺うように、警戒を浮かべた目でこちらを見ている。

羽山は目をつむり、首をやや大げさに、ゆっくりと左右に振った。

「ＤＮＡ鑑定は、もういい。当の被害者が戸籍の回復や犯人の逮捕を希望しないなら、この事件は未解決のまま終わりということでいいだろう」

「……諦めていただけるんですか」

「ああ。そう思ってもらって構わない」

嘘だ、と里穂子には分かった。貪欲に昇進や配置転換を目論み、一か月以内に事件を解決すると幹部に大見得まで切ったこの刑事が、この無戸籍者の兄妹をみすみす手放すはずがない。

押してダメなら、いったん引いたふりをする。相手の心が緩むまで待ち、隙をついて飛びかかる。そういうことだろう。

「お前らのことは公にしない。この〝ユートピア〟とやらも、そのままでいい。だが、一つだけ条件がある。そのカウンセラーに会ってやってほしい。二十四年前の誘拐事件のことで、ずっと自分を責め続けていた女性だ。お前ら二人が元気に生きている姿を見せるだけで、どんなにか救われることだろう」

思ってもいないことを滔々《とうとう》と喋る羽山の口調は、恐ろしいほど軽やかだった。

「どうだ。悪い提案ではないと思うが」

「リョウ……どうする?」

ハナがおずおずと尋ねる。兄を刺激しないよう努めているのかもしれないが、興味津々の様子を隠しきれていなかった。

リョウは相変わらず黙りこくっていた。しかし、先ほどまでまっすぐに羽山を捉えていた視線は、下に向いている。

やはりリョウも人間だ。羽山の提案に少なからず心を動かされ、選択を迷っている。「誰だって、自分の過去に興味がないわけがない」という昨日の羽山の言葉が、耳に蘇った。

「アーミッシュ、という宗教集団をご存じですか」

呟くように、リョウが尋ねてきた。

目的の分からない質問に、戸惑いながらかぶりを振る。隣の羽山を見ると、無反応でリョウを観察していた。

「アメリカのペンシルベニア州やオハイオ州に住む、キリスト教の一派です。農耕や牧畜による自給自足の生活を送っていて、電気も使用していません。決められた色の服を着て、馬車に乗って移動し、閉じられたコミュニティの中で一生を過ごしていく。聖書以外の読書禁止、賛美歌以外の音楽禁止、喧嘩や誰かに対して怒ることすら禁止、など数々の厳しい戒律がありますが、それでも彼らは平穏に暮らしている。アメリカという国の中にありながら、一般社会とは適度な距離を置いて、自分たちの信念と仲間意識を胸に」

究極的には、そうやって静かに日々を送りたいだけなんです——と、リョウは感情のない声で言った。

「我々のような無戸籍者も納税しろというのなら、会社を通じてします。子どもに教育を受けさせろというのなら、義務教育レベルのことはここで教えます。だから……どうか、放っておいていただけませんか」

「それはこちらの提案に対する回答になっていないぞ」

羽山がにべもなく一刀両断した。

倉庫内に沈黙が下りる。リョウは優秀な〝渉外係〟で、本や新聞をよく読み、歴史も法律もよく知っているとテッペイが言っていたのを思い出した。アーミッシュのことも、若きリーダーとして〝ユートピア〟を円滑に運営していくため、有名な宗教集団の事例を勉強したのだろうか。

気まずさを覚えながら、緑茶の入った湯呑みにそろそろと手を伸ばす。

ふと、隣に座っていたハナが立ち上がった。里穂子と同じ居心地の悪さを感じていたのか、それとも羽山の提案を了承しない兄に痺れを切らしたのか、奥の黄ばんだカーテンの向こうに消えていく。と思いきや、彼女は子どものように派手な足音を立てて駆け戻ってきた。

「ねえ森垣さん、見て見て！」

緊迫した空気を断ち切ろうとしたのだろうか。ハナは里穂子にじゃれつくようにして、羽山との間に身体をねじ込んできた。手に持っていた湯呑みがハナの腕にぶつかり、緑茶がこぼれる。

「わっ、ごめん！　熱くなかった？」

「いえいえ、別に」

「すぐ拭くね！　羽山さんもすみません。あ、でも濡れてはなさそうだね」

ハナが申し訳なさそうに言い、湯呑みを両手に持って流しへと駆けていった。長い茶髪が揺れるその背中を、リョウが呆れた目で見やる。

「おい、ハナ。何だいきなり」

「だって、刑事さんたち困ってたもん。リョウが突然アームッシュの話なんかするから」

「アーミッシュだ。年齢を考えろ。はしたない」

リョウの叱責を、ハナが慣れた様子で聞き流す。彼女が布巾を持って戻ってきたところでようやく、座卓の上に置かれた色鮮やかな絵葉書に気がついた。

「これ……」

「集めてるんだ。これがイタリアで、こっちがアメリカで、これはフランス。って言っても、どこにある国なのかもよく分かってないけど」

里穂子の濡れたパンツスーツに布巾を当てながら、あはは、とハナが無邪気に笑った。

「今日森垣さんと羽山さんがもし来てくれたら、いろいろ訊こうと思ってたんだ。このへんの海外の国、行ったことある？」

「あるよ。アメリカに、旅行で一度だけ」

「羽山さんは？」

「……イタリアとフランスには、学生時代に行ったが」

「いいなぁ。私、パスポートが取れないから、一生行けなくって。せめて綺麗な写真だけでもほしいなって思ってさ、いい絵葉書を見つけたら買ってるんだよね。ねえねえ、外国に行ったときの話、聞かせてくれない？」

ハナに乞われるがまま、里穂子は高校時代に家族と海外旅行に行った話をした。羽山が困ったように口を閉ざしているため、里穂子ばかりがハナの質問に答える流れになる。

しばらくの間、里穂子とハナの他愛もない雑談が、場を支配した。

「おい、どこへ行く?」

羽山の鋭い声で、リョウの姿が消えていることに気づく。

慌てて振り向くと、リョウはすでに靴を履き、入り口の引き戸に手をかけていた。テッペイが座布団から腰を浮かし、不安げに彼を見つめている。

「心配するな。その辺りを歩いてくるだけだ」

リョウは不機嫌そうに言い残し、暗い外へと去っていった。

羽山が大きくため息をつき、ハナを振り返った。「お前のせいで交渉相手に逃げられたぞ」と責める彼に、「いくら説得しても、今は無理だってば」とハナが真顔で反論する。

「見て分かるでしょ?　リョウは頭が固いの。何を言われたって、すぐにはオーケーできないよ。あの……さっきの、私たちの小っちゃい頃を知ってるっていうカウンセラーさんの話——私から、リョウにもう一回話してみるね」

「妹の説得なら聞くってか?」

「だって、その人、誘拐された子たちが死んじゃったかもしれないと思って、ずっとつらい思いをしてたんでしょ?　私とリョウに会うだけで気分が晴れるなら、そうしたほうがいいし。リョウだって、今はあんなふうに怒ってるけど、その人の話、本当は聞いてみたいと思うんだよねぇ」

ハナの返答を聞き、急に腑に落ちる。ハナがわざわざ絵葉書を持ってきて、半ば強引に場の話題を乗っ取ったのは、羽山との口論がヒートアップする前に、兄に頭を冷やす時間を与えるためだったのだ。

推定二十六歳という年齢のわりに幼い言動が目立つと感じていたが、その実、ハナは頭の回転が速い。そうでなければ、一つもボロを出さずに二十日間以上の取り調べを乗り切り、処分保留とはいえ釈放を勝ち取れるはずがないのだ。ハナの長い供述には、曖昧な部分は多かったものの、矛盾点は一つも見つからなかった。

こうしたところに、リョウとの確かな血の繋がりを感じる、ような気がする。

「ユートピアのことは他の人にばらさないって羽山さんも約束してくれたし、たぶん、リョウもよく考えれば分かってくれるんじゃないかな。別にいいよね、みんな?」

ハナが期待に満ちた声で、同じ空間にいる無戸籍者たちに呼びかけた。

ソファに寝転んでいるタクローが「好きにしろ」とぶっきらぼうに答え、座卓の隅で縮こまっているテッペイが「リョウが許せば」と小さく頷く。最後にヨシコが、疑るような目でハナの顔を覗き込んだ。

「でもねえ、あんた。そのカウンセラーやらと話して楽しくなって、ここを出ていっちまうんじゃないかい?　ただでさえあんたは〝外の世界〟への憧れが強いんだから」

「そんなことしないよ。私、いろいろ反省して、ずっとここで生きていくって決めたんだから。まあ……起訴されて、有罪になって、ユートピアが壊れなければ、だけどね」

含みを持たせた言葉が引っかかり、思わずハナを見つめる。失言を自覚したのか、彼女は里穂子の視線に気づかないふりをして、さりげなくそっぽを向いてしまった。

——有罪になって、ユートピアが壊れなければ?

この意味深長な発言は何だろう。斎藤敏樹に対する殺人未遂事件の自供、と捉えるには弱すぎる。

しかし、ハナの口調には、そこはかとなく罪の意識がにじみ出ていたような気がした。

「ハナさん、あの――」

「森垣さん、羽山さん、だからよろしくね。リョウを説得して、カウンセラーさんにはちゃんと会えるようにするから、ユートピアのこと、秘密のままにしててね？」

ハナの念押しに、ああ、と羽山が軽い調子で答える。

里穂子が頷き返すまでには、数秒の時を要した。

このコミュニティのことを永遠に公にしないというのは、羽山の嘘だ。捜査を円滑に進めるための方便にすぎない。もとはと言えば里穂子がハナとの間でそうした約束を交わしたわけだが、それもあくまでその場しのぎのつもりだった。令状なしで私有地に侵入したことを咎められなくなるほどの大きな成果――例えば鳥籠事件の兄妹の発見や誘拐犯の逮捕――を上げた暁には、この倉庫のことを隠してはおけないだろう。

約束は期限つきだ。その効力が切れたとき、里穂子は彼らをどうするつもりなのか。〝ユートピア〟を壊した先に、彼らの未来はあるのか。

もう何度も自分の胸に問いかけている。

未だに、答えは出ない。

「さ、帰るぞ。用件は済んだ」

羽山に急かされ、里穂子は慌てて座布団から立ち上がった。

隙間風の吹き込む入り口で、くたびれているパンプスに足を通し、倉庫内を振り返る。

「あの……気になることがあれば、何でも言ってくださいね。鳥籠事件に関係ありそうなことでも、日常のことでも。ちょっとした相談なら、乗れると思いますので」

恐る恐る声をかけると、案の定、横から睨まれた。捜査に関係ないことにまで首を突っ込むな、ということだろう。

羽山とともに外に出ようとしたとき、「あ、刑事さん！」と後ろから呼び止められた。ためらいの表情を浮かべながら近づいてきたのは、テッペイだった。「どうしました？」と柔らかい口調を心がけながら尋ねると、彼は安心したように頬を緩めた。

「気になること、って言われて思い出したんだけど……この工場の周りをうろうろする、変な女がいるんだ。毎年、だいたい五月か六月……そうそう、今くらいに」

「女性？　何歳くらいですか？」

「俺と同じくらいか、少し下かな。四、五十のおばさんだよ。暑くなる前のこの時期、ってのが気になってさ。俺らがリョウとハナを拾った季節だろ？　だから、もしかしたらあの二人を捨てた本当の母親が、子どもに会いたくて来てるんじゃないかって、思ってたんだけど——」

「最後に見たのはいつだ？　今年も見たか？」

羽山がすかさず詰問する。テッペイは目を白黒させ、「いや、今年はまだだ」と首をぶんぶんと横に振った。去年は確か見たはずだ、と言う。

テッペイに礼を言い、倉庫を出た。

誰もいない工場裏の暗闇が、羽山と里穂子をひっそりと包む。

隣を歩きながら息遣いに耳を澄ますだけで、羽山がにわかに興奮しているのが分かった。

「名取宏子、でしょうか」

里穂子が小声で尋ねると、羽山が「かもしれない」と即答した。

やはり、考えていることは同じだった。

鳥籠事件として世に知られた壮絶な虐待事件の加害者である、母親の名取宏子。彼女が何らかのきっかけで子どもたちがここにいることに気づき、定期的に様子を見にきているのではないか。

だが――もしそうだとすると、おかしなことになる。

「捜査上、名取宏子には何度か会ったことがある。誘拐事件に関しては、一応『被害者家族』という立ち位置になるからな」

羽山が思案げに言う。あんな女でも被害者側に数えられるのだと思うと、うっすらと吐き気がした。

「しかし、仮に彼女がこの場所を知っているとすると、事情が変わってくる。当時名取宏子は刑務所に収監されていたから、誘拐の実行犯である可能性はゼロだが……なぜ、兄妹がここに引き取られたことを知っているのか……」

彼の疑問はもっともだった。

誘拐事件の犯人は〝ユートピア〟内部にいるという仮説に基づき、羽山と里穂子は住人たちに探りを入れ続けていた。

動機の面から考えると、それは正しいはずだ。だが、二人の実母である名取宏子が、そこにどう絡んでくるのだろうか。そもそも、あれほど壮絶な虐待事件を起こした母親が、今になって、大人になった子どもたちに会いたいと願うものだろうか。

「取り急ぎ、俺から探りを入れてみる」

「分かりました」

二人分の靴音が、静かな住宅街に木霊する。

テッペイが重要な証言をするきっかけになったのは、倉庫裏での自分とのやりとりだったかもしれない。

そうだったらいいのにと願いながら、里穂子は駅へと歩いた。

＊

よく晴れた休日だった。快適を通り越してやや暖かすぎる陽光が、ほぼ真上から降り注ぎ、里穂子の頭頂部をじわじわと焼いている。

駅前には、これから渋谷《しぶや》や新宿に遊びにいくのであろう若者たちがたむろしていた。新型コロナウイルスの流行下、しかも緊急事態宣言が未だ発令中であることを考えると眉をひそめたくもなるが、五月下旬にして早くも夏の訪れを予感させる真っ青な快晴の空に、ついつい気持ちが浮き立つのは理解できる。

里穂子だって、こんな日には、せめて薄手のブラウスとスカートくらいの軽装で出歩きたかった。隣に立つ濃紺のスーツ姿の羽山を、恨みを込めた目でこっそりと見上げる。

勤務時と同じ服装で来い、というのが羽山からの事前の指示だった。今日の目的を考えると、むしろスーツ以外の服装のほうが彼らに威圧感を与えずに済むのではないかと問い返したものの、里穂子の提案は相槌の一つもなく封殺された。

「おい」

顔を合わせて早々、今日も尊大な態度で、羽山が声をかけてくる。

「新聞の投書の裏取りの件はどうなった？　叶内丈が無戸籍者への支援を表明したとかいう」

「まだ見つかっていません。今朝、国立国会図書館のデータベースで、鳥籠事件が発生した一九九六年五月から誘拐事件が起きた九七年四月までの全国紙の記事はひととおり検索してみたんですが」

「あいつらの記憶違いという可能性も高いからな。その前後の時期も頼む。あとはブロック紙や、可能な限り地域紙も」

「分かりました。もう少し時間をください」

関東のブロック紙は、データベース上で閲覧できるのが一九九七年以降の記事のみとなっていた。こちらも検索をかけてみたものの、結果は同様だった。九六年十二月以前の記事については、国立国会図書館の新聞資料室に所蔵されている紙面に地道に当たっていくしかない。

羽山が手伝ってくれれば倍の速さで確認が進むはずなのだが、彼にその気はないようだった。そもそも叶内丈による新聞への投書というのが、捨て子だったという主張を補強するためのヨシコの作り話かもしれず、徒労に終わる可能性が高いと見ているからだろう。所轄の刑事に任せるのにちょうどいい、費用対効果の低そうな作業というわけだ。

「……そちらはいかがでした?」

「というと?」

「先日お送りした、子ども服の写真の件です」

「残念ながら、名取兄妹の誘拐時の服装とは色も柄も一致しなかった。いったいどういうつもりでお前に見せてきたんだかな」

羽山の気のなさそうな返答に、内心落胆する。テッペイが倉庫裏の収納ボックスから薄汚れた子ども服を取り出してきたのは、やはり里穂子を言いくるめるためだったのか。本当の親が戻ってきたときのために、最初に着ていた服を大事に取ってあった。誘拐犯ならこんなことはしない。だから捨て子を拾ったというのは本当のことだ——。そんな穴だらけの主張を、刑事が受け入れるはずもないのに。

もちろん、テッペイがすべてを正直に話しているという可能性もなくはない。その場合、名取兄妹を連れ去った犯人は、食品工場の門のそばに幼子を捨てる前に、二人の服を別のものに着替えさせたということになる。誘拐時の服装はニュースでも報道されていただろうから、用意周到な犯人ならそうするのは当然だ。だが、羽山が言っていたとおり、犯人が外部の人間だとすると、名取兄妹を児童養護施設から〝ユートピア〟にわざわざ移した動機が分からない。

この三日間、羽山のほうから報告がなかった時点で察してはいたが、やはり悔しかった。DNA鑑定などしなくても、もしかするとあの子ども服が事件を解決に導く突破口になるのではないかと期待していたのに。

「森垣さーん！」

思いのほか近くから呼びかけられ、里穂子は我に返った。

顔を上げた先には、ハナが立っていた。シンプルな紺色のワンピースに身を包み、耳には小さなハート形のイヤリングが光っている。いつもは左右に分けていた前髪が綺麗に切り揃えられているのを見る限り、目立つ服装をしてはいけないという〝ユートピア〟のルールの範囲内で、目いっぱいお洒落をしてきたようだった。

その後ろには、不機嫌そうな顔をしたリョウが控えていた。こちらはオフホワイトのTシャツに黒いパンツという、普段と同じく何の特徴もない格好だ。倉庫内で放っている異彩なオーラは、明るすぎる太陽の下では影を潜めているようだった。

「ええっ、今日って、羽山さんも一緒に行くんだぁ」

たった今存在に気づいたかのように、ハナが羽山を見て目を丸くした。

「カウンセラーさんと会ってお食事するだけでしょ？　だったら別に、森垣さんだけでよくない？」

「ごめんね。でも、彼が鳥籠事件の正規の担当者だから」

「おい森垣、なぜ謝る」

「……ハナ、刑事を刺激するな」

羽山が里穂子の発言に目くじらを立て、リョウが抑揚のない声でハナをたしなめる。里穂子が軽く肩をすくめると、ハナも面白がってその仕草を真似した。

リョウの説得に成功したとハナが息せき切って報告してきたのは、つい昨夜のことだった。パンケーキカフェで会う際の緊急連絡用として伝えていた里穂子の携帯電話番号に、駅前の公衆電話から連絡してきたのだ。

丸二日間決断を渋っていたリョウも、妹の度重なる説得にとうとう折れ、一度会って話すだけなら、と伊藤優との面会を了承したらしい。兄の許可が下りたのがよほど嬉しかったのか、「私の小っちゃい頃を知ってる人に会えるなんて、夢みたい！」とハナは終始はしゃいでいた。電話を切った直後に里穂子から羽山に連絡を入れ、羽山がすぐに伊藤優と日時を調整し、今日の面会が実現したのだった。

待ち合わせ場所と時刻については、ハナが普段使っているというフリーメールのアドレスを電話口で聞き出しておき、電車の乗り換え方法や地図まで添えて連絡した。無事に落ち合えたこととと、一晩のうちにリョウの気が変わらなかったことに、まずは安堵する。

行くぞ、という羽山のぶっきらぼうな声を合図に、四人で歩き出す。前に羽山と里穂子、後ろにリョウとハナ。奇妙な距離感を拭いされないまま、約五分後に目的地のファミレスに到着した。

この店を提案したのは伊藤だった。ほどよく騒々しいため話の内容を聞かれる心配がなく、リョウやハナにも堅苦しい思いをさせずに済む、というのがその理由らしい。ファミレスの中では高価格帯の部類に入るこの店は、照明や壁紙など内装のセンスがよく、感動の再会の舞台としても遜色ないように思えた。

「うわぁ……嬉しい！　こういうお店、前から入ってみたかったんだよねぇ」

先頭の羽山が店のガラス戸を押し開けると、ハナがうっとりとした声で呟き、リョウが呆れたようにため息をついた。ファミレスで感激できるのなら、この世界はハナにとってどれだけの刺激であふれているのだろうと、気が遠くなりそうになる。

里穂子らが店内に入るや否や、近くの席に座っていた中年女性が、店員よりも先にこちらに気づき、ぱっと立ち上がった。

伊藤優だった。

目を限界まで見開いて、里穂子の背後を凝視している。

「まあ……大きくなって……二人とも！」

よろけながら駆け寄ってくる。その目には大粒の涙がにじんでいた。

二十四年の歳月を経て再会した、心理カウンセラーと鳥籠事件の被害児童。彼らはそれぞれ今、何を思うのか。

「どうでしょう。分かりますか？」

結論を急かすように、羽山が伊藤に尋ねた。兄妹を振り返り、マスクを外すよう促す。リョウは嫌な顔をしたが、何も言わずに従った。

「そうですね、もちろんこれだけ時間が経っているので、私が知る将太くんと桃花ちゃんとは違いますけど……でも、面影はありますよ。ほら、桃花ちゃんの睫毛が長いところとか……あっ、将太くんの眉は今と同じで、小さい頃からはっきりしてたんですよね」

伊藤がリョウとハナの前に進み出て、二人の顔を交互に覗き込んだ。初対面の中年女性に至近距離からまじまじと観察された二人が、耐えきれなくなって目を逸らす。といっても、兄妹の表情は対照的だった。リョウは唇を真一文字に結び、ハナはくすぐったそうに笑っている。

「やっぱりそうだ。あの子たちです。将太くんと桃花ちゃんです。本当にありがとうございます。見つけ出してくれて。無理なお願いにもかかわらず、こうして私に会わせてくださって……」

極度の震え声で、伊藤が言った。目元を指先で拭いながら、ありがとうございます、ありがとうございますと、羽山と里穂子に向かって繰り返す。

伊藤が断言したのを聞き、里穂子もまた胸を撫で下ろしていた。

やはり、自分の判断は正しかったのだ。

ハナが釈放されたあの日、処分を覚悟で食品工場の敷地に忍び込み、そこで発見した兄妹の存在を特命捜査対策室の捜査員に伝えた自分の行動は、何一つ間違っていなかった。伊藤優の涙が、そのことを証明している。

「二人とも、本当にごめんね。あのとき、誘拐を防げなくて。将太くんと桃花ちゃんのことを、犯人から守ってあげられなくて」

直接謝罪したいという先日の言葉どおり、伊藤はまず、兄妹に向かって深々と頭を下げた。リョウが当惑したように伊藤のショートボブの黒髪を見下ろし、ハナが丁寧にアイメイクした目をぱちくりと瞬く。

「ああ、ごめんなさいね。いきなり、びっくりさせちゃったよね。将太くんと桃花ちゃんは、私のこと……覚えてる?」

リョウが「いえ」と即座に首を横に振り、ワンテンポ遅れてハナが「ううん」と続いた。かぶりを振る二人を見て、伊藤が一瞬顔を翳《かげ》らせたが、すぐに気を取り直したように笑みを浮かべた。

「それはそうよね。誘拐されたときにはまだ四歳と二歳だったんだもの。しかもまだ二人ともきちんと言葉が喋れなかったんだから、記憶が定着しないのも当たり前」

「言葉が喋れないと、記憶が定着しないんですか？」伊藤の言葉が気になり、反射的に口を挟む。

「幼児期以前、特に三歳から三歳半以前の出来事というのは、大抵の人が覚えていないものです。言語による記憶の符号化が難しいことが、その理由の一つと考えられています」

「……符号化？」

「脳に取り込んだイメージを言葉によって整理できず、体系化できないから、その記憶を上手く保持することができない、ということですね」

伊藤がゆっくりと、分かりやすく説明する。そこに交じる専門用語を聞いて、目の前で涙を浮かべている温厚そうな女性が、心理学を究めた才女であることを改めて思い出した。確か臨床心理士は、大学院を修了しないと受験資格が得られなかったはずだ。

里穂子の質問に答えるうちに、伊藤は平静を取り戻したようだった。恥ずかしそうにくしゃりと笑い、先ほどまで座っていた席を振り返る。

「あら、こんなところで、お店に迷惑でしたね。移動しましょうか」

伊藤に続き、ぞろぞろと六人掛けのボックス席へと向かった。困ったように立ち尽くしていた学生バイトらしき女性店員が、慌てて笑顔を作り、厨房の方面へと戻っていく。

リョウとハナを隣同士に座らせ、その向かいに伊藤が腰掛けた。羽山は伊藤、里穂子はハナの手前に、できるだけ間隔を空けて陣取る。ソファはゆったりとした大きさで、横に三人並んでも互いの肩が触れ合うことはなかった。

ハナの横顔をちらりと見る。どうやら緊張しているようだった。それもそうだろう。〝ユートピア〟のルールを破って外に恋人を作っていたハナではあるが、伊藤優のような年配の女性と話した経験は過去に一度もないはずだ。

伊藤にメニューを手渡され、注文内容を決めた。こうしたファミレスに来るのが初めてというハナが優柔不断にならないか心配したが、すんなりオムライスに決めたようだった。伊藤と里穂子はトーストサンド、リョウと羽山がパスタを頼む。

水のグラスを口に運びかけた伊藤が、あ、とはにかんだ顔をして、もう片方の手でマスクを外した。二十四年間ずっと安否を気にしていた、その当人であるリョウとハナを前にして、まだ気持ちが動揺しているのだろう。

「あのね、本当は、将太くんと桃花ちゃんだって分かった瞬間、二人のことを抱きしめるところだったのよ。でも、ほら、こういうご時世でしょう。触れ合うのはよくないかな、って」

その伊藤の発言をきっかけに、自然と新型コロナウイルスに関する世間話になる。児童養護施設での心理相談のほか、今はスクールカウンセラーとしても働いているという伊藤が、今の子どもたちは遊びや行事が制限されてかわいそうだと眉を寄せた。

「本当は、今日の食事会も、どうしようか迷ったんだけどね。でも、昨夜刑事さんから連絡をいただいて、いてもたってもいられなくなっちゃって……つい」

「食べるとき以外は、なるべくマスクをつけておくようにしましょうか」

里穂子が呼びかけると、伊藤はそそくさとマスクを再びつけた。リョウとハナも後に続く。

「大変な時代よね。まさか世の中がこんなことになるなんて。この一年ちょっとで、一生分マスクをつけた気がする。将太くんと桃花ちゃんは、大丈夫？　生活に影響が出たりしてない？」

「うーん、別に大丈夫かな」ハナが首を傾げる。「もともと、マスクには慣れてるし」

「あら、そうなの？」

「私たち、食品工場で働いてるから。仕事中はずっとつけてなきゃいけないの。あと、花粉症だから、二月から四月まではどうせマスク生活」

ハナの回答に、リョウがわずかに顔をしかめた。食品工場、という単語に反応したようだ。自分たちの素性は絶対に明かすなとあらかじめ釘を刺しておいたのに、ハナがいきなり口を滑らせた、といったところだろうか。

しかし伊藤は、兄妹の仕事の話に興味を持つかと思いきや、目を輝かせて別の部分に食いついた。

「そうそう、桃花ちゃんはまだ小っちゃかったのに、施設に来たときから花粉症がひどかったのよ！　ということは、将太くんも？」

「……はい。症状は軽いほうだと思いますが」

「やっぱり！　二人とも鼻がズルズルで、兄妹揃って鼻炎持ちなのかと思ってたら、季節の変わり目にピタリと止まったのよね。それで、花粉症だと分かったの。どちらかというと将太くんのほうがつらそうにしてたかな。いろいろ思い出すなぁ」

伊藤は懐かしそうに言い、「でもよかったね、症状がそれ以上重くならなくて」と微笑んだ。ハナが楽しげに頷き、「今は私のほうがいろいろ症状出るもんね」と隣のリョウを覗き込む。

意外だったのは、リョウが妹の絡みを嫌がらず、「そうだな」と素直に答えたことだ。羽山や里穂子に対しては敵意を隠さないリョウだが、伊藤に対してぶっきらぼうな態度を取るのはためらわれるのか、紳士的な姿勢を貫いている。

といっても、リョウにその場の会話を回す気はないようだった。ハナは先ほどの失言を自覚したのか、おっかなびっくり兄の表情を窺ってばかりいる。そこから先は自然な流れで、伊藤が二人の施設時代の思い出話を次々と披露することになった。花粉症の件をきっかけに、砂の中に埋まった鎖を端から掘り出すかのように次々と記憶が蘇ってきたのだ——と、伊藤は嬉しそうに語った。

二人の生い立ちを詳しく尋ねるのは控えてほしいということは、事前に羽山から伊藤に伝えてあった。誘拐事件に関するトラウマをほじくり返さないためとでも合点したのか、伊藤はその約束を律儀に守り、リョウとハナを質問攻めにすることはしなかった。

全員分の料理が運ばれてきて、それを食べる間も、伊藤の話はとめどなく続いた。将太くんはアンパンが大好きで、初めておやつに出たときにはあまりの美味しさに食堂中を駆け回っていた。桃花ちゃんはなぜかボールペンに対する執着心が強く、先生たちのものをすぐに触ろうとして、取り上げられると大泣きしていた。同じ施設にいた小学生のお兄さんお姉さんたちが、将太くんとよくボール遊びをしてくれた。桃花ちゃんは教育テレビの歌のコーナーを気に入って、身体を揺すってリズムに乗っていた——。

ずっと聞き役に徹していた二人の表情に変化があったのは、伊藤が施設の幼児の間で流行っていた人形遊びについて言及したときだった。ハナが「あっ」と声を発し、伊藤の話を遮る。

「そうだ、今日、訊こうと思ってたんだった」

「なあに？　私に？」

「実はね、私が小さい頃、叶——お世話になってるおじいちゃんに、可愛い女の子の人形をもらったことがあって。その子に、リョ——お兄ちゃんと二人で、名前をつけてあげることにしたんだけど」

失言をなんとか未遂に抑えながら、ハナが興奮気味に話した。

「一番いいと思う名前を考えてお互い発表し合おう、そのどっちかに決めようってお兄ちゃんが提案して、そうすることにしたのね。で——そのときに私とお兄ちゃんが思いついた名前が、なんとまったく一緒だったの。『ミサキ』っていう」

「ミサキ、ちゃん？」伊藤が目を瞬いた。「二人の意見がたまたま一致して、お人形にそう名前をつけたの？」

「うん！　これって、私たちが施設にいたときのことと、何か関係ないかな？　例えばだけど、私がよく遊んでたお人形の名前が『ミサキ』だったとか……」

ハナが期待を込めた口調で言い、目の前に座る臨床心理士をじっと見つめる。伊藤はテーブルに目を落としてしばらく考え込んでいたが、やがて驚愕したように手を強く握りしめた。

「思い出した！　いたのよ、ミサキちゃんっていう子が。板倉《いたくら》美咲《みさき》ちゃん。あなたたちとちょうど同じ時期に……しかも将太くんと同い年で、就寝するお部屋は桃花ちゃんと一緒だった！」

「本当に？　一緒に暮らしてたお友達のことだったんだ。すごい！」

「優しい子だったから、あなたたちもよくしてもらってたんじゃないかしら。だからきっと、施設を離れてずいぶん経ってからも、二人の頭の片隅に名前が残ってたのね」

「へえ……記憶ってすごいね。深いねぇ」

ハナが口元をほころばせ、またリョウの顔を覗き込む。幼少期の自分たちのエピソードや人間関係を初めて知った喜びを、兄と共有したくて仕方ないようだ。羽山や里穂子がこの兄妹の関係性を目の当たりにする機会は、思えばこれまでにさほどなかった。きっとこの二人は、本来仲がいいに違いない。

里穂子のそんな推測を肯定するかのように、リョウが「あの偶然の謎が解けたな」と穏やかな口調で答えた。

ふと、向かいの席から、羽山がこちらをじっと見つめているのに気づく。里穂子と目が合ったことに気づくと、羽山はいったんリョウを一瞥し、すぐにまた里穂子に視線を戻した。

羽山の言いたいことが分かったような気がした。他の三人に気づかれないよう、小さく頷いてみせる。

伊藤に気を使っているということを差し引いても、リョウの態度が軟化している。そのことは、里穂子も薄々感じていた。伊藤が涙ながらに名取将太と桃花の思い出話を語るうち、実に微妙な変化ではあるが、だんだんと彼の表情が柔らかくなってきているのだ。おそらく、本人は自覚していない。

どんな嘘をついてでもまずは伊藤に会わせようという羽山の作戦は、さっそく成功を収めつつあった。かつて名取兄妹に大きな愛を注ぎ、連れ去られた二人のことを二十四年間想い続けていた伊藤の存在は、リョウとハナの心境に確実かつ劇的な変化を与えている。

食事をしている一時間ほどのうちに、ハナは伊藤とすっかり打ち解けた。リョウは相変わらず無愛想ではあるが、相槌を打つ回数が心なしか多くなった。トーストサンドの皿をようやく空にした伊藤が「デザートでも頼む？」とメニューに手を伸ばすと、ハナが遠慮の欠片もない歓声を上げた。

「桃花ちゃん、このベイクドチーズケーキはどう？　あ、ティラミスはお好き？　こっちの抹茶プリンも美味しそうよ」

「私、これにする。アイスクリームを食べたい気分だし、フルーツも普段あんまり食べてないから」

ハナが指差したのはクリームあんみつだった。瑞々しいミカンやキウイが盛られたビジュアルに、トーストサンドでお腹がいっぱいだったはずの里穂子も、急激に食欲がそそられる。

若者が伝統的な和スイーツを選んだのが意外だったのか、伊藤は一瞬きょとんとした顔をした。

「ああ、確かに、フルーツは健康にも美容にもいいものね。じゃ、私もそれで。将太くんはどうする？」

「俺は大丈夫です」

「お二人は？」

「我々も遠慮しておきます」

里穂子が口を開くより先に、羽山が答えてしまった。予想していた展開ながら、少々苛立ちが募る。クリームあんみつは今度陽介や結菜とファミレスに行ったときに食べればいいと、無理やり気持ちを切り替えた。

追加の注文をして間もなく、デザートが運ばれてきた。

「お兄ちゃん、一口食べる？」

「いや、要らない」

「メロンだけでももらってよ」

「それはお前が嫌いなだけだろ」

リョウがため息をつき、端に寄せられていたメロンを手でつまんで口に入れた。「いい加減好き嫌いはやめろよ」「だって味が苦手なんだもん」「だったら頼まなきゃよかったのに」「それ以外の果物は全部好きなの！」などとテンポよく会話している二人は、刑事の前で気を張ることを忘れたのか、妙に兄妹らしさを醸し出している。

どこにでもいる、普通の、仲のいい兄妹。

その様子を伊藤が手を止めて見つめているのに気づき、里穂子は声をかけた。

「伊藤さん、どうされました？」

「ああ、いえ……すみません。胸がいっぱいで」

それはそうか、と兄妹に視線を戻して思う。二十四年前に何者かに誘拐されて行方不明となり、すでに死んでいることを覚悟していた二人が、目の前で楽しそうに雑談をしているのだ。しかも、伊藤が世話をしていた頃にはろくに言葉も喋れなかった二人が。

その感動たるや、どれほどのものだろう。

改めて、心の中にじんわりと喜びがわきあがる。非公式とはいえ、羽山の補佐としてこの鳥籠事件の捜査に関われていることが嬉しかった。

「重ね重ねありがとうございます。将太くんと桃花ちゃんに会えて、本当によかったです。二十四年間心につかえていたものが、やっと取れました」

「いえいえ、こちらも仕事ですから」

「正直なところ……二人を預かったときの印象からして、何かしら発達上の問題が残ったままになるのではないかと思っていたんです。いつまでも片言でしか話せないとか、身体が弱くて病気を繰り返すとか。だから、二人の元気な姿を見られただけで、今日はとても安心しました」

「あ、それ、ちょっとはあるかもよ。実は、私もお兄ちゃんもね、計算は壊滅的にできないんだ。鳥籠で育てられちゃったせいかも。後遺症、後遺症」

ハナがおどけた調子で口を挟む。いつの間にかリョウとの会話が終わり、こちらの話に耳を傾けていたようだった。

計算ね、と伊藤が破顔する。

「それくらいどうだっていいのよ。あなたたちが健康で、毎日を楽しく過ごせてさえいれば。今日は本当に、私と会ってくれてありがとう」

「それはこっちの台詞だよ、伊藤さん」

伊藤に礼を述べた後、ハナは羽山と里穂子にも頭を下げてきた。「土曜日に、わざわざありがとう。素敵な日になったよ」と笑うハナの顔に、この店にやってくる前まで浮かんでいた羽山への嫌悪感は見て取れなかった。

ハナは伊藤との面会をきっかけに、里穂子だけでなく、羽山にも心を開こうとしている。

彼女の気持ちは、やはり〝外〟に向いているのだ——という確信がさらに強まったのは、ファミレスを出て、自宅の方面へと去っていく伊藤の後ろ姿を見送っているときのことだった。

「ねえリョウ、さっき伊藤さんが言ってくれたこと、本当かな」

ハナの呟くような声に、リョウが小さく顔をしかめる。

「……何のことだ」

「『よかったら、また会ってね。私はあなたたちの味方だから』って。あのさ……伊藤さんみたいな人がたくさんいるなら、私たち……〝外の世界〟でも、ちゃんと暮らしていけたりしないかな」

「バカなことを言うんじゃない。お前は一度痛い目を見てるだろ」

「そうだけど、でも……」

ハナが口ごもり、困った顔をする。

実の妹である彼女は気づいていないようだが、里穂子はひしひしと感じ取っていた。

出会ったときからずっと、常に氷の壁のようにこちらを阻んでいたリョウの声に——今初めて、わずかな迷いが混じっている。

「よかったな。いろいろと幼い頃の話が聞けて」

里穂子と同じことを思っていたのか、羽山が獲物に照準を合わせた猛禽類のような目をして、リョウの肩に手をかけた。

「何も伊藤優だけじゃない。二十四年前に行方不明になったお前らの帰りを待ちわびている人間は大勢いるんだ。専従捜査員の俺だってその一人だよ。どうだ、名取将太であることをさっさと認めて、憎き誘拐犯を一緒に探し出さないか？　この社会におけるお前らの居場所と戸籍を奪った犯人をさ」

「……ＤＮＡ鑑定なら、やりません。そう言ったはずです」

口ではきっぱり断られた。だが明らかに、リョウの表情は揺れていた。

あと一押しだった。あとほんの少し、彼を揺さぶることができれば、希望の光が見えてくる。

その方策は、果たしてあるのか――。

「こら、ヒロ、こっち！　外はダメ！　戻ってきなさい！」

不意に、辺りに女性の低い声がとどろいた。その瞬間、リョウが肩を震わせ、にわかに目を見開いた。

声の主は、ファミレスのガラス戸から顔を覗かせている若い母親だった。数メートル先の歩道に突っ立っている五歳くらいの男の子を、険しい顔で叱っている。どうやら、親の食事中に席を立ち、勝手に外に出てしまったようだ。

ははは、という底抜けに明るい笑い声が、突如として響いた。

羽山だった。虚を衝《つ》かれた顔をしているリョウを、可笑しそうに眺めている。

「『ヒロ、こっち』が、心当たりのある名前に聞こえたんだ。そうだな？」

「……さあ、何のことだか」

「とぼけるな。名取宏子。お前の母親の名だ。やはり気になっているんだな」

「そんなことはありませんよ」

リョウは冷たく否定したが、その声に力はなかった。

そんな〝ユートピア〟のリーダーに対し、羽山は脅すような声色で告げた。

「朗報だ。実はこの後、もう一人会わせたい人間がいる。この流れからして、誰だかは分かるな?」

リョウが息を呑んだ。ハナが目を丸くして、羽山を見つめている。

里穂子にとっても、寝耳に水だった。おととい羽山が事情聴取のために名取宏子の住むアパートを訪問し、特に手がかりが得られなかったということは聞いていたが、今日まさにこの後二人を連れていく計画を立てていたとは。仕事と同じ服装で来いと言われたのはそのためか、と合点する。

名取宏子との対面は、確かに二人に対する効果的な揺さぶりになる。血の繋がった実母を前にすれば、自分は何者なのかという究極の問いに、否が応でも向き合わざるを得なくなるからだ。ギャンブル的側面が強いものの、遠い過去の記憶を刺激することで、忘れていた何かを思い出すかもしれない。

また、かつて虐待していた子どもたちの姿を見せることは、同時に名取宏子への揺さぶりにもなる。テッペイが証言していた、毎年春頃になると食品工場の周りをうろつく中年女とは、名取宏子なのかどうか。もしそうだとすれば、なぜ子どもたちの住処《すみか》を知っているのか。羽山が訪ねたときにははぐらかされたらしいが、リョウとハナを前にすれば平常心を保っていられなくなり、誘拐事件に関連する重要情報を吐く可能性がある。

この勝負が吉と出るか、凶と出るか。

「約束が違う。俺が了承したのは、カウンセラーとの面会だけです」

「そのついでだ。もう一か所だけ付き合ってほしい」

「だから約束が——」

「いいのか？　俺の要求を拒否して」

羽山が囁くように言うと、リョウは恨めしげな目で長身の羽山を見上げた。

「……脅迫ですか？　警察のくせに」

「それは受け取り方次第だ。だが、別に悪い話じゃないと思うぞ。お前らをこの世に産み落とした母親の姿を見にいく。人生で一度くらい、しておいたほうがいい経験だろう。それともあれか？　虐待の記憶が実は残っていて、会うのが恐ろしいか？　だとしたらその一年後に起きた誘拐事件のことも当然覚えているだろうから、お前が必死に庇っている真犯人が誰なのかを、是が非でも教えてもらいたいものだな」

母親に会うか、誘拐事件の真相を語るか、どちらかにしろ——という無茶苦茶な二択を、羽山がリョウに迫った。こうして先の約束を反故にして要求を積み重ねていくのが、この刑事の常套手段なのだろう。まるで反社会的勢力のようなやり口だが、警察には、四六時中犯罪者を相手にしているうちに、その手口をいつの間にか捜査手法に取り込んでしまう人間が一定数いる。

「ねえ、リョウ。私……」

俯いていたハナが、唐突に言った。

「会ってみたい。お母さんに」


街が淀《よど》んでいる。

目的地に近づくにつれて、他の街ではそう頻繁に目にすることのない光景が増えてきた。道端に座り談笑するホームレス。簡易宿泊所の古びた看板。公園の一角を占拠するブルーシートのテント。里穂子が勤務し、リョウとハナが育った蒲田にも、少なくない数のホームレスが暮らしている。しかしここには、前進する時代にぽつりと置いていかれたような、寂寥感が漂っていた。

名取宏子の住むアパートは、台東区内のこの街にあった。鳥籠事件発生時は新宿で水商売に従事していたため羽振りがよかったものの、出所後はアルコール依存症に陥ってまともに働けなくなり、現在は生活保護を受給しているのだという。家賃相場が低いほうへ低いほうへと漂流し、辿りついた先がここだったというわけだ。

駅から十五分ほど歩いただろうか。壁の黒ずんだ家と家の間に無理やり詰め込んだように建っている、小さな木造の平屋建て住宅の前で、羽山は足を止めた。

「ここだ」

アパートではなく一軒家ではないか——と指摘しようとして、建物の奥行が長いことに気づいた。よく見ると右側に細い通路がある。恐る恐る覗き込むと、長方形の建物に、木の朽ちかけた扉が全部で四枚ついていた。

「これって……いわゆる長屋ですよね」

「まあな。だが名前は『アパート』だ」

羽山が住宅の壁面を指差す。釘で打ちつけてある白いプレートに、消えかけた手書きの文字で『寿アパート』と書いてあった。

「私たち、こんな狭そうなところに閉じ込められて暮らしてたの？　ペットの鳥と一緒に？」

「鳥籠事件の現場はここじゃない。新宿だ。お前らが育ったのはだいぶまともなアパートだったが、とっくに取り壊されている。事故物件中の事故物件だからな」

「あっ、そっかぁ。そんなところに住みたい人がいるわけないもんね」

ハナがぽんと手を打った。鳥籠事件が起きたアパートを所有していたオーナーは気の毒だ。一室をペットと幼児の糞尿まみれにされた上、テレビから週刊誌まであらゆる媒体がこぞって取り上げたせいで、物件としての価値がゼロどころかマイナスに急落したのだから。

六歳の春、暗いリビングで見たテレビニュースと、そのとき自分が想像した『鳥籠』の光景が脳裏に蘇り、反射的に二の腕を抱え込む。不意に心配になり、里穂子はそばに佇むリョウとハナに尋ねた。

「本当に、何も覚えてないんだよね？　その……お母さんのことも、『鳥籠』の部屋のことも。万が一トラウマが残ってるなら無理はしないで」

今さら何を、と言わんばかりに羽山が睨みつけてくる。だが、念のため再確認せずにはいられなかった。いくら四半世紀もの時が経過しているとはいえ、かつての被虐待児を加害者に会わせるという行為には、慎重を期さなければならない。虐待やＤＶの被害者の中には、ＰＴＳＤ——心的外傷後ストレス障害などの精神疾患に苦しむ人もたくさんいるのだ。

大丈夫だよ、と明るく答えたのはハナだった。

「お母さんと暮らしてた頃のことも、施設のことも、なーんにも覚えてないもん。テッペイに拾われたことだって忘れちゃってるんだよ。トラウマなんてない、ない。リョウもそうだよね？」

「ああ……さっぱり覚えてないな」

リョウがふてくされたように目を逸らす。最終的に彼の背中を押したのは妹の言葉だったとはいえ、羽山に脅されてここまで連れてこられたことがよほど気に食わないようだ。

「であれば、問題はないだろう。感動のご対面というわけにはいかないだろうが、せいぜい相手の顔でも観察していてくれ。似た部分の一つや二つでも見つかれば、きっとお前らも遺伝子の神秘に魅了されるはずだ」

もはや下心を隠す気はなくなったのか、羽山が開き直ったように言い、先に立って歩き始めた。日中とは思えないほど薄暗い通路を縦に並んで歩き、一番奥の扉の前まで進む。

羽山が壁から外れかけたドアチャイムのボタンを押した。しばらく待ったが、中からは誰も出てこない。留守ですかね、と話しかけようとした途端、羽山がドアノブに手をかけて回した。ギイ、と錆びついた蝶番が軋む音がして、木の扉が開く。

不法侵入をするつもりかと焦ったが、羽山は落ち着き払った声で部屋の奥に向かって呼びかけた。

「名取さん、失礼するよ。おととい来た刑事の羽山だ。覚えてるか？」

呻くような声が聞こえてくる。たった今起きたかのような、眠気混じりの声だった。

「今日は俺以外に三人連れてきた。入っていいな？」

「んー、どうぞ」

その掠れた響きに、嫌な予感を抱く。振り返ると、リョウとハナも顔をこわばらせていた。

これは伊藤との面会とは違う。血の繋がった母親相手に、二人が緊張しないわけがない。

一人ずつ靴を脱ぎ、部屋に上がった。トイレも風呂もキッチンもない、六畳ほどのワンルーム。令和の時代にまだこんな家が残っていたのかと驚くより先に、室内の惨状に愕然とした。空き缶や空き瓶、コンビニのビニール袋、汁の残ったカップラーメンの容器などが部屋中に散らばり、強烈なアルコール臭と腐臭を漂わせている。

そのゴミの中から億劫そうに身体を起こしたのは、どろりと濁った目をした中年女性だった。そばに置いてある酒瓶を手に取り、起き抜けの水分補給とばかりにラッパ飲みする。

あまりの衝撃に、顔の観察をするのを忘れていた。リョウやハナとの共通点はないか。目元はどうか。表情はどうか。しかし、目の前の中年女性の顔は、見る影もないほど醜《みにく》く崩れ去っていた。どす黒い肌に無数のしわが刻まれている。表情は虚ろで、身体の動きも鈍い。昔整形に失敗でもしたのか、異様に膨れた涙袋が無残に垂れ下がっている。二十五年前にテレビで報道されていた、派手なメイクを施した容疑者写真とは似ても似つかなかった。

まるで老婆だ。

自堕落な生活と酒が、彼女をここまで変えたのか。

「こいつらが誰だか分かるか？」

荒れた部屋の隅に立ち尽くしているリョウとハナを指差し、羽山が名取宏子に問いかけた。

彼女の虚ろな目が、兄妹を捉える。兄は無表情で、妹は怯えの中に一抹の期待の混じった表情で、名取宏子を見返した。

心理カウンセラーの伊藤が昔の面影を見出したくらいなのだから、実の母親なら一目で正体が分かってよさそうなものだ。仮に外見から判断がつかなかったとしても、刑事がわざわざ二十代の男女二人を連れてきた時点で、普通は想像がつくだろう。

しかし、名取宏子はにへらにへらと笑い、「さあ」と首をゆっくり横に振った。

「新しいケースワーカーかな？　こないだ来たばっかりだったと思ったけどね」

「違う。もう少し考えてみろ」

「アル中から生活保護を取り上げようって？　でもお金は返さないよ」

話が噛み合っていない。酒に溺れ孤独な生活を続けるうち、精神を病んでしまったのだろうか。

それとも、幼い兄妹を〝鳥籠〟に閉じ込めて飼っていたあの頃から、すでにおかしかったのか。

ハナが苦しそうな顔をして、一歩前に進み出る。その足に触れたチューハイの缶が、カラリと音を立てた。

それでも名取宏子は、じっと首を傾げていた。気味の悪いにやけ顔で、ワンピース姿のハナを見上げている。

「お前の子どもたちだ」痺れを切らした羽山が、単刀直入に告げた。「将太と桃花。分かるか？」

「違う、違う」

名取宏子が突如、腹を抱えてケタケタと笑い出した。「違うとは何だ」と青筋を立てた羽山に、可笑しそうに言葉を返す。

「だって、あたしには子どもなんかいないもん」

「バカ言え。二十五年前までお前が虐待していた息子と娘だ。ほら、顔をよく見てみろ」

「あたしが育ててたのはね、鳥だよ。せまーい籠の中に、小鳥が一羽、二羽、三羽、四羽。あれれ、もう一羽いたかな。一羽、二羽、三羽、四羽、五羽。そこに立ってる、ほら──あんたたちは人間でしょ？　だから違う。あたしには分かる」

狂気に満ちた言葉に、全身に悪寒が走る。名取宏子に少しずつ近寄ろうとしていたハナが、その場に凍りついた。

「おい、とぼけるな。お前はれっきとした人間の子──しかも血が繋がった子どもを劣悪な環境に置いた上、あと少しで餓死させるところだったんだぞ。過去の罪から逃げるんじゃない」

「あたしはね、鳥なんか産みたくなかったんだよ？　餌をくれ、餌をくれって、ただ邪魔なだけだしね。卵から勝手に生まれて、どこかに飛んでいってくれればよかったのに。ピー、ピー、ピー、ってさ」

「お前——」

「刑務所なんかに入れられて、あたしの人生はあの小鳥たちのせいで台無しになったんだよ。別にさぁ、死なせたわけでもないのに、いきなり逮捕なんてひどいと思わない？　ま、あいつらの顔もよく覚えてないし、もう今となってはどうでもいいんだけど」

　また名取宏子がニヤリと笑った。決して自分に向けられた言葉ではないのに、嫌悪感が腹の底から噴き出してくる。

　この女は、二十五年間、まったく反省してこなかったのだ。

　むしろ、自分を肯定し続けていたのではないか。ほしいとも思っていなかった子どもをきちんと、産んだことを。最低限の餌をきちんと与えたことを。警察がやってくるまで二人をきちんと生かし続けたことを。

　倫理観が壊れている。

　だからこそ、名取宏子のやったことは、日本中を震撼させたのだ。日常的な暴力や罵倒ならまだしも、実の子どもを動物同然に扱うような行為は、普通の精神状態ではとてもできない。

　リョウは怒ったように眉を寄せ、ハナは真っ青になっている。これでは逆効果ではないか、と隣に立つ羽山を盗み見たが、彼は相変わらず冷静な顔をしていた。

「どうでもよくはないはずだ。おととい来たときも話したが、蒲田のとある食品工場付近で、毎年ある時期になると、彼らの母親らしき女性の姿が目撃されるらしい。それはお前だな？」

「違う、違う」

「将太と桃花のその後が気になって、様子を窺っていたんだろ？　お前が探していた二人を説得して、苦労してここに連れてきてやったんだ。いつまでもそんな態度を取っていていいのか？」

「あたしはそんなことしないよぉ」

羽山と名取宏子が言葉の応酬をする間、里穂子は彼女の表情や仕草をじっと観察していた。目を泳がせる、しきりに鼻を搔く、髪を撫でるといった、嘘を隠そうとするときに表出する分かりやすい動きはない。常に怪しい笑みを顔に貼りつけているため、逆に心が読みにくかった。

その後も、名取宏子は羽山の厳しい尋問をのらりくらりとかわし続けた。しまいには「ああ疲れた。帰ってよ」とだるそうな声で言い、再びゴミの中に寝転がった。羽山が苛立った口調で何度も声をかけ、ハナも一度だけ「あの……」と呼びかけたが、空き缶に埋もれた名取宏子は頑なに目を開けなかった。

失意を胸に、外に出る。

アパート横の通路を抜けて道路に足を踏み出すと、横から西日が照りつけた。

息を大きく吸い込んだ。不思議と空気が澄んで感じられる。ここに来るときはむしろ、どこからともなく漂うすえた臭いに、終始顔をしかめていたはずなのに。

「さて」

狭い道路に立ち尽くすリョウとハナを前に、羽山がもったいぶるように発言した。

「伊藤優と、名取宏子。今日の二つの面会を経て、何か思い出したことは？」

やはり、と心の中で呟く。伊藤はともかく、名取宏子との対面は、羽山なりの荒療治のつもりだったのだ。〝ユートピア〟内にいるはずの犯人が名乗り出ないなら、被害者側から情報を引き出せばいい。誘拐されたときのことを何も覚えていないのなら、強い刺激を与えて無理やり思い出させてやる——そういう魂胆だったのだろう。

今日会った伊藤優は、忘れ去った記憶のことを、砂に埋まった鎖に喩えていた。端をつかんで引っ張り上げれば、関連する出来事が蘇ることがある。記憶はそう簡単に消えない。脳の中で、蓋をかぶせられているだけ。

「思い出したこと？　何もありませんよ」

「どうだか。妹はともかく、お前は当時四歳だったんだろ？　誘拐事件について思い出せることが何もないというのは、いささか不自然な話だ」

「そう言われても、ないものはないですから」

「〝ユートピア〟内にいる誘拐犯をかばっているなら、無駄なことはやめたほうがいい」羽山が低い声で言った。「ストックホルム症候群という言葉がある。誘拐事件や監禁事件の被害者が、生き延びる可能性を少しでも高めるために、自然と犯人に好意を抱いてしまう現象だ」

「……俺たちがそれだとでも？」

「まさにそう。ストックホルム症候群そのものだ。いいか、よく聞け。あんな母親だが、名取宏子は少なくとも出生届は出していた。だからお前らは無戸籍じゃない。倉庫で暮らしているお仲間とは、根本から違うんだ。お前には〝ユートピア〟を守る義務などない。ＤＮＡ鑑定で本人だと証明できれば、すぐに普通の生活ができるように——」

「結局、そこですか」

リョウが呆れたような目で羽山を見返した。

「俺たちがカウンセラーの女性に会えば捜査を諦めるというのは、真っ赤な嘘だったんですね。最初から疑わしいと感じてはいましたが。さあ、帰るぞ、ハナ」

リョウが冷めた口調でハナを促す。しかしハナは兄と里穂子の顔を交互に見て、力なく俯いてしまった。

「どうした。行くぞ」

「でも、羽山さんと森垣さんがいなかったら、伊藤さんには会えなかったし……お母――さっきの女の人だって、その……」

「お前も刑事の味方か。もういい、勝手にしろ」

リョウが憤然と言い捨て、駅の方角へと歩き出した。「あっ、ねえ、リョウ！」とハナが慌てて呼びかけたが、彼はこちらを振り返ることなく、十字路の角を曲がっていった。

「……ごめんね」

取り残されたハナが、肩をすぼめて呟いた。リョウに突き放されたことがこたえたようだ。

「大丈夫？　ちょっと強がってるんじゃない？」

里穂子が尋ねると、ハナは目をきょとんと丸くした。

「えっ……なんで？」

「今日のことを、どうにか前向きに捉えようとしているみたいだったから。伊藤さんはいい人だったけど、名取さんは……ほら、恐ろしかったでしょう？　羽山や私があなたたちを再会させるため尽力したのは確かだけど、無理にいい思い出に昇華しようとしなくていいんだよ」

ハナが一瞬、今にも泣きそうに顔を歪める。そして、ほっとしたような笑みを浮かべた。

「あのね、伊藤さんに会えたのはよかったよ。私とリョウが小さい頃の話をたくさん聞けて、本当に嬉しかったの。だけど……名取、宏子さんは……ちょっと嫌だった。ううん、すごく嫌だった。ひどいと思った。あんな人がいるなら〝外の世界〟とはもう関わらなくていいし、あんな人が自分のお母さんだなんてショックだった」

「やっぱり、そうだよね」

「でも――ゼロよりは、一がいいから」

ハナが、里穂子の目をまっすぐに見つめて言った。

「私は……何も知らないよりは、ちょっとでも親のことを知れたほうが幸せだって、そう思うの。だから、このほうが絶対によかったんだって信じてる。実はね、さっきあの部屋の中にいたときも、私はお父さん似だったのかなぁとか、耳の形はお母さん譲りかなぁとか考えるの、楽しかったんだ」

「それが本音ならいいけど」

「本音だよ！」

ハナが断言する。彼女が今、どれだけ複雑な思いをしているかは想像もつかないが、自分の過去や出自がどんなものであっても受け入れようとする意志の強さは感じ取れた。

彼女の茶髪が、赤い陽を受けて輝いている。

「ぜひ教えてほしいことがある」

羽山が唐突に言い、ハナの視線を里穂子から剝がした。上着のポケットから手帳とボールペンを取り出し、白紙のページを開く。

「〝ユートピア〟の住人たちのフルネームと出身地を、ここに書いてもらいたい。名前はできれば漢字で。あ、学校に行ったことがないとなると、もしや漢字の読み書きはできないか？」

「ううん、漢字は子どもの頃にちゃんと練習したから、だいたい書けると思うけど……どうして？」

「彼らの素性を調べてみようと思ってな。森垣から聞いたが、お前の仲間の中には、親に関する情報が足りないがために戸籍の申請ができない奴らがいるんだろ？　だったら俺が、警察の権限を駆使して各方面に当たってやる。もしかすると耳よりの情報が手に入るかもしれない」

「えっ、羽山さん、そんなことまでしてくれるの？」

「単なる交渉材料だ。自分たちだけでなく、お仲間も無事に戸籍を手に入れられれば、お前の兄貴が〝ユートピア〟にこれ以上固執する必要はなくなるだろ？」

なるほど、と里穂子は心の中で呟いた。羽山が「アメ」の捜査手法に転じるのは意外だったが、伊藤優や名取宏子との再会に対するハナの好意的な反応を見て、とっさに思いついたのに違いない。これは使えるはずだ、と。

「どうしようかな、リョウに怒られちゃうかも。でも……もしみんなの家族が見つかって、戸籍がちゃんと取れることになったら、それってとてもいいことだよね。きっと、喜んでくれると思うなぁ」

ハナが迷っていたのは、せいぜい数秒だった。羽山に渡されたボールペンを手に取り、「全部は分からないけど」と断ってから、住人たちの氏名と出身地を次々と記していく。

彼女が書く女子高生のような丸文字を眺めながら、ふと、テッペイの元恋人の名前を思い出した。仁野芙三子。あとで羽山に伝えておこう、と頭の片隅にメモをする。珍しい名前だし、どこかの自治体に住民登録もあるだろうから、無戸籍者たちの両親よりも簡単に見つけられるかもしれない。

手帳をポケットにしまうと、羽山は無言で元来た道を戻り始めた。里穂子とハナが横に並んで、その後に続く。

ハナとは、途中の乗換駅で別れた。

エスカレーターへと消えていく彼女の後ろ姿を見送り、別のホームに向かおうとしていた羽山を呼び止める。怪訝そうな顔をして振り向いた羽山の横に並んで歩きだすと、彼はさらに眉根を寄せた。

「お前の家はこっちじゃないだろ」

「この後、別の用事がありまして」

「ほう、そうか」

「……これからどうします？　無戸籍者たちの両親捜し、私も手伝いましょうか」

「いや、いい。蒲田署の肩書きじゃ、大っぴらにやりにくいだろう。俺は俺でやることをやる。だからお前もお前で、なんとか手がかりを見つけろ。俺とは別の道を探れ」

さらりと難しいことを言う。

里穂子はそれには答えず、改札内の雑踏を眺めた。

手がかり、にはならないかもしれない。事件の解決には直接結びつくかといえば、答えはノーだろう。だが、自分なりに道を見つけようとして、すでにある約束を取りつけてあった。これも住人たちとの〝対話〟のためだ。

土曜の夕方にもかかわらず、まだ家には帰れない。

ごめん――と突き当たりに見える山手線内回りの表示に向かって独りごちながら、里穂子は羽山とともに、外回りのホームに続く階段を上がった。


メールで教えられた住所に辿りつく。

そこはどう見ても、政治家の事務所だった。

中に人の姿は見えないが、煌々と白く灯った蛍光灯の光が歩道に漏れ出て、迫りくる夕闇に対抗している。

建物の壁にでかでかと掲げられた『園村《そのむら》かつよ』の青い看板を見上げ、里穂子はしばし立ち尽くした。少し考えてから、これから会う予定になっている女性が、現職の都議会議員でもあることを思い出す。

名前の横には、本人の写真も印刷されていた。緩くパーマのかかったベリーショートヘアに、真面目そうな印象を与える銀縁の眼鏡。レンズの奥にある目は、日本の未来を見つめて熱く燃えている。きりっと締まった顔立ちでありながら、体形はふくよかで、親しみやすさもどこか感じさせる。そのバランスの取れた風貌は、政治家兼無戸籍者支援団体代表という肩書きにぴったりのように思えた。

「あ、森垣さん?」

不意に目の前の戸が開き、名前を呼ばれた。驚いて見ると、頭上の看板と同じ容姿の中年女性が、戸の隙間から顔を出していた。黄色いブラウスにベージュのスカートという格好で、写真から想像していたより背は低い。

里穂子が慌てて頷くと、園村勝代《かつよ》はにこやかに微笑んだ。

「ごめんなさいね、ずいぶんと威圧感のある建物で。一階が政治のほうの事務所で、ご連絡いただいたNPO法人は二階なの。今みたいに戸惑ってしまう相談者の方が多いから、約束の時間には必ず降りてくることにしているのよ」

饒舌に言い、どうぞ、と中を指し示す。足を踏み入れた先には、無人の事務机が並んでいた。土曜日に来たことを恐縮しながら、園村勝代に続いて奥の階段を上り、二階へと向かう。

ポスターや書類で雑然としていた一階の政治事務所に比べ、二階のインテリアはすっきりとしていた。どこかの家のリビングのように、テレビやダイニングテーブルが置かれ、窓にはレースのカーテンがかかっている。壁際の棚の上には、電気ケトルやティーポットまで並んでいた。

こちらにも、園村以外のスタッフの姿は見当たらない。言われるがまま、ギンガムチェックの可愛らしいクッションが敷かれた椅子に腰かけると、緊張が幾分和らいだ。

「お仕事帰り?」

「あ、はい。そうです」

「パンツスーツが似合う女性って、いいわね。私は好き」

警察官という身分はもちろん伏せていた。知り合いの件で相談したい、とだけ事前に電話で伝えてある。職業を訊かれたときのために、不動産会社の事務員というダミーの答えを用意していたが、彼女がそれ以上探りを入れてくる気配はなかった。

電気ケトルに湯を沸かした園村が、「ハーブティーでいいかしら」と尋ねてくる。事件関係者宅で飲み物やお菓子を出されたときの癖でとっさに断ってしまったが、「お嫌いでなければいくらでもどうぞ」と園村は構わずティーカップを運んできた。

彼女は緩やかな空気を作り出すのが上手かった。日々、こうして無戸籍者やその周りの人間の相談を受けているからだろうか。それとも、大勢の都民と関わる政治家としての資質なのだろうか。他愛もない雑談の後、ようやく本題に入る頃には、里穂子の心は意外なほど解きほぐされていた。

「最近小耳に挟んだ、とある知り合いの話なのですが――」

どの無戸籍者の身の上話を語るか迷った挙句、分かりやすいアッシのケースを選んだ。逮捕直後のハナが、取調室で供述したのと同一の内容だ。

物心ついたときには母親と二人きりで暮らしていた。学校には一度も行ったことがない。十七歳のときに、母が突然姿を消した。その後は自力で生き延びる道を探ったが、身分証がないため水商売の店でしか働けなかった。母の名前は知らない。「私たちは〝存在しない人間〟だから」というのが口癖だったことから、母も無戸籍者だったと推測される――。

園村は、丁寧に相槌を打ちながら、熱心に里穂子の話を聞いていた。里穂子があらかた話し終えると、彼女がいくつかの質問を口にした。そのお知り合いは、役所に行って戸籍や住民票取得の相談をしたことがあるか。母子手帳は残されていなかったか。住んでいた地域で、周辺住民との関わりはなかったか。

「区役所をいくつも回ったらしいのですが、いろいろな窓口をたらい回しにされて、結局何もしてもらえなかったそうです。最終的には『日本人であることの証明』を求められ、それができなければ戸籍の取得はできないと断られたとか」

最初の質問にだけ、タクローの体験談を持ち出して答える。残りの質問には、すべて首を横に振った。

「どうでしょうか。この知り合いが戸籍を得る手段はありますか?」

里穂子が一縷《いちる》の望みを胸に尋ねると、園村はテーブルに片肘をつき、悲痛そうに額に手を当てた。

「正直……そのケースは、難しいかもしれない」

その回答にショックを受ける。政治や行政に明るい無戸籍者支援の専門家でも、手に負えない問題だというのか。

「無戸籍者が戸籍を得るのは、昔はとてもハードルが高かったんだけど、ここ十五年ほどで新しい方法も認められるようになったの。でも、それを使うには、少なくともお母さんとその夫、もしくは元夫の身元が分かっていないといけない」

「民法第七七二条のケースですよね」

里穂子が頷くと、園村は驚いたように顔を上げ、「よく勉強されてきたのね」と微笑んだ。

「森垣さんのお知り合いの場合は、両親が不明ということになるわよね。その場合は、『就籍許可の審判』を申し立てることになる。日本人であることの証明を求められたというのは、これを念頭に置いていたのでしょう」

就籍というのは、単独でまったく新しい戸籍を作成する手続きのことだ。就籍を認めてもらうには、日本人であることを証明しなくてはならない。証拠の一例としては、幼い頃に母と二人で写っている写真や母子手帳、事情を知る第三者の証言などが挙げられる。園村はそう説明し、小さく息を吐いた。

「私はもう二十年近くこの活動を続けているけど、お母さんに関する情報がこれほど少ないケースも珍しいわ」

「やっぱり、そうですか」

「五年くらい前に、同じような境遇の男性が相談に来たことがあったの。住んでいた場所の写真をありったけ撮影して裁判所に持っていったんだけど、残念な結果に終わってしまった。彼が生まれ育ったのは外国人の方も多く住む街で、果たしてお母さんが日本人だったのかという点が証明できなかったのよね。当然、生まれた病院の名前や場所も分かるはずがないし」

父か母が日本人であり、自分がその子どもであることを示すか、もしくは日本で生まれたことを確実に示せないと、戸籍を新しく作ることはできない。

失望を隠せなかった。専門家に突きつけられた結論は重い。親の行方が分からないアツシやタクローも、唯一の肉親である母親に死なれてその後ホームレスをしていたルミカも、その娘のミライも、仮に会いにいったところで七面倒くさい手続きに協力してくれるはずもない両親を持つヨシコやテッペイも——全員、戸籍取得の道を断たれているのだ。

「でも、戸籍にこだわらなければ、できることはたくさんあるのよ。自治体の方針にもよるけど、住民票は発行してもらえる可能性が高いわね」

こちらを元気づけるような園村の言葉に、えっ、と思わず声が出た。

「そうなんですか？　てっきり、戸籍がないといけないのかと……」

「十三年前までは、確かにそうだった。二〇〇八年にね、無戸籍でも住民票の発行は可能とする通知を総務省が出したのよ。条件はいくつかあるけど、最低限満たす必要があるのは、戸籍取得のための調停や裁判を申し立てている最中だということを示す『係属証明書』を提出すること。裁判を起こすにあたっては通常三十万円から五十万円くらいお金がかかるから、費用面が厳しいという無戸籍者もけっこういるんだけど……お知り合いの方はどうかしら？」

自分の頬が紅潮しているのが分かった。それならばできるかもしれない。〝ユートピア〟に住む彼らには現金収入がある。金庫に貯金をしていると、ヨシコが言っていたはずだ。

その額はわずかかもしれないが、それこそ叶内家に頼るという選択肢もある。無戸籍者たちが住民票を取得し、きちんと身分証明をして外で働けるようになれば、あの倉庫での生活を支える必要はなくなり、長い目で見れば経費削減になるのだ。住人たちに裁判費用を貸すことは、叶内家にとってもメリットがあるのではないか。

「たぶん……大丈夫だと思います。少し、時間はかかるかもしれませんが」

「それはよかった。身分証明書にもなるし、選挙権も手に入るから、その方にはぜひ住民票を取らせてあげましょう。ただ、総務省通知は対象者を民法第七七二条の該当者に限定しているから、就籍許可の審判でも認められるかどうかは、自治体の裁量ということになってしまうんだけどね。でも安心して。実例はあるから。いざとなったら私も一緒に乗り込むし」

蒲田が属する大田区の方針はどうだろう。「スムーズに認められるといいんですが」と呟くと、園村が「大丈夫よ」と頷いた。

「最悪、認めてくれる市区町村にいったん引っ越してしまえばいいんだから」

「……無戸籍者が家を借りるのは難しいのでは？」

「そういうときのために、私たちを利用してもらいたいのよ」

「ああ」――それは頼もしい。住民票が取得できるまでは、このＮＰＯ法人が大家との間に入ってくれるということか。もしくは、無戸籍者が住めるような施設が都内各所にあるのかもしれない。

「では、住民票を取得するための準備はそちらで進めていただくとして。係属証明書をもらうまでには時間がかかるから、その前に国民健康保険に入っておいたほうがいいわね。あとはできれば国民年金にも」

「えっ……住民票がなくても加入できるんですか？」

「実はそうなのよ。これも二〇〇七年に、厚労省から通知が出てるの」

これも初めて知る事実だった。自分のリサーチ能力の低さを恥じる。

ただ、一つ頭に引っかかったことがあった。タクローが区役所に赴いたとき、なぜ窓口の担当者はそのことを教えてくれなかったのだろうか。中央省庁から通知が出るより前の時期だったのか。現在三十歳のタクローは、当時十六歳。母親に捨てられたのが十四歳のときだと話していたから、その二年の間の出来事だった可能性もないわけではないが。

そのことを話すと、園村は悔しそうに唇を歪めた。

「残念ながら、窓口担当者が通知を把握していないケースがたくさんあるのよ。児童手当だって母子手帳だって、戸籍や住民票の記載がなくても条件を満たせば受け取れるのに、それを知らない職員の多いこと多いこと。今はまだましになったけど、以前はひどかったわね。無戸籍の方が一人で役所を訪れても拒否されて、私が同行して喧嘩腰で掛け合ったらようやく上司が出てきて――というケースが無数にあったわ」

「それは大変でしたね」

「交渉するには便利な肩書きなのよ、議員って」

おどけた口ぶりに、里穂子もつられて笑う。

「ただし、国保や国民年金の申請にも穴があってね。過去二年分の未納分を払えとか、平気で言われるのよ。無戸籍者にも加入する権利はあったんだから、時効を迎えていない分の保険料は全額請求しますって、ひどい論理。信じられる？　この点もぜひ、私は改革を推し進めていきたいと思ってるんだけど」

だから最低でも五十万程度の貯金を用意してからのほうがいい、と園村は申し訳なさそうに言った。それが社会の辺境で暮らしている無戸籍者にとってどれほどの大金かということを、彼女はこれまでに何度も実感してきたのだろう。

「ちなみに、その方はきちんと働けている？　生活保護は必要ないのかしら」

「生活保護も、戸籍や住民票がなくても受給できるんですか？」

「むしろ一番手続きが楽よ。外国人でも支給されるものだしね。こちらがお金を払うわけじゃないから、国保や年金のように面倒なことも言われない」

園村と話していると、みるみる視界が開けていく。

住民票、国民健康保険、国民年金、生活保護。

この短時間で、幾筋もの希望の光が差し込んできた。早くこのことを、〝ユートピア〟の住人たちに伝えたくてたまらない。

ハーブティーを一口飲んだ園村が、肩の力を抜いて椅子の背に寄りかかった。

「差し支えなければ、で構わないんだけど……そのお知り合いの方、おいくつくらいなの？」

「ええと、三十歳ですね」とっさに浮かんだタクローの年齢を答える。

「大人になって、もうそんなに経つのね。きっとこれまでに、相当苦労されてきたんでしょう。成年無戸籍者の問題は、一番深刻なのよ」

「成年……？」

「戸籍がないまま成人を迎えた大人のことね。まだ子どもなら、親が一緒に暮らしているはずだから、親子関係の証明がしやすいでしょう？　もし親が不明でも、就学前の年齢なら、国籍関係なく出生地主義で戸籍を作ってもらえるし」

「ちょっと待ってください」

園村の最後の言葉に、里穂子は思わず身を乗り出した。

「就学前の年齢なら、と今おっしゃったのは……捨て子には自動的に戸籍が与えられる、ということですか？」

「そうよ。法律上は『棄児《きじ》』っていってね。捨て子が発見されて、その親が見つからないときは、自治体の長が名前をつけて戸籍を編成するの。本籍地は児童養護施設の住所になることが多いのかな。有名どころだと、熊本の赤ちゃんポストに預けられた子たちも同じ扱いになるのよ」

これは――と、下唇を嚙む。仮にリョウとハナが捨て子だったというテッペイの主張が真実だったとしても、あの兄妹が無戸籍児として暮らす必要などどこにもなかったということなのではないか。

テッペイが彼らを匿うことなく、児童相談所の前にでも置き去りにしていれば、『棄児』である二人には名前と戸籍が与えられた。もちろん、リョウとハナの場合は、鳥籠事件の被害児童ということが先に発覚しただろうとは思うが、「よかれと思ってここに連れてきた」というテッペイの善意は、どちらにしろ裏目に出ていたことになる。

「森垣さん、どうしたの？　何か心当たりでもあるの？」

「あ……いえ。すみません。気になっただけです」

慌てて誤魔化し、ハーブティーのカップを手に取った。香り立つ茶葉の匂いと温かさが、里穂子の心をNPO法人の居心地のいい事務所へと引き戻す。

園村勝代は、慈愛に満ちた目でじっと、こちらを見つめていた。

ふと不思議に思い、彼女に問いかける。

「園村さんは、どうして無戸籍者支援を始められたんですか？　政治活動だけでも、十分お忙しいでしょうに」

「ああ、それね」園村が遠い目をして、窓のレースカーテンを眺めた。「ずいぶん昔の話だけど。私が高校生の頃に、無戸籍の同級生がいたのよ。その子は幸い、お母さんがちゃんとした人だったから、小学校からきちんと教育を受けて、予防注射なんかも自費で済ませてたんだけどね」

その子が修学旅行に行けなかったのよ――と、園村がわずかに怒りを含んだ声で言った。

園村が通っていたのは、当時にしては珍しく、韓国や台湾など、海外への修学旅行を実施している都内の私立高校だった。パスポートが作れない無戸籍の友人のために、園村は幾人かの同級生を引き連れて職員室に乗り込み、自分たちの学年の旅行先を国内に変更するよう教員らに迫った。しかし、「申し訳ないとは思うが、海外への修学旅行を楽しみに入学してきた生徒も多いから」という校長の一言に撥ね退けられ、その要求は叶わなかった。

「その友人はね、平気そうに笑ってたの。『いいのいいの、行けないのは最初から分かってたし』って。それが衝撃だったのよね。パスポートが作れない。健康保険に入れない。自分の名義の携帯は買えないし、車の免許だって取れない。結婚だって出産だって、その子はまだ高校生なのに、いろいろなことをとっくに諦めてた」

「それで……似たような境遇の人たちを救おうと?」

「ええ。政治家になったのも同じ理由。総務省や厚労省への働きかけにも参加したから、少しは貢献できたんじゃないかしら。ようやく通知が出たとき、その子に久しぶりに連絡したらね、ものすごく喜んでくれたの。『これで家も借りられるし、健康保険にも入れるから、老後の心配をしなくて済む』ってね。その子と一緒にパン屋さんを経営しているご高齢のお母さんも、きっと胸を撫で下ろしたと思うわ」

園村の話には、先ほどから驚かされてばかりいる。中央省庁が通知を出したことを他人事のように語っていたが、それは彼女が政治家として無戸籍者支援運動を展開した結果だったのだ。

この人は、信頼できる。

きっと〝ユートピア〟の住人たちも、園村になら心を開いてくれるのではないか。彼女ほど強力な味方は、おそらく日本中を探しても他にいない。

それからしばらくの間、園村はここを訪ねてくるいろいろな無戸籍者やその家族のことを話してくれた。大半は、出生届を出せずに悩んでいる、幼子を抱えた母親だという。自身が無戸籍だという大人の中には、学校に通ったことがなく平仮名しか書けない人や、怪我をしたのに病院にかかれないまま傷を放置してしまい、危ない症状が出てから駆け込んでくる人がいるのだと、園村は複雑な思いのこもった口調で語った。

「あの……どうもありがとうございました。今日伺ったことを、知り合いにきちんと話してみます。

ハーブティー、美味しかったです」

里穂子が立ち上がると、園村も腰を上げながら、「森垣さん」とこちらを見上げてきた。

「大丈夫？　正直に話してくれていいのよ」

「……え？」

「間違っていたらごめんなさいね。でも、そのお知り合いというのは——本当は、森垣さん自身か——もしくは家族のような、とても近い関係の方なんじゃないかと思って」

その言葉にはっとした。

園村がそう勘繰ったのは、里穂子が自分の職業や、「知り合い」との具体的な関係を明かさなかったせいだろう。

だが、おそらく、それが唯一の理由ではない。今までにここを訪れた相談者たちに、まさにそうした傾向があったのではないか。

——無戸籍って……罪になりますか？

耳に蘇ったのは、取調室で聞いたハナの震え声だった。

ここに相談にやってくる無戸籍者たちは、普段は表舞台に立つことなく、世間の目から逃れてひっそりと暮らしている。何か悪いことをしたわけでもないのに、劣等感や罪悪感を常に抱いて生きなければならない。そんな彼らの中には、意を決してこの事務所にやってきたものの、いざとなると気後れしてしまう人が多いのではないだろうか。そうして、他人のふりをして、自分自身の抱える問題を語るのだ。

園村の一歩踏み込む姿勢に、深く感銘を受けた。もし里穂子が、園村が想像したとおりに無戸籍者本人だったとしたら、今ごろ泣き崩れていたことだろう。

「……大丈夫です。その知り合いは、私自身でも、私の家族でもありません」

「あら、深読みしすぎちゃったわね。まったく私ったら」

いえいえ、と恐縮し、鞄を肩にかけて階段へと歩く。

その途中で、壁にかかっている大きなカレンダーに目が留まった。

中国かどこかの観光地の写真の下に、『5月』と印字されている。いくつかの日付には赤いペンで丸がつけてあり、その下に時刻と地名が書き込まれていた。そのうちの一つ——十七日の欄に目が留まる。

「十九時から、JR蒲田駅……？」

「ああ、それはね、ビラ配りの予定のメモよ」

追いついてきた園村が、カレンダーを指先でつついた。

「NPO法人の活動なんて、本当に支援が必要な無戸籍者にはなかなか届かないからね。繁華街や歓楽街のある場所で、定期的にビラを配ることにしてるの。新宿の歌舞伎町《かぶきちょう》はもちろん、渋谷や池袋《いけぶくろ》、六本木《ろっぽんぎ》……あとは上野《うえの》、錦糸町《きんしちょう》、五反田《ごたんだ》あたりかな。蒲田や赤羽《あかばね》は、まだこの四月から行き始めたばかりで」

「私、職場が蒲田なんです。駅もJRを使ってて」

「あら、そうだったの！　じゃあ、もしかしたらすれ違ってたかもしれないわね。といっても今月は、事務所のスタッフが発熱してPCR検査をすることになったから、ビラ配りはお休みしちゃったんだけど」

陰性だったから安心してね、と付け加えながら、園村はカレンダーの端をめくった。来月も同じ第三月曜に蒲田の文字がある。各地で月一回ずつ、ビラ配りをすることにしているようだ。

「そうそう、蒲田もさっそく収穫があったのよ。ビラを受け取った後にね、『無戸籍の方を知りませんか?』ってキャッチコピーを見つめたまま、しばらく立ち止まってた若い男の人がいたの。声をかけたんだけど、ぱっと走っていっちゃったのよね。もしかしたら、無戸籍で悩んでる方だったのかもしれない。だから、彼にまた会えることを祈って、来月も行くわ」

駅前で見かけたら声でもかけてね、と園村が微笑みかけてくる。そうします、と里穂子もにこやかに返した。

「今日は、お時間を取ってくださって、本当にありがとうございました」

「いえいえ、全然。困ったことがあったら、また相談してね。私はいつでも味方になるから。あ、これ、名刺。お急ぎのときは、この携帯番号にどうぞ」

差し出された名刺を受け取り、里穂子は深々と頭を下げた。

「ぜひお願いします。また来ます」

そう——きっと、近いうちに。

できれば、〝ユートピア〟の住人を全員連れて。

その日のことを思い描きながら、里穂子は園村勝代の事務所を後にした。

暗いアスファルトに、白熱灯の黄色い光の筋が伸びていた。

目の前の錆びついた戸を、素早く三度ノックする。相手の反応を待つことなく、重い引き戸を開け放した。

息を弾ませる里穂子を迎えたのは、座卓を囲んで食事をしている住人たちの驚いた目だった。ヨシコ、テッペイ、タクロー、アツシ、ミライ、ルミカ、そしてリョウ。明るい茶髪のハナの姿がないことに、すぐに気づく。

「こんばんは。突然ごめんなさい。ハナさんは？」

「ハナは出かけました」リョウが、心なしか怒ったように答える。

「夕方にいったん帰ってきて、また？」

「さっき、リョウやタクローと喧嘩をしたんだよ。困ったもんだね。今頃、お気に入りのネットカフェに閉じこもって、気晴らしに漫画でも読んでるんじゃないか」

ヨシコが肉のだぶついた肩をすくめる。するとタクローが持っていた箸を握りしめ、「あいつは本当にバカだ」と忌々しそうに吐き捨てた。「だから嫌いなんだよ」と続けた言葉からは、積年の苛立ちがにじみ出ているように聞こえた。

名取宏子の自宅前でハナと対立していたリョウはともかく、タクローまでも喧嘩に加わったのはなぜだろう。倉庫に引きこもっている陰気なタクローと〝外の世界〟への憧れを隠さないハナはもともと折り合いが悪そうだが、少しばかり気になった。

「こんな遅くに、ハナに用事かい？　まさか、また逮捕が決まったとかじゃないだろうね」

喧嘩について里穂子が質問する前に、ヨシコが口を開く。大崎《おおさき》にある園村勝代の事務所を辞去した後、直帰せずにわざわざ蒲田へ舞い戻ってきた理由を思い出し、里穂子は首を小さく横に振った。

「今日は、皆さんにぜひお伝えしたいことがあって来ました。特に――タクローさん」

「……俺？　何だよ」

「以前、戸籍の件を区役所で相談しようとしたら、窓口をたらい回しにされて、結局何もしてもらえなかったとおっしゃっていましたよね。それはいつ頃ですか？」

「はあ？　なんでそんなことを教えなきゃならねえんだよ」

「お願いします」

　里穂子が頭を下げると、タクローはしぶしぶ答えた。ここの住人になる少し前――十八歳の頃だという。二〇〇九年。やはり、と里穂子は唇を嚙んだ。

「実は先ほど、無戸籍者支援の専門家に会ってきたんです。確かに戸籍の取得は難しいかもしれませんが、タクローさんの場合も、住民票であれば発行してもらえる可能性が高いと伺いました」

「今さら何を。戸籍が無理なら住民票はどうかって、そのときにちゃんと訊いたさ。はっきり断られたよ。まずは戸籍を取ってからもう一度来てください、ってな」

「制度の変更があったんです。二〇〇八年に。総務省が各自治体宛に通知を出して、無戸籍者も住民登録ができるようになりました」

「二〇〇八年？　じゃあ俺が行ったのは、それより後だろうが」

「直後の時期は、通知の内容がきちんと行き渡っていなかったそうです。何も把握していない担当者が、本当は住民票を取れるはずの無戸籍者を追い返すこともざらにあったとか。タクローさんは、その被害者になってしまったんですよ。同じ公務員として、本当に申し訳ないです。代わりに謝罪させてください」

　里穂子がまた頭を下げると、タクローは明らかに狼狽した顔をした。伝えた内容に深い衝撃を受けているのが見て取れる。

「だけど……いや……住民票が取れたって……」

「戸籍とパスポート以外なら、大概のものが手に入ると聞きました。国民健康保険も、国民年金も、生活保護も。住民票と健康保険証は身分証明書になりますから、家も借りられます。病院でも保険適用で診療が受けられます。携帯電話も契約できますし、自分の銀行口座も作れます。もちろん普通の仕事にも就けます」

「そんな、まさか」

「これはタクローさんに限った話じゃないですよ。ここにいる皆さんに当てはまる話です。多少のお金はかかりますが、一度住民票を手に入れてしまえば、もうこの倉庫に隠れて暮らす必要なんてない。だから一緒に、専門家に相談してみませんか」

ヨシコとテッペイが、呆気にとられている。アツシとルミカは顔をこわばらせている。タクローは唇を震わせ、リョウはじっと卓上に目を落としている。そんな大人たちを、子ども用のご飯茶碗を持っているミライが、不思議そうに見上げている。

園村勝代の事務所を出た後、里穂子がここに飛んできたのは、いても立ってもいられなくなったからだった。今聞いたばかりの話を、すぐにでも彼らに伝えたかった。何も知らないまま〝外の世界〟との関わりを断って過ごしてきた彼らを、自分の手で説得したかった。

「テッペイさん」

「は、はい？」

「あなたもおそらく、誤解されていたんだと思います」

「……というのは？」

「リョウさんとハナさんの話です。親のいない乳幼児が日本国内で発見された場合、捨て子として保護されたその子には、自治体の長から名前と戸籍が与えられるそうですよ。ここだと大田区長ですね」

里穂子が言葉を切って間もなく、テッペイが息を呑んだ。

その目が限界まで見開かれる。

「刑事さんが言ってるのは……捨て子は、無戸籍にはならねえって……俺たちみたいなことには、普通ならねえって……そういうことか？」

里穂子が首肯すると、テッペイはわなわなと頰を震わせた。込み上げるものを押しとどめるように、両手で口元を押さえ、背中を丸める。「嘘だろ」という彼のかすれ声が、かろうじて耳に届いた。

「俺は……俺は……リョウとハナの人生を奪っちまったのか？　かわいそうな無戸籍の子だって、そう手紙に書いてあったから……俺は……」

彼は犯人ではないのだろうか——と、ひどく取り乱しているテッペイを眺めながら考えた。

恋人の女性に暴力を振るっていた過去があるとはいえ、根は善良そうな男だ。だが、彼が誘拐事件と無関係で、かつ犯人が羽山の推測どおり〝ユートピア〟内部の者だとすると、いったい誰が代理のカウンセラーに扮し、兄妹を捨て子に見せかけて、門のそばに置き去りにしたのか。男装したヨシコか。当時ここに住んでいた他の無戸籍者か。それとも、羽山が幾度打診しても病状が重いという理由で面会を断られ続けているという、元社長の叶内丈なのか。

以前、羽山との会話の中で覚えた違和感を思い出す。

テッペイやヨシコは、リョウとハナをここに受け入れた当時、鳥籠兄妹誘拐事件を知らなかったと言っていた。その頃ここにはテレビも新聞もパソコンもなく、ほぼ閉じこもりきりの生活では街に貼られたポスターを見る機会もなかったという彼らの主張は、一応頷ける。親にネグレクトされ、学校にも通わなかった生い立ちからして、日常的にニュースをチェックする習慣もなかっただろう。

しかし、支援者である叶内丈はどうなのか。彼は一中小企業の経営者だ。家族や従業員と日々関わり合い、テレビや新聞も自由に見られる環境の中で、鳥籠事件の被害児童の写真を一度も目にしたことがなかったはずはない。

誘拐事件そのものへの関わりの有無は不明だ。

だが少なくとも彼は、リョウとハナを〝ユートピア〟に招き入れた時点で──もしくはそう日が経たないうちに、幼子の正体に気づいていたのではないか。

その疑問をいったん脇に置き、里穂子は目の前の住人たちに語りかけた。

「お願いします。どうか社会を敵視しないでください。今お話ししたように、救いの道は必ずどこかに用意されています。今からでも遅くはありません。勇気を出して、一緒にここから出てみませんか？　普通の生活を手に入れてみま──」

「いい加減にしろ！」

思い切りテーブルを叩く音がした。食器がぶつかり、ミライが子ども用の椅子に座ったまま跳び上がる。

卓上に手をついたリョウが、こちらを睨んでいた。里穂子の熱弁を止めた彼が、珍しく激情に突き動かされた口調でまくし立てる。

「俺たちは外の人間とは違う。ここで生き、ここで死んでいく覚悟はとっくにできてるんだ。お前なんかに言われなくても、俺たちは自分たちで幸せを見つける。助け合って暮らしていく。ここはユートピアだ。自分が信じた場所に骨をうずめて何が悪い？」

「ママぁ、リョウが怖いよう。リョウじゃないみたいだよう」

ミライが手を伸ばし、ルミカの腕にすがりついた。そのあどけない声で我に返ったのか、彼が目を閉じ、息を細く長く吐いた。

「……失礼しました。お引き取り願えますか」

いつもの静かな声だった。

その排他的な響きが、里穂子を出口へと追い立てる。

リョウがここまで感情を露わにするのは初めてのことだった。やはり名取宏子との対面でショックを受けたのだろうか。伊藤優との食事中、確かにほぐれつつあった彼の表情は、すっかり元に戻ってしまっていた。むしろ以前より硬くなったような気すらする。

後ろ手に引き戸を開け、一礼して外に出た。

見上げると、うっすらとかかった雲の間に星が出ていた。

どうしたら、彼らの心を動かせるだろう。リョウの警戒心を解き、あの鉄壁を崩せるだろう。

深呼吸をして、真っ暗な工場裏を歩き始める。

「刑事さん!」

後ろから、小声で呼び止められた。驚いて振り返ると、わずかに開いた戸の隙間から、ヨシコが顔を出していた。ちょっといいかい、と彼女がのしりのしりと近づいてくる。

「みんなの前では言いづらかったんだけどね。せっかくあんたという刑事がここに出入りしてるんだからさ。助けてやってほしいんだよ」

「助ける?　どなたを?」

「ハナに決まってらぁね」ヨシコがぶっきらぼうに言った。「さっき、リョウやタクローと喧嘩して出ていったって話しただろ?　その原因ってのが、ナイフで刺されたあの元恋人の男と、まだメールで連絡を取り合ってたことなんだよ。さっき、それがバレたんだ」

「斎藤敏樹さんと、ですか？」

思わず声が上ずる。ここのところずっと鳥籠事件の捜査にかまけていたため、一連の出来事の発端となった自分の担当事件のことは、すっかり頭から抜け落ちていた。

ヨシコが人差し指を唇に当て、しーっと音を出す。

「あたしも一緒になってパソコンの画面を覗いちまったんだけどね。会いたいとか、もう一度やり直したいとか、あっちからしつこく言われてるみたいだ。どうやらハナは男に未練があるらしいんだけど、リョウとタクローはさっさと縁を切れって激怒してね。もともとリョウの虫の居所が悪かったのもあって、たちまち大喧嘩さ」

不可解な情報に、頭が痛くなる。斎藤敏樹は、ハナに愛想を尽かしていたのではなかったか。それで振られたハナが逆恨みし、彼を刺し殺そうとした可能性が高いのだ。よりによって、被害者が被疑者とよりを戻したがるとは、どういう神経をしているのか。

「あたしはさ、何かの罠なんじゃないかと思うんだよ。会ったら確実に、危ない目に遭うに決まってる。だからさ、もうその男がハナに連絡してこないようにしてほしいんだ。できるかい？」

「それは……斎藤さんがまだ何も悪いことをしていない以上……」

「何だ、警察のくせにできないのかい。あたしらの生活を掻き回すだけ掻き回しておいて、大事なときに役に立たないねえ」

じゃあいいよ、とヨシコが背を向ける。里穂子は慌てて鞄から名刺入れを取り出し、ヨシコの前に回り込んで一枚差し出した。

「何かあったら、この番号に連絡してください」

「あんたに直接繋がるのかい？　警察署に電話をかけるなんて、あたしは嫌だよ」

「であれば、裏に私の携帯の番号を書いておきます。勤務中も、なるべく出られるようにしておきますから」

上着のポケットからボールペンを取り出し、「照らしてもらえませんか」とスマートフォンのライトを点けてヨシコに渡す。

揺れる光の下で、名刺裏にペンを走らせた。携帯電話番号のほか、この倉庫に電話がなかったことを思い出し、メールアドレスも書き加えておく。

ふうん、とヨシコは物珍しそうに名刺を受け取った。スマートフォンを里穂子に押しつけると、別れの挨拶もなしに帰っていく。彼女の姿が倉庫の中に消えたのを見送ってから、里穂子もその場を後にした。

長い一日が、ようやく終わった。

*

五月最終日の月曜は、当番日に当たっていた。

時刻が夕方に近づき、窓から差し込む光がだんだんと淡くなるにつれ、建前上は二十四時間としながらも明日の昼前までは確実に続くであろう勤務時間の長さを思い、心がどんよりと曇り始める。

「森垣部長！　さっき検事さんから来てたファックスの件なんですけど――」

隣の机に座る林部海人が、唐突に顔を覗き込んできた。慌てて表情筋を引き締めたが、間に合わなかったようだ。林部が首を傾げ、心配そうに尋ねてきた。

「大丈夫ですか？　部長、すごく疲れて見えますよ。あ、もしやお子さんが死ぬほど夜泣きして、死ぬほど睡眠不足とか？　そのまま当番日突入はきついっすね」

「決めつけないでよ。娘が泣いたのは一回だけ。別に疲れてないし、気のせいでしょう」

「えー、そうですか？　でもよく見たら元気そうだな。幻覚だったかも」

それは里穂子が無理に微笑んでいるからだ。この程度で簡単に欺けるのは可愛らしいが、刑事としての今後がいささか心配になってくる。

里穂子が努めて明るい声で質問に回答すると、林部は満足げに手元の仕事に戻っていった。一一〇番臨場に備え、水色のシャツにベージュのチノパンという動きやすい服装に朝から着替えている彼は、いつにも増して学生のようだ。里穂子は飲みかけの缶コーヒーに口をつけ、同じ島に座る強行犯捜査係の同僚に聞こえないよう、そっとため息をついた。

林部の言うとおりだ。里穂子は今、疲れている。

この一週間、何もかもが行き詰まっていることに対するストレスが蓄積し、そろそろ許容量の上限に迫りつつあった。

一つ目に、斎藤敏樹が襲われた殺人未遂事件。検察から依頼された追加捜査はあらかたやり尽くしたが、ハナ以外に容疑が濃厚な人間は未だ浮上していない。

二つ目に、羽山の助手として捜査に参加している鳥籠兄妹誘拐事件。「お前もお前で、なんとか手がかりを見つけろ」と羽山に無理難題を押しつけられてから早九日経つが、無戸籍者コミュニティの住人たちの懐柔には失敗し、その後は何も手を打てていない。

三つ目に、こんなときに空気を読まず膨れ上がる担当事件の数。

四つ目に、一度始まるとなかなか収まらない娘の夜泣き。

五つ目に、日に日に少なくなる夫との会話。

缶コーヒーを喉に流し込む。ここまでのところ、今日の一一〇番通報の全体件数はさほど多くなく、強行犯係がメインで対応する事件はホームレス同士の喧嘩くらいしか起きていない。このまま朝まで、大きな事件が起こらずに平和に過ごせればいいのだが。

「あっ、そういえば森垣部長」

また林部が声をかけてきた。今度は目が合う前に表情を取り繕い、「何?」と返す。

「先週言ってた、ほら、あの無戸籍のマルヒの件。その後どうなりました?」

「ああ……あれから特に連絡は来てない。二度と関わらないほうがいいって忠告しておいたから、守ってくれてるといいんだけど」

「へえ、そうですか。あの事件、マル害側もちょっとヤバいっすよね。会いたい、復縁したいってアピールしてきたかと思えば、次のメールでは早く傷の治療費を払えってめちゃくちゃ激怒、みたいな感じでしたっけ? ああ、怖い、怖い」

林部が振ってきたのは、ハナと斎藤敏樹の件だった。ヨシコから情報を得た後、心配になってハナにメールを送ると、三日後に返信があったのだ。斎藤敏樹から送られてきたメールの文面を逐一貼りつけた、驚くほど長文のメールだった。その文面から斎藤の精神状態が不安定になっていると判断し、直接会わないよう指示したのだが、ハナからの返信はまだない。

彼女からそうした相談があったということだけは、ペアの林部にも情報共有しておいたのだった。

「いやぁ、カップルって、自然と似た者同士になるのかなぁ」

「どうだろうね。よく知らないけど」

「森垣部長はご結婚されてるじゃないですか。思うところはないんですか?」

「その話、その逮捕手続書と何か関係ある?」

里穂子がノートパソコンを指差して軽くあしらうと、林部は「ええー」と顔をしかめ、不服そうに目の前の画面に視線を戻した。

「森垣、林部」

不意にすぐ後ろから声が聞こえ、里穂子は驚いて振り返った。いつの間にか、係長の野木和久が、里穂子と林部の椅子の背に手をかけていた。

「今話していた例の殺人未遂の件、そろそろ手詰まりかもしれないな。証拠を固められなかったのは残念だが、おそらくあの無戸籍の女性が犯人だったんだろう——ということで、いったん他のヤマを優先してくれ」

「やっぱりそうですよね。分かりました！」

林部があっけらかんと答える。里穂子も了解の意思を示した。予期していたこととはいえ、心中は複雑だった。

これで、斎藤敏樹が切りつけられた事件に関する警察側の捜査は、事実上終了したことになる。あとは検察がハナに対して不起訴の決定を下すのを待つばかりだ。おそらく一か月、どんなに長くても半年以内には、検事から電話かファックスで連絡が来るだろう。

警察署の管内では、日々たくさんの事件が起きる。

この程度の事件は、普通ならこの時点で忘れ去り、何の記憶にも残らない。

だが里穂子は、ハナという人間や育った環境のことを知ってしまった。彼女はどんな気持ちで斎藤を刺し、どんな気持ちで取り調べを受けていたのか。〝外の人〟に対するハナの恋心や、〝ユートピア〟への揺れる思いを想像するだけで、胸が針の束で突き刺されたように痛む。

「やっぱり犯人はハナさんじゃなかった、って可能性はないのかな……」

気がつくと、小さな呟きが口から漏れていた。書類作成に戻ろうとしていた林部が、目を皿のように見開き、椅子を回転させてこちらを向く。

「部長、今さら何言ってるんですか？　マル害の周りに、他に怪しい人間はいなかったんですよ。通り魔説とか、マル害自身の狂言説とか、ありとあらゆる可能性の検討もしたじゃないですか」

「それはそうなんだけど、ね」

「通り魔事件だとしたらハナさんが傷の位置や凶器を把握していたことの説明がつかないし、元カノを腹いせに陥れるための狂言にしては傷が深すぎる、って結論になりましたよね？　他にどういう可能性があるっていうんですか」

思い当たるふしがないわけではなかった。林部の知らないところでいえば、〝ユートピア〟の住人の誰かが犯人という可能性が考えられる。ルールを破って〝外の人〟と交際していたハナに腹を立て、制裁を加えるために犯行に及んだというものだ。

しかし、これといった動機が浮かばなかった。警察と接触するリスクを避けるために普段から自転車にさえ乗らないようにしている彼らが、よりによって相手の男性を殺そうとするだろうか。ルール破りに対する罰ということなら、斎藤敏樹を攻撃するのではなく、ハナを倉庫に監禁したほうがよっぽど安全だ。

もしくは、ハナのことを女性として熱烈に好いている住人でもいれば、嫉妬に狂って恋敵を刺したという動機も成り立つかもしれない。ただ、見たところ、〝ユートピア〟内にそのような人物はいなかった。

事件当時に勤務中でなかった住人は、ハナを除いて七名。そのうち男性はテッペイ、タクロー、リョウ、アツシと四名いるが、歳が離れすぎている、もともと折り合いが悪い、実の兄である、別の女性と夫婦関係にあるといった理由で、全員除外できてしまう。恋愛対象が異性であるという先入観を取り除き、成年の女性二名を被疑者に入れたとしても、結論は同じだ。中年のヨシコと配偶者のいるルミカ。彼女らが犯人である可能性も限りなくゼロに近い。

「ごめん、変なことを言ったね。犯人は、ハナさん以外にありえないか」

「そうですよ！　部長だって、ずっと言ってたじゃないですか。自白以外の直接証拠がないのをいいことに、否認に転じれば勝てると踏んだんだろうって。絶対、あの無戸籍の女が犯人だったんです。証拠を挙げられなかったのは残念ですけど、くよくよするのはやめて、前に進みましょうよ！」

林部の熱弁に、苦笑しそうになる。

彼の言うとおりだ。犯人は、現行犯で逮捕されたハナ。教育係という立場でありながら、なぜ自分は、新人に当たり前のことを説教されているのだろう。

「林部くん、案外いい刑事になれそうね」

「光栄です――って、案外はひどいですよ、案外は」

「じゃあ撤回。意外と」

「それ同義語！」

林部が期待を裏切らない反応をする。ついからかってしまったが、彼の理路整然とした主張を聞き、内心では深く反省していた。

先ほど口からこぼれ落ちたのは、根拠などまるでない、ただの希望だった。自分を無条件に慕ってくれる、天真爛漫で可愛らしい彼女が無実であればいいと、刑事としての立場を忘れ、思わず願ってしまったのだ。

――これでは新人以下だ。

ますます意気消沈しながら、里穂子は当番日の夜を迎えた。

夜間帯は、当番メンバーが二組に分けられ、三時間おきに勤務と休憩を繰り返す。里穂子と林部は休憩から開始となったが、だからといって早い時間から仮眠室にこもる刑事などいるわけもなく、自席に座っていれば自然と担当事件の捜査報告書と向き合う羽目になる。当番日は一一〇番対応以外の署外活動が制限されるため、書類作成ばかりで飽きている様子の林部が、隣で何度も大きく伸びをした。

ジャケットのポケットに震動を感じたのは、窓の外がすっかり暗くなった午後八時前だった。

電話だ。

羽山だろうか。それとも。

さりげなく席を立ち、廊下に出て女子トイレに入る。個室のドアが開いているかどうか確認するまでもなく、この時間帯の刑事課フロアに女性が自分一人しか残っていないことは分かっていた。

一番奥の個室に入り、ポケットから私用のスマートフォンを取り出す。画面に表示されていたのは、〇三から始まる固定電話の番号だった。東京都大田区、という小さな文字を見た瞬間、肩に力がこもる。

心当たりは、一つしかなかった。

「はい、森垣です」

口元を片手で覆い、声を忍ばせて電話に出た。すると直後、荒い息遣いとともに、低い女性の声が聞こえた。

「ああ！　やっと出た。大変だ、あの男がここに来たんだ。どうすればいい？　ハナが、ハナが――」

「ヨシコさんですね？　どうされました？」

「あの男が尾けてきたんだよ！　それで馬乗りになってボコボコに殴ったんだ。倉庫のすぐそばで、ハナをさ。悲鳴に気がついて、リョウとアッシが駆けつけてすぐに引き離したから、逃げてったけど」

ヨシコの気が動転した声を聞き、背筋が凍った。

会いたい、復縁したいとハナに迫っていた、あの気味の悪いメールの文面が頭をよぎる。

里穂子やリョウたちの忠告を無視して、ハナは彼に会ったのではないか。そこでトラブルが発生したのか、もしくは最初から罠だったのか、街中でいったん別れたハナを、彼はこっそりと尾行し――。

「その男というのは、ハナさんの元恋人ですね？　斎藤敏樹さん」

「うん、ハナはそう言ってる」

「ハナさんの現在の状態は？」

「顔と手が鼻血だらけだ。でもたぶん、他に大した怪我はないよ。それより、あの男にここのことを知られちまった。またハナに復讐をしにくるかもしれない。どうすればいい？　何かできないかい？　あんた警察だろ？」

今は社長室の電話を借りている、とヨシコは早口で言った。〝ユートピア〟の支援を父親から引き継いで行っている息子の叶内勝が、まだ会社に残っていたようだ。斎藤敏樹が工場の敷地から逃走したのは五分ほど前で、ハナはショックのあまり、倉庫の入り口前に座り込んだままだという。

ヨシコの慌てた声を聞きながら、里穂子は思考を巡らせた。ヨシコの言うとおり、これは斎藤敏樹による復讐だろう。ナイフで切りつけられたことに対する仕返し。求愛と脅迫の入り混じった不可解なメールは、その前兆だったというわけだ。

もともとの立場が殺人未遂事件の被害者であるとはいえ、れっきとした傷害事件を起こした斎藤を野放しにするわけにはいかない。住居が知られた以上、放っておけば何度でも戻ってきて、またハナを襲う危険性がある。しかし問題は、このまま警察が介入すると、なぜ現場が工場の敷地内だったのかという部分に焦点が当たり、〝ユートピア〟の存在やそれに伴う数多の法令違反が明るみに出る可能性があることだ。

彼らはそれを望まない。

望まないから、里穂子に直接助けを求めてきた。

――どうする？

解決策はすぐに浮かんできた。口に出す前に、彼らのためにそうまでする義理が果たして自分にあるのかと、一瞬躊躇《ちゅうちょ》する。だがその迷いも、「刑事のあんたがあたしらを助けるなんてできっこないか」というヨシコの諦めたような声に吹き飛ばされた。

「いいですか。よく聞いてくださいね。ハナさんに、今すぐ工場の敷地を出るよう伝えてください。そこから駅に向かう途中、徒歩三分くらいのところに、信号のついている十字路がありますよね？その信号が見える場所でうずくまっていてください。十字路まで行くと人通りがあるので、ずっと手前でいいです。移動するときは誰にも見られないように注意して、あと鼻血はできれば拭かないで。手ぶらではなく、普段使っている鞄も持参してください」

「ここじゃない場所で殴られたことにするんだね」

「そのとおりです。今からそちらに向かいますが、私以外の警察官が先に到着した場合、何か訊かれたらこう答えてください。『後を尾けてきた元恋人に殴られた。通りすがりの人の携帯を借りて、森垣に直接連絡した』と。あとは私がなんとかします。分かりましたか?」

一気に喋ったため、ヨシコがすべてを理解できたか心配になったが、彼女は「頼んだよ」と言い置いて電話を切った。

個室内の壁に寄りかかり、ふう、と大きく息を吐く。

幸運なことに、今日は自分の当番日だ。蒲田警察署の管内で起きた強行犯案件は、すべて里穂子と林部ペアの担当になる。被疑者の取り調べも、被害者の事情聴取も、新人の林部はあくまで調書の記録担当であり、実際に主導権を握るのは里穂子だ。鼻血が出た程度の傷害事件であれば、警部補クラスが取り調べに介入してくる心配もないだろう。

自分は今、刑事が越えてはいけない一線を、踏み越えようとしている。

考えた途端、足がすくんだ。しかし、ぐずぐずしているわけにはいかない。今この瞬間にも、現場から逃走した斎藤敏樹は遠くへと逃げ続けているのだ。

里穂子は壁を蹴るようにして身を起こし、女子トイレから飛び出した。

その傷害事件は、署員の迅速な連携により、見る間に解決を見た。

斎藤敏樹は、署から無線で要請を受けて駅前に繰り出した交番の巡査に職務質問を受け、その場で逮捕された。ハナの鼻血が付着したTシャツを着て、酩酊したような足取りで歩いていたため、通行人の視線を集めていたらしい。

犯人逮捕の連絡が入ったのは、里穂子と林部が捜査車両にハナを乗せ、署に戻ろうとしている最中だった。無線の内容を後部座席のハナに伝えると、彼女は苦しそうに目を伏せ、「そっか」と呟いた。

この二か月で、林部の運転も少しは上手くなった。夕方に説教と激励を受けたことといい、彼も彼で、刑事として着実に成長しているのだ。特に口出しすることなく、助手席の背もたれに深く寄りかかり、現場に急行するまでの経緯を思い返す。

里穂子が女子トイレを出てから、捜査車両に乗り込むまでは、おそらく五分もかからなかった。自席にいた林部の腕を引っ張って刑事部屋を後にし、無線指令室にいる警部補に担当事件の被疑者から直接連絡があったとして事件内容を知らせ、一階の当直席に声をかけてそのまま外へと走り出した。おかげで、〝事件現場〟である住宅街内の交差点付近には、地域課の制服警官よりも先に到着することができた。

ハナは里穂子の指示どおり、交差点の信号がかろうじて見える住宅街の一角に、闇に溶け込むようにしてうずくまっていた。民家の前に停めてある車の陰で震えていたハナは、血だらけの顔を覆って泣いていた。

――ごめんなさい、森垣さん、ごめんなさい。

駆けつけてきた里穂子の姿を認めると、ハナはいっそう激しく啜り上げた。

――トシくんともう会っちゃダメって、メールで言われてたのに。まさかこんなことされるなんて、思わなくって。

鼻血はすでに止まっているようだった。こびりついた血の量を見て「救急車、呼ばなくていいんですか?」と慌てふためいていた林部も、「彼女、健康保険証がないから」と里穂子が囁くと、ハナが無戸籍であることを思い出したようだった。林部に怪我の具合を尋ねられたハナは、病院に行くほどじゃないです、と首を力なく横に振っていた。

その後の会話は、ほとんど里穂子による意図的な誘導尋問で進んだ。元恋人である斎藤敏樹さんに、ここで襲われたんだね？　メールで呼び出されて会いにいったの？　駅前の繁華街で別れたはずなのにいつの間にか尾行されていて、人気《ひとけ》のない場所でいきなり殴りかかられた？　私に連絡するときにスマホを貸してくれた通行人の方は、すぐに立ち去っちゃったのかな？

ハナはそのすべてを肯定し、「すみません」と謝り続けた。事実を意図的に捻じ曲げていることを他の警察官に見抜かれないかと気が気ではなかったが、隣で里穂子とハナの円滑なやりとりを見ていた林部や、後からパトカーで駆けつけた制服警官たちは、特に何の疑問も抱かなかったようだった。

署に戻ってしばらくは、斎藤敏樹の逮捕に伴う諸手続きや引継ぎに追われた。地域課の警官に連行されてきた彼をいったん留置場に入れ、被害者用の相談室で待たせていたハナのもとに戻ったときには、すでに午後十一時を回っていた。

「ごめんね、ずいぶんとお待たせして」

清潔感のある白いテーブルの上に、自動販売機で買ってきたばかりのアイスココアを置く。濡らしたハンカチで鼻を冷やしながらこちらを見上げるハナに、「私のおごり。どうぞご遠慮なく」と微笑むと、彼女はようやく安心したように缶を引き寄せ、プルタブを親指の腹で押し上げた。

プシュ、という耳に心地いい音がする。

「……よかったぁ」

「何が？」

「警察署で話を聞かれるっていうから、またあのいやーな部屋なのかと」

「取調室ね。あっちを使うこともよくあるんだけど、あなたの場合、さすがに気分が悪いだろうと思って」

署に着いてすぐ、顔や手に付着した血は洗い流させていたが、白いブラウスには赤い染みが点々とできていた。里穂子の視線に気づいたのか、「落ちるかなぁ。気に入ってたのになぁ」とハナが服の裾をつまんで肩を落とす。

里穂子はテーブルに身を乗り出し、顔を寄せて囁いた。

「詳しい取り調べはまだだけど、ちょっと探りを入れてみた感じでは、斎藤さんは倉庫の中までは見なかったみたい。人気《ひとけ》がないから都合がいいと思って犯行に及んだだけで、突然工場の敷地に入った理由は分かってなかったんじゃないかな。ハナさんが私有地にいったん逃げ込んだのは尾行に気がついて怖くなったからで、倉庫から飛び出してきて斎藤さんを追い返したのは何の関係もない工場の従業員だったたって、こっそり嘘を吹き込んでおいた」

「……森垣さん！」

「私たちが把握している最終的な犯行現場が違うことに疑問を覚えるかもしれないけど、殴った場所がどこかというのは彼にとって大した問題じゃないはずだから、取り調べではこちらが用意した筋書きをそのまま認めさせる。工場の敷地への不法侵入を見逃すことにもなるわけだし、彼にとっても都合がいいでしょう。だから心配しないで」

「すごい！　本当にありがとう！」

人差し指を口元に当てる。次の瞬間、ノートパソコンを抱えた林部が相談室に入ってきた。

「ん？　ありがとうって？」ときょとんとした顔をする彼に、「ココアを差し入れてあげたから」とあながち嘘でもない回答をすると、事情聴取前にのんびりトイレに行っていたお気楽な新米刑事は「いいなぁ。俺もほしかった」と純粋に羨ましそうな顔をした。

林部が供述調書のファイルを開くのを待って、事情聴取を開始した。住居、職業、氏名、電話番号、生年月日、年齢はすべて空欄のまま、いきなり本文に取りかかる。先月ハナを殺人未遂事件の被疑者として逮捕したときは、初っ端の本籍の項目だけで小一時間かかったが、今回はこちらも手慣れたものだった。

現場でも簡単に聞いた事件の経緯を尋ねていく。里穂子が話した内容にハナが素直に頷き、それを林部がそのまま文章に起こすだけだから、調書の作成は驚くほどスムーズに進んだ。終始否認を貫いていた勾留中の取り調べとは大違いだった。

何か補足することはあるかと最後に問いかけると、ハナはバツが悪そうに俯き、小声で答えた。

「トシくんね……復縁したいっていうのは、嘘だったんだって。あのメールは全部、私を呼び出して、仕返しをするためだったんだって」

「今日会いにいったら、そう言われたの？」

「そう。『お前があんな事件を起こしたせいで、琴音にもバレて逃げられた』ってすっごい怒ってた。トシくん、私以外に付き合ってる女の人がいたんだね。バカだなぁ、私。プロポーズしてもらったくらいだし、トシくんは私だけを大事にしてくれてたんだって、ずっと勘違いしてた……」

思わず林部と顔を見合わせる。

今ハナが言及した「琴音」とは、斎藤敏樹の浮気相手のことだ。ド派手な化粧をしていた彼女の元には、里穂子と林部も一度事情聴取に行った。てっきりハナは二股をかけられていたことに気づいていて、加賀琴音の存在も斎藤を殺そうとする動機の一つになったのではないかと思っていたが、違ったのだろうか。

「『ナイフで刺した犯人は私じゃないよ、だから釈放してもらえたんだよ』って何度も言ったんだけど、『絶対にお前に決まってる』って、全然分かってもらえなくてね。トシくん、昼間から家でお酒をたくさん飲んでたみたいで、ちょっと変になってて……それで怖くなって、すぐに『私、やっぱり帰るね』って言ってお店を出たんだ。でも、駅からあんな遠いところまで後を尾けてくるなんて、びっくりだったなぁ」

「ねえ、ハナさん。斎藤さんと、本気で復縁したいと思ってたの？」

里穂子が尋ねると、ハナは恥じらう少女のように、もじもじと肩を動かした。

「そうだよ。トシくんが受け入れてくれるなら、って。バカだよね。ちょっぴり期待しちゃった」

「加害者と被害者の関係なのに？」

「……え？」

「琴音さんのこと、本当に知らなかったの？　浮気相手の存在を知ったから、嫉妬して犯行に及んだんじゃなかったの？」

失言に気づいたのは、ハナの顔がみるみるうちに青白くなるのを見た後だった。

彼女の目の奥に宿る光が失われ、笑顔がふっと消える。

ほんの一瞬、自分とハナが、取調室の灰色のスチール机を挟んで向き合っているように錯覚した。部屋の隅には温かみを演出するための観葉植物があり、照明も白く明るいというのに、彼女との間に漂う空気が急に張り詰める。

「森垣さんは……まだ、私が犯人だと思ってたんだね」

ハナの声のトーンが不意に変わった。か細くて頼りなげで、警戒心がにじみ出ている声。

初めて会った頃、彼女がこういう喋り方をしていたのを思い出した。

焦りが生まれる。ハナとはこれまでに十分対話をし、打ち解け合い、心を開いてもらってきたつもりだった。信頼されている自負もあった。そろそろ、この話題に踏み込み、自白を促してもいい頃ではないかと思ったのだ。

　息を深く吸い、気持ちを落ち着かせてから、「だってね」と切り出す。

「今回、どうして斎藤さんがこんなことをしたか、分かる？　ハナさんがいったん罪を認めたにもかかわらず、途中で全面否認に転じて、処分保留で釈放になったからだと思うよ。本当のことを話してきちんと罪を償っていれば、今日のような復讐を受けることもなかったんじゃないかな。もちろん斎藤さんが暴力を振るったのはいけないことだけど、いきなり後ろからナイフで切りつけるのは、もっと危険だよね」

　ハナの心に届きますようにと祈りながら、懸命に訴える。

「未遂だし、初犯でもあるから、厳しい刑が言い渡されることはないはず。刑務所に入ることにはなるかもしれないけど、ただそれだけ。だから、もし心当たりがあるなら、本当のことを教えてほしいの。斎藤さんと一緒に、それぞれの罪を償ってほしい。……どうかな？」

　ハナが起訴されて実刑を受けることになっても、〝ユートピア〟に直接被害が及ぶわけではないということを、言外にほのめかす。

　しかし、彼女の顔には、相変わらず失望の色しか浮かんでいなかった。

　じっと黙ったまま、白いテーブルの表面に目を落としている。

「……悲しいな」

　ハナは一言、そう呟いた。

　そんなことを言われても、と困惑する。では、逮捕された当日、斎藤敏樹を殺そうとしたと青い顔で犯行を認めていたのは何だったのか。あれが嘘だったとでも言うのか。別れた恋人を殺そうとして刺した。事件直後は犯行を認めたものの、取り調べを受けるうちにだんだんと知恵がつき、途中から全面的に否認することにした。そういうことではなかったのか。

ペアの林部とともに、ありとあらゆる別の可能性を検討した。〝ユートピア〟内に犯人がいるのかもしれないとも考えた。その上で、里穂子は最終的に、ハナが犯人だと結論づけたのだ。その過程のどこかに、間違いがあったというのだろうか。

「ハナさん」

怖がらせないよう、優しい口調を意識して呼びかける。

しかし彼女は、固く目をつむり、首を細かく左右に振り続けていた。林部が戸惑ったようにこちらを見ている。テーブルの上に置いた指の先まで、無力感が広がっていく。

里穂子が全力を尽くしても、ハナは落ちない。

林部が印刷してきた供述調書に署名と指紋押捺をしてもらい、林部に捜査報告書の作成を押しつけた里穂子が食品工場の近くまで車で送り届けるまでの間、結局、彼女は一言も声を発しなかった。

＊

もはや見慣れた光景だ。

工場裏の暗がりに、ひっそりと佇む四角い倉庫。耳を澄ませばかすかに聞こえる人の声。物音。食事の支度をする香り。

重い引き戸を開き、暖色の光に包まれる倉庫の中を覗いたことがある者でなければ、そのすべてを隣家のものだと思い込むことだろう。お互いがお互いを気に留めない。里穂子が生まれ育った東京は、そういう街だ。

「今日は、どうしてここに？」

隣を静かに歩く羽山に尋ねると、軽くあしらうような答えが返ってきた。

「ここ最近ご無沙汰していたからな。穏やかに定期訪問といったところだ」

「先ほどの電話からすると、とても穏やかそうには思えませんが」

昨日の一件を里穂子が羽山に報告したのは、今日の昼過ぎ、当番明けすぐのことだった。

よくやった、と羽山は電話口で言った。

里穂子が思わず訊き返すと、彼は平然と続けた。お前はストーカー化した元恋人という脅威を取り除き、〝ユートピア〟を窮地から救ったわけだ。あいつらはお前に借りを作った。そこに付け込もう。

そうして、羽山に言われるがまま、非番の夜にここへ足を運ぶことになった。昨夜はほとんど仮眠が取れず、昼過ぎに退勤した後も一睡もしていないため、心なしか頭がふらふらする。

引き戸に手をかけた。ノックする前に、隙間からそっと中を覗いてみる。

大きな人形を手に持っているミライの姿が見えた。その向かいには、別の人形を手に、タクローが床にあぐらをかいている。いつも気怠そうにしている彼にしては珍しく、その顔には幸せに満ちた笑みが浮かんでいた。ミライが澄ました口調で台詞を喋ると、相手役になりきったタクローが愛想よく答え、二人のおままごとが進行していく。その後ろでは、アツシとルミカが寄り添い合い、娘のませた言葉の一つ一つに楽しそうな笑い声を上げていた。

自分たちがいる場では決して見られない住人の素顔を、もう少し眺めていたかった。

その願いは、横から手を伸ばした羽山による、遠慮のないノックの音に破られる。

「自分の子どもでもないのにご苦労なことだな」

羽山の第一声は、タクローに向けられたものだった。この人は他者との対話の仕方を改めたほうがいいと、近くで見ていてつくづく感じる。

案の定、タクローは気分を害したようにそっぽを向いてしまった。人形を置いてすっと立ち上がり、いつものようにソファを占領して寝転がる。「タクローは、子どもが好きだから。今からでも資格を取れるなら保育士になりたいって、このあいだ言ってたものねえ」と座卓で茶を啜っているヨシコがからかうと、「そういうことを言うなよ」とタクローがトタン屋根の天井に向かって不愉快そうに吐き捨てた。

——今からでも資格を取れるなら？

それは、里穂子の熱弁が少しは響いたということなのだろうか。今からでも住民票や健康保険証を取得できるという、新たな可能性の提示が。

疲れ切っていた心に、ぼんやりと希望の灯がともる。リーダーのリョウには厳しく突っぱねられたものの、園村から聞いた話をそっくりそのまま伝えるという自分の行動は、決して無駄ではなかったのだ。

「ねえ、タクロー、私も座りたいんだけど」

食事の支度を終えたのか、台所に見立てた長机から離れたハナが、倉庫内を横断してソファに近寄った。

「はあ？　お前はあっちに座れよ。仲良しの刑事と一緒にさ」

「別に、仲良しなんかじゃ……」

もともと折り合いの悪いタクローに突き放され、ハナが気まずそうにこちらを見た。里穂子と目が合った瞬間、下唇を嚙んで俯く。明らかに里穂子を避けている様子のハナが、縋《すが》るような視線を送ってきた気がしたのは、都合のいい思い違いだろうか。

いつものメンバーは、全員揃っていた。テッペイはヨシコの隣で落ち着かなげに貧乏ゆすりをしている。同じく座卓を囲んでいるリョウは、こちらに目もくれずに本のページをめくっていた。

「昨日はどうもね」

ヨシコが里穂子をちらりと見て、片手を上げた。

「ハナから話は聞いたよ。ここのことは表に出さずに、あの男を無事捕まえてくれたんだって?」

「ええ。彼は今留置場に入っています」

「大したもんだ。正直、あんたのことを見直し――」

途中まで言いかけ、ヨシコは口をつぐんだ。向かいに座るリョウに睨まれたようだ。彼が手元の本に視線を戻すと、倉庫の中の時が再び動き出す。

「で、今日は二人揃って何の用だい?」

片方の眉を器用に上げたヨシコに、羽山が「調査結果を伝えにきた」ともったいぶるような口調で答えた。

「調査結果? 何だいそれは」

「お前らが戸籍を取れないのは、家族に関する情報が足りないからだと聞いた。それなら、俺が少しばかり手伝ってやろうかとね。さっそく一つ興味深いことが分かったから、教えにきてやったんだ」

それは初耳だった。住人たちの個人情報をハナから聞き出して以来、調査を進めているとは聞いていたが、何か収穫があったということか。

「テッペイというのはお前だったたな」

「そ、そうだけど」名指しされたテッペイが背筋を伸ばす。

「調査の結果、お前に子どもがいることが判明した」

明日の天気予報でも告げるように、羽山が言った。

テッペイが口を半開きにした。

ヨシコもアツシもルミカも、所在なげに立っていたハナも、そして里穂子も目を丸くする。無視を決め込んでいたリョウですら、ぴくりと肩が動くのを隠せていなかった。

「こっ……子ども？　どういうことだ？」

「仁野芙三子。お前の若い頃の恋人だな。暴力を振るって逃げられた、元居酒屋店員の女だ。蒲田で働いていたならこのあたりに居住歴があるんじゃないかと思い、近隣の区役所に照会したら、見事にヒットした。名前が珍しい上、母親になってからも未婚を貫いたらしく、今も苗字が変わっていなかったおかげで早々に見つかったよ。で、彼女には、今年三十一になる息子がいる」

「三十一……」

放心したように、テッペイが呟いた。先に暗算を終えたらしいヨシコが、「あんたが二十二のときの子だよ！」と興奮した声を上げ、テッペイが目に驚愕の色を浮かべる。

「確かに、俺が芙三子と別れたのは二十二のときだったけど……そ、それって、何だ？　だから俺の子ってことになるのか？　だって、妊娠だなんて、芙三子は一言も……」

「まあ、そればっかりは本人に訊かないと分からないよな。そこで先日、仁野芙三子に会ってきた」

「会ったのか！　芙三子に！」

「間違いなく原西鉄平《はらにしてっぺい》の子だ、と彼女は言っていたよ。本当は三人家族になるのを夢見ていたが、このまま暴力を振るわれ続けたらお腹の子も自分も死んでしまうと思って、仕方なく逃げたんだと。

お前が昔のことを反省していて、今は真人間になっていると伝えたところ、会ってみたいとまで申し出てくれた」

「嘘だろ……芙三子……」

「あの、すみません。それって本当なんですか？」

疑わしげに口を挟んだのは、アツシだった。

「みんな、気をつけたほうがいいよ。この刑事、テッペイさんに好きな人との子どもがいたなんて真っ赤な嘘を言って、俺らの警戒を解こうとしてるだけかも――」

「もちろん本当だ。証拠ならいくらでも示せる。初めて彼女に贈った誕生日プレゼントがバラの花束だったこと。当時彼女が働いていた居酒屋の店員にチンピラ上がりの男がいて、その態度の悪さをよく話題にしていたこと。彼女の家で、たまには俺が料理を作ると張り切ったくせに、カレーを強火で煮て思い切り焦がしたこと」

「ああ！　芙三子だ……本当に芙三子だ。間違いねえ！」

テッペイが声を絞り出し、天を仰いだ。目に溜まった涙に電球の光が映り、金色に輝いている。

当てが外れたアツシが、ふてくされたようにそっぽを向いた。

「あいつ、俺との……俺の子どもを産んでたのか……」

「よかったな。仁野芙三子はお前との再会を望んでいる。血を分けた息子の顔も拝める。お前は天涯孤独じゃない。新しい家族とともに、第二の人生を歩めるんだ」

「そんなことがあっていいのか……夢じゃないのか」

テッペイが涙を拭い、唇を震わせた。感極まった様子で目頭を押さえた後、ようやく口を開く。

「で――芙三子は今、どこにいるんだ？　どこに行けば会えるんだ？」

「それは教えられない」

不意に、羽山の声色が変わった。

そういうことか、と瞬時に悟る。

その低く冷たい、相手を突っぱねるような響きに、テッペイが目を泳がせた。

「な、なんでだよ！　俺に会いたいって、芙三子が言ってくれてるんだろ？」

「正確に言い直したほうがいいな。仁野芙三子の居場所を教えてやってもいいが、あくまで条件付きだ。お前がかつての恋人や息子に会うためには、まず誘拐事件の真実を話してもらわなければならない」

「……え？」

「例えばだが、こんな仮説が考えられるな。仁野芙三子の妊娠を、実はお前は知っていた。その彼女に逃げられ、誕生を楽しみにしていた子どもを育てられなかった腹いせに、ニュースで見た鳥籠事件の兄妹を〝ユートピア〟に連れ去り、自分の子どもとして可愛がることにした。どうせ親にひどい虐待を受けていた彼らなら、誘拐しても誰も悲しむまいと思ったんだ。どうだ、違うか？」

「ふ、ふざけるな！　俺は犯人じゃない！　何度も言っただろ！」

「怯えることはない。未成年者略取も逮捕監禁も、公訴時効は犯罪行為から五年だ。真実が分かったところで、時効成立案件として書類送検するだけで、お前が罪に問われることはない。吐いてしまえば楽になるぞ」

「やってねえもんはやってねえ！」

目の前の餌を引き上げられたテッペイが、絶望の色がにじんだ声で叫ぶ。

「リョウとハナは、捨て子だったんだ！　信じてくれよ！」

「もちろん、自白の対象はお前に限らない。この中に誘拐事件の真実を知る者がいれば、今すぐ吐け。自分が犯人だとか、犯人を知っているだとか、何でもいいんだ。誰か一人が自供すれば、原西鉄平は無事に最愛の元恋人に再会できる。息子にも会える。このままじゃ、さすがにかわいそうだろ？」

羽山が倉庫の中を見回し、一人一人を蛇のように睨《ね》めつけた。

「例えば、そうだな。ここの会長の叶内丈に関する証言はぜひとも欲しいところだ。いくら息子や病院に面会を打診しても、『本人と家族の意向』を理由に断られ続けていてな。十中八九、後ろ暗いところがあって逃げ回ってるんだろうと睨んでる。どうだ？　黒幕は叶内か？」

「叶内さんはそんな人じゃねえ！」テッペイが座卓に拳を打ちつけた。「本当に病気が重いんだ。もし元気だったら、あの人は多少無理をしてでも、絶対にここに会いにきてくれ――」

「とにかく、真実を知っている者は証言しろ。全部を把握していないなら、その片鱗でもいい。大切な仲間のために一肌脱ぐんだ。さあ」

羽山の高圧的な命令が、倉庫内の空気を震わせた。

数秒待つ。

羽山が焦れたように、革靴の底で床を叩く。

自供する者はいなかった。テッペイは祈るように両手を組み合わせ、ヨシコは座卓に頬杖をついて天井を見上げ、リョウはじっと本のページに目を落としている。ソファに寝転ぶタクローは身じろぎもせず、ハナは恐る恐る仲間を見回し、アツシとルミカは怒りで顔を真っ赤にしている。

沈黙を破ったのは、アツシだった。

「決めつけないでください。そんな――誘拐犯がユートピアの中にいるなんて。証拠はどこにもないじゃないですか！」

「そうだよ！」とルミカが珍しく声を荒らげ、夫を援護する。「私たちが無戸籍者だからって……こんなの差別だよ！」

「差別？　それは違う。鳥籠事件の被害児童と目される兄妹がここに長年匿われていた以上、一緒に暮らしている住人を疑うのが筋というだけの話だ」

「そんなこと言われても、刑事さんは私たちのこと、最初から悪者扱いしてるよ！」

「そうですよ！　テッペイさんや叶内さんがかわいそうです」

アツシとルミカが怒り狂う。羽山が何度か反論しようとしたが、若い夫婦は耳を貸すことなく、攻撃の言葉を浴びせ続けた。

しまいに、羽山が大きくため息をつき、身を翻した。

「ったく、面倒だな。今日言ったこと、よく考えておけよ。俺としては、家族が無事に再会できることを、心から願っておくことにする」

皮肉たっぷりに捨て台詞を吐き、引き戸を開けて出ていく。羽山が開け放した入り口から生温い風が吹き込み、里穂子の頬を直撃した。

羽山を追いかけようと、一歩踏み出す。そこで思いとどまり、里穂子は住人たちへと向き直った。

「あの」

いつの間にか息を止めていたことに気づき、深呼吸をする。

顔を上げると、二種類の視線を感じた。

一つは戸惑いの混じった視線。もう一つは、敵意が込められた視線。

「決めつけるような真似をしてごめんなさい。ただ……私はいつも、困っている人の力になりたいと思っています。二十四年前に誘拐された鳥籠事件の兄妹も、突然ナイフで切りつけられた斎藤敏樹さんも、昨日その斎藤さんに襲われたハナさんも、無戸籍の皆さんも——私にとっては、同じ『困っている人』なんです。だから捜査をしますし、助けたい。皆さんのことは私が支えます。何とかします。だから皆さんも、もし秘密にしていることがあれば、私と羽山に教えてほしいんです。もちろん、なければないで構いません」

ふん、と鼻で笑う音が聞こえた。

そちらの方向を見ると、アツシと目が合った。ルミカの肩を抱き寄せた彼が、冷たく言い放つ。

「助けなんて、別に要りませんよ。俺らは自分たちだけで生きられますから。みんなはどうだか知りませんが、少なくとも俺とルミカは、死ぬまでユートピアに残ります。ミライと一緒に、ここで幸せに暮らすんです」

里穂子が差し伸べた手を、勢いよく振り払うような言葉だった。当初は傍観者の立場でいることが多かった若い夫婦の激しい反発に、熱意と自信がみるみるうちにしぼんでいく。

園村勝代から無戸籍問題をめぐる昨今の状況を聞いたときは、これですべてを解決できると思った。先ほども、今からでも保育士を目指したいというタクローの思いを耳にし、小躍りしそうになった。

しかし、〝ユートピア〟の最も熱心な信奉者の心は動かせなかった。ここを終の棲家と決めているアツシとルミカは、外の世界に踏み出すことを望まない。

だったら、どうすればいいのか。

何が彼らにとって一番の「助け」になるのだろうか。

そういえば、今日ここに来てから、リョウが一言も口を利いていないことに気づく。

「まあまあ、アッシ。そう突っかかるのはやめなよ。こっちの女刑事さんはそんなに悪い人じゃない。昨日のことで、それは分かっただろ?」

ヨシコがのんびりとした声で、肩を怒らせているアッシをたしなめた。それからテッペイの背中に優しく手を当て、座布団に座ったまま里穂子を見上げる。

「テッペイが愛した女とその息子のこと、調べてくれてありがとうね。たとえ会わせてもらえなかったとしても、血の繋がった息子がこの世に存在してることが分かっただけ、苦労してきたこの人にとっちゃ大きな救いだよ」

「あれは羽山が調べたことで、私は——」

「まあ、それはそうだろうね。あっちの性格の悪そうな刑事が、あたしたちを計算ずくで強請《ゆす》ろうとして見つけてきたネタなんだろう。でも、『仁野芙三子』って名前をわざわざ奴に伝えてくれたのはあんただろ? この人が大事な大事な芙三子さんの話をしたのは、あんたに対してだけなんだから」

「それは……」暗い倉庫裏で、切ない昔話に耳を傾けたことを思い出す。

「あんたがそうしたのは、テッペイっていう『困っている人』を助けるためだったんだろうね。そのあったかい思いだけは、ちゃんと受け取ったよ。あたしらがリョウとハナを施設から誘拐しただとか、叶内さんが黒幕だとか何とか、そんなバカなことを認める気は一切ないけどさ」

ねえあんた、とヨシコがテッペイの顔を覗き込む。彼は座卓に額がつくほど深々と頭を下げ、ありがとう、本当にありがとうと涙ながらに繰り返した。

上手くいかないことばかりで荒んでいた心に、再び小さな灯がともる。

肩を寄せ合う中年男女——恋人でも夫婦でもない、不思議な絆で結ばれた同居人の二人を、里穂子はじっと見つめた。

この倉庫でかれこれ三十年生活をともにしてきた、〝ユートピア〟のアダムとイブ。

性別の違いを超え、不遇な人生をともに乗り越えようとした、盟友であり、相棒。

ヨシコとテッペイからもらった温もりが消えないうちに、里穂子は一礼し、倉庫を後にした。

従業員の出入りに警戒しながら、工場の表へと回る。自分以外の足音が聞こえないことにほっとして門に近づくと、手前の暗がりに佇む長身のシルエットが目に飛び込んできた。

羽山だ。

先に帰ったものと思っていたが、何か用件でもあって待っていたのだろうか。

自分からも報告すべきことがあったのを思い出し、声をかけようとする。その途端、羽山が無言で首を横に振り、親指で門の向こうを指し示した。

――ここから道路を覗け、と言っている?

長身の羽山の隣に並び、目線をできる限り揃えようと背伸びをする。住宅街を窺ってすぐ、道路を挟んで向かい側にある電柱の陰に、髪の長い女性が立っているのに気がついた。電柱に寄りかかるようにして、手元のスマートフォンをいじっている。

マスクをしているため人相はよく分からないが、若くはなさそうだ。四、五十代といったところか。近くの道を車が通りすぎるエンジン音がすると、それに反応するように視線を上げ、また画面に目を落とした。

どことなく挙動不審、という印象を抱く。交番勤務時代であれば、迷わず職質をかけているところだ。

いつの間にか、スーツの下には汗がにじんでいた。六月初日という今日の日付が頭をよぎる。

――この工場の周りをうろうろする、変な女がいるんだ。毎年、だいたい五月か六月……そうそう、今くらいに。

テッペイは確か、そう言っていた。今年も見たかというこちらの質問に対し、まだだとも答えていた。「もしかしたらあの二人を捨てた本当の母親なんじゃないか」と彼が推測を語ったのをきっかけに、鳥籠事件の加害者である名取宏子が実は誘拐事件にも関与していた可能性を疑い、羽山が彼女を訪ねたわけだが――。

「あれが名取宏子に見えるか?」

羽山が身を屈め、里穂子の耳元で囁いた。彼も同じことを考えていたようだ。

「実は、ここに来るときも近くで見かけた。そのときは特に何も思わなかったんだが、こうも長居しているとな」

「背格好は似ていると思います。でも……」

気がつくと、足が動き出していた。勝手な行動を咎められるかと思ったが、羽山も何も言わず、後ろをついてくる。

里穂子らが近づく気配に、女性が顔を上げた。

はっとしたように息を呑み、こちらをまじまじと見つめてくる。まるで、今まさに誰かを探していて、門から出てきたのがその誰かかどうか確かめるかのように。

違ったか、と背後で羽山が小さく呟いた。

名取宏子ではなかった。どこか不安げで気弱そうな目が、里穂子を見返す。

「こんばんは。ちょっとよろしいですか」

上着の内ポケットから警察手帳を取り出し、街灯の薄暗い光に照らす。彼女は黒い手帳を凝視した後、「え、ええっ」と裏返った声を上げた。食品工場から私服警察官が出てくるとは予想外だったのだろう。ただでさえ、ごく平均的な体格の女性である里穂子は、スーツを着ていてもなかなか刑事には見られない。

「さっきからずっと、この付近を歩き回っていらっしゃいますよね。こちらで何をされてるんですか?」

「いえ、あの……ここに勤めてる人に用があって……」

「食品工場に? であれば、事務室を訪ねてみたらいかがですか」

「あ、分からないんです。今もまだ働いてるのかどうか。私が知らないだけで、もう退職してるのかもしれないし……」

「この時期に、毎年来ていらっしゃいますよね?」

ハッタリをぶつけると、彼女は表情を凍らせた。「それは……」と俯き、次の言葉を懸命に探すかのように目を泳がせる。やはり彼女は、テッペイがたびたび目撃していた中年女性と同一人物のようだ。とすると、食品工場になど足を運んでいないという名取宏子の主張は、嘘ではなかったということか。

おどおどしている彼女を眺めながら、考える。毎年現れるという中年女性がリョウとハナの実母でないのなら、この人は〝ユートピア〟で暮らす他の住人の血縁者ではないだろうか。年齢からすると、タクローかアツシの失踪した母親、もしくはテッペイやヨシコの姉妹かもしれない。

彼女は何らかのきっかけで、行方知れずになっていた自分の肉親がここで暮らしていることを知った。ただ確証がなく、工場の敷地に踏み込むのはためらわれる。そのため年に一回と時期を決めて、目的の人物が姿を現すかどうか、門の前で待ってみることにした。しかし今年は、捜査の名目で頻繁に出入りしている羽山と里穂子に見つかってしまった――。

「お探しの方のお名前は？」

「鈴木さん、だったかな。下の名前は……忘れました。昔、仕事でお世話になったことがあって」

嘘の香りしかしない答えが返ってくる。無戸籍者の親類について探られまいとしているのであれば、確かにそういう反応になるだろう。もう少し突っ込んで尋ねたかったが、曖昧な回答が繰り返されるのは目に見えていた。

「身分証を確認させてください」

有無を言わさず指示すると、彼女は諦めたようにハンドバッグから財布を取り出した。差し出された免許証を、羽山と二人で覗き込む。

氏名の欄には、沼田《ぬまた》香苗《かなえ》、とあった。昭和四十七年四月生まれ、住所は神奈川県足柄下郡湯河原《ゆがわら》町と記載されている。

心当たりのない名前だった。羽山がハナから聞き出した住人たちの本名は把握しているが、沼田という苗字の者はいなかったはずだ。結婚して苗字が変わっているのだろうか。ただ少なくとも、彼女がすんなり免許証を提示した時点で、無戸籍二世であるアッシの母親というセンは消除できる。

もし彼女が〝ユートピア〟に住む誰かの親類なのだとすれば、会わせてやりたい。だが、直属の上司にすら報告していない無戸籍者コミュニティの存在を、今この場で里穂子の口から明かすわけにはいかなかった。

念のため捜査用の手帳に氏名と住所、免許証番号を書き写してから、通常の職質と同じく手荷物検査をした。スマートフォンと財布以外の所持品は、ポケットティッシュとモバイルバッテリーだけ。職業は食品スーパーの店員だという。

里穂子がハンドバッグを返すと、沼田香苗は長い前髪で顔を隠すようにして俯いた。

「すみません。私、ストーカーみたいでしたね。もう帰ります」

「いいんですか？　どなたかを探していたんでしょう？」

「ええ、まあ……でも大丈夫です。あっちは別に、私なんかには会いたくないと思うので」

「今後は待ち伏せはやめてくださいね。工場の従業員や近所の方々にも怪しまれますし、相手の方もいい思いはしませんよ」

「分かりました。どうもすみません」

沼田香苗は何度も頭を下げ、住宅街の狭い道を足早に去っていった。

どこか遠くで、救急車のサイレンが鳴っている。次第に遠ざかっていったその音がすっかり聞こえなくなった頃、羽山がぽつりと呟いた。

「沼田香苗、どこかで……」

えっ、と思わず声を上げ、隣に佇む長身の刑事を見上げる。彼はしきりに首を捻り、整った眉を寄せていた。

「もしかして……名前に心当たりがあるんですか？」

「ああ」羽山が難しい顔で頷く。「気のせいではないと思うんだが」

「鳥籠事件の参考人では？　捜査の一環で話を聞いたことがあるとか」

「バカ言え。俺は一度会った人間の顔は絶対に忘れないんだ」

呆気なく一蹴される。その口ぶりからすると、相当の自信があるようだ。

「だとすると……捜査資料に名前だけ載っていた、とかでしょうか。事件発生後に当時の捜査本部が作った被疑者リストや、児童養護施設の関係者一覧……」

「前科者という可能性もある。過去に、犯罪者データベースか、新聞やテレビの報道で名前を見たのかもしれない。もしくは、強行犯捜査時代に隣の班が取り調べをしていたとか」

とにかく調べておく、と羽山は言った。

*

里穂子が羽山に電話をかけたのは、翌日の昼休みのことだった。

「何だ?」

聞くからに不機嫌そうな声が返ってくる。食事中だったのか、それとも眠気覚ましにコーヒーでも流し込んでいたのか、ごくりと喉が鳴る音が聞こえてきた。

署の隣にある公園の片隅で、いつ同僚が通るかも分からない歩道へと注意を向けながら、口元を手で覆って話す。

「昨日、ご報告し忘れていたことがありまして。叶内丈による新聞への投書の件です」

「見つかったのか?」

「はい。東京新聞でした。一九九六年十二月十日の紙面に、確かに叶内丈による投書が掲載されています。その年の春に発覚した鳥籠事件について心を痛めているという旨と、無戸籍で困っている方はいつでも相談してほしいという呼びかけが書いてありました」

目的の記事をようやく発見したのは、昨日の午後のことだった。当番を昼過ぎに終えてから夜に羽山と〝ユートピア〟に向かうまでの空いた時間を、国立国会図書館での作業に充てていたのだ。コロナ禍で入場が抽選制になっていたのには閉口したが、申し込んでみると案外当選確率は高かった。関東のブロック紙である東京新聞は、データベースにまとめられているのが一九九七年以降の記事だけだったため、資料室で地道に紙の新聞を読み続けていたのだった。

「なるほど。あの女は嘘をついていなかったというわけか」

ヨシコのことだ。叶内丈が新聞に投書をしたというのは、テッペイに話を合わせるための偽証だったのではないかと羽山は疑っていた。里穂子のこの報告により、〝ユートピア〟の住人を揺さぶる材料が一つ消えたことになる。

「そんな重要なことを、どうして昨日言わなかった？」

「すみません」

帰り道に報告しようとしていたのだが、沼田香苗の登場により頭から飛んでしまったのだ。どうやら羽山も察したらしく、「お前も気になっているだろうから伝えておくが」とやや苛立った調子で言葉を続けた。

「沼田香苗に前科《マエ》はなかった。捜査本部から引き継いだ二十年以上前の資料もひっくり返してみたが、被疑者リストにも参考人一覧にも名前がない。念のため伊藤優にも電話して訊いたが、まったく心当たりがないから施設関係者ではないだろうと言っていた」

「そうですか……」

前科もない。被疑者でも参考人でもない。兄妹が暮らしていた児童養護施設の関係者でもない。では彼は、沼田香苗の名前をどこで知ったのか。

何かが、頭に引っかかっている。

その正体は、まだはっきりとしない。

「この件は途中だ。引き続き調べる。二十四年分の捜査資料が膨大すぎて鬱々とするがな」

羽山はそう言うと、挨拶もせずに電話を切った。

まったく愛想のない――という愚痴を呑みこんで、スマートフォンをポケットに入れ、周囲を窺いながら公園を後にした。

午後は署外活動に充てた。担当している放火未遂事件の現場周辺で防犯カメラの確認や聞き込みをするうちに、時間は飛ぶように過ぎていった。

一日が二十四時間では足りない、と毎日のように思う。それとも事件の数に対して強行犯捜査係の人員が足りないだけか。いや、もっと忙しい刑事など、ここより規模の大きい警察署や本庁には山ほどいるはずだ。

心の中で悲鳴を上げながらも、午後九時前にはノートパソコンを閉じて席を立った。新人だから、というだけの理由で夜間帯の事件処理に動員されていく林部を横目に、可能な限り気配を消しながら刑事部屋を後にする。

今日はもう遅いから、〝ユートピア〟には行かない。そろそろミライも寝た頃だろう――と、年季の入った人形で遊んでいたあどけない笑顔を思い浮かべながら、ＪＲ蒲田駅へと向かった。

帰ったら、結菜ももう寝ているはずだ。陽介と二人きりの夜を迎えると思うと、心が沈む。もともと家事と育児の負担割合が大きいことに加え、最近里穂子の帰りがさらに遅くなったことに苛立っているのか、夫は最近ろくに話しかけてこなくなった。「名は体を表すとはこのことで」と披露宴の主賓や友人のスピーチで繰り返し言われたくらい、元来は陽気で口数の多い人なのに。

家族とのコミュニケーションの不足は、ぼんやりとした不安をもたらす。どれもこれも、自分が鳥籠事件の捜査を優先させているせいだ。捜査担当外の事件に首を突っ込んでいると知ったら、陽介は怒るだろうか。悲しむだろうか。それとも、呆れるだろうか。

そんなことを歩きながら考えていたものだから、スマートフォンを開いたのは、京浜東北線に乗ってからだった。

通販サイトやクレジットカード会社からのメールに交じって、『hana』というシンプルな英字が見えた。先日の斎藤敏樹による傷害事件に引き続き、いったい何の用件かと胸をざわつかせながら、その文字上をタップする。

『森垣さん、お願いです。娘さんの保険証を貸してもらえませんか？　待ってます』

文面はそれだけだった。

慌てて受信時刻を確認する。午後七時十分。すでに二時間が経過している。

――娘？　結菜の？

頭が混乱した。以前、自分の家族構成についてハナに語ったことを思い出す。パンケーキカフェに連れ出した際に、彼女の中にわずかに残っていた警戒心を払拭しようと、一歳の娘がいることに言及したのだ。ハナは「そっかぁ。刑事さんも普通の人なんだねぇ」と、当たり前の事実にようやく気づいて笑っていた。

その娘の保険証を借りたい、というのは。

――同じ年頃のミライを、病院に行かせるため？

ただ事ではないのではないか、とスマートフォンを握りしめる。保険証がない彼らは、怪我や病気はすべて市販薬で何とかしていると言っていた。万が一の場合は、〝渉外係〟のリョウから叶内家に打診し、誰かしらの保険証を借りることになるとも。だが、ミライはまだ二歳だ。大人と違って数歳の差が誤魔化せないため、適当な保険証を用意できなかったのではないか。

いくら里穂子が住人らに協力的とはいえ、普通なら刑事にこんなことは頼まない。それでも連絡してきたということは、つまり――。

はっとして顔を上げる。

車内の乗客は、一年半近く猛威を振るい続けているウイルスを恐れ、誰しもがマスクをつけている。

電車が大井町《おおいまち》駅に滑り込んだ。

乗客を掻き分け、開いたドアから迷わず駆け出す。終わりかけの発車メロディを聞きながら、向かいのホームに停まっていた電車に飛び乗ると、背後でドアが音を立てて閉まった。


引き戸を勢いよく開け放つ。音を聞きつけた住人たちが、白いカーテンの奥からあたふたと顔を出した。

「森垣さん！」

ハナが駆け寄ってくる。「メール見てくれたんだね、ありがとう」と息せき切って言いながら、彼女は里穂子の手を取り、〝ベッドルーム〟へと引っ張っていった。

仕切りの奥に足を踏み入れたのは初めてだった。天井から吊り下げられたカーテンでいくつもの部屋に分けられ、各スペースに個々人の服や荷物が置かれている。

里穂子が連れていかれたのは、中でも一番大きな区画だった。三人分の布団が並べて敷いてあり、真ん中にミライが寝かされている。枕元には両親のアツシとルミカが座り、蒼白な顔で娘の手を握っていた。

「高熱を出してるんだ」

追いかけてきたヨシコが、里穂子の背後で言った。

「朝は何ともなかったのに、仕事から帰ってきたらこうなってた。夜勤の仲間らが看病してくれてたんだけど、その間にも何度か吐いたらしくてさ」

「発熱と、嘔吐……」

「あとは、悪夢でも見たのか、さっきまで『お化けがそこに立ってる』なんて騒いでたんだ。ルミカがいくらなだめても、怖がってばかりで。今はその元気もなくなったのか、たまに咳き込むだけでぐったりしてる」

どう見ても変なんだよ、と急き立てられ、ミライのそばに座る。細い前髪が貼りついている額に恐る恐る触れた瞬間、思わず手を離しそうになった。

異常なほど熱い。

よく見ると、大量に汗をかいている。呼吸も速かった。最も恐ろしいのは、半開きの目がひどく虚ろに見えることだった。里穂子の姿が確実に視界に入っているはずなのに、少しも反応を示さない。

素人目にも、様子がおかしいのは明らかだった。結菜も何度か風邪を引いて三十八度台の熱を出したことがあるが、やや動きが鈍くなるくらいで、平気で床に座ってテレビを見ていた。発熱しても、子どもは意外に元気にしているものだ。普通なら。

思えば、昨日のミライもそうだったのではないか。熱は出始めていたが、調子が悪いという自覚はなく、普段どおりに人形遊びなどをして過ごしていた。それが今日になって症状が急激に悪化し、大人が察知できるような異変が表れたのかもしれない。

お化けがそこに、と取り乱していたというのも気になる。高熱による熱せん妄ではないか。里穂子も小学校低学年の頃、インフルエンザにかかって幻覚を見たことがある。目の前に虫が飛び回っている錯覚に陥って何時間も泣き続けたときの恐怖は、今でも脳にこびりついていた。

そしてこの二〇二一年において、最も疑うべき可能性は――。

濃厚接触者。クラスター。

ニュースでよく見る言葉が頭をよぎる。

自分や羽山が出入りしたせいだろうか。自覚症状はなかったが、知らず知らずのうちに、どちらかがウイルスを持ち込んでしまったのかもしれない。

もしミライが新型コロナウイルスに感染していたとしたら、どうなるか。無事に病院にかかることができたとして、ミライの症例は保健所に報告される。保護者であるアツシとルミカにはおそらく聞き取り調査が行われるだろう。ここの住人は倉庫内でマスクをしていないため、全員が濃厚接触者だ。感染者が相次いでクラスター認定されようものなら、この食品工場の存在は都のトップの知るところとなる。

嫌だ、と強く感じた。

こんな形で〝ユートピア〟が終わりを迎えるのは。せめて彼らが納得してからでないと。

――納得?

他でもない自分の思考に驚く。

――私は彼らを、「納得」させようとしている?

立ち上ってきた問いを、心の底に押し込めた。今は目の前のミライを救うのが先決だ。解決策を考えなければならない。

「森垣さん、お願い!」

隣に立つハナが、里穂子の腕を強く握ってきた。

「リョウが社長の勝さんにも訊いたんだけど、叶内家の親戚に二歳くらいの子はいないって言われちゃったの。私たちが知ってる中で、ミライと歳が近い女の子は森垣さんの娘さんしかいない。お願い、ミライを病院に連れてってあげて！」

「そう言われても……」

できるだろうか、と考える。ミライを自分の娘だと偽って、このあたりの病院に駆け込む。森垣結菜の保険証を使い、治療を受ける。

いや、それは無理だ。そもそも結菜とミライには、おそらく一歳以上の年齢の開きがある。医者が不審に思わないはずがない。そして何より、里穂子は警察官だ。病院や健康保険組合を騙して金を引き出すような真似はできない。

「だから言っただろ」

突然響いた冷たい声に、首をすくめて振り向いた。カーテンで仕切られた部屋の隅に、いつの間にかリョウが立っていた。彼の目は里穂子ではなく、ハナに向けられている。

「刑事を頼っても無駄だ、と。無事に誰かの保険証を借りられたとして、むしろ俺らが詐欺罪で捕まるぞ。連絡なんかしなきゃよかったんだ」

「今更そんなこと言われても困るよ。じゃあどうすればいいの？　このままここでミライを看病しろっていうの？　こんなに苦しんでるのに？」

「最悪の場合……保険を使わずに受診すればいい」

「もし何週間も、何か月も入院するようなことになったら？　そんなお金、ここにあるの？　病院にも断られるんじゃない？　叶内さんが元気だったら助けてくれたかもしれないけど、勝さんはそんなことしてくれないよ！」

ハナが目に涙を浮かべながら食ってかかると、リョウは珍しく黙り込んだ。住人たちの人望を集める聡明なリョウですら、突破口を見つけられていないようだった。

助けてあげたい。

でも、どうすれば。

保険証を貸すしかないのか。

いや、でも。

苦しそうなミライを見下ろしたまま、極限まで悩み抜き、ようやく閃《ひらめ》いた。

肩にかけていた鞄を下ろし、中から名刺入れを取り出す。目的の名刺を探し出し、印刷されている携帯電話番号をスマートフォンに打ち込んだ。「おい、誰に連絡している?」とリョウが片方の眉を上げたが、無視して呼び出し音を聞き続ける。

果たして、彼女は電話に出た。

『はい、園村です』

「夜分に失礼します。先日そちらに伺った森垣と申しますが」

『ああ、森垣さん! 無戸籍のお知り合いの件よね。どうされました?』

園村勝代は、里穂子のことを覚えていてくれたようだった。もう午後十時近いというのに、苛立ちの一つも表さないどころか、温かみに満ちあふれた声で、里穂子の電話を歓迎する。

実は——と、事情を洗いざらいぶちまけた。十五人の無戸籍者が誰にも知られずに集団生活をしている場所がある。そこで暮らす無戸籍三世の幼児が、高熱を出している。明らかに様子がおかしいため今すぐに病院にかかりたいが、どうすればいいか。

相談している途中で、リョウが顔色を変えて近づいてきた。そんなリーダーを、テッペイやタクローが腕をつかんで制止していた。

『確かに、保険証を持っていないと受診を断られる病院も多いわね』

里穂子の話に相槌を打ちながら聞いていた園村が、真剣な声で言った。

『でも、病院を選べば大丈夫。ホームレスなどの急患も積極的に受け入れている病院が蒲田の近くにあるの。以前、相談を受けていた無戸籍の方が救急車で運ばれた際に、同行したことがあるわ』

「本当ですか！」

『今から私も向かうわね。そのほうが窓口で話を通しやすいでしょう。お金はいったんこちらで立て替えるから、安心して娘さんを連れてくるようにと親御さんに伝えてください。いいわね？』

園村のテキパキとした口調に、全身の力が抜けていく。何度も礼を言い、病院の名前と場所を聞いてから電話を切った。続いてタクシー会社に連絡し、配車を依頼する。

「詳しいことは後で話します。アツシさんはミライちゃんを抱っこして。ルミカさんは身の回りの物を持って。残りの人はここで待っていてください。何か追加で必要なものがあったらハナさんにメールするので、パソコンを開いておいて」

里穂子が早口で指示するなり、アツシとルミカが不安げな顔をした。受診費用は無戸籍者支援をしているNPO法人が立て替えてくれると話すと、二人はほっとしたように息をついた。

その反応を見てようやく、「安心して娘さんを連れてくるように」と園村が強調していたわけを理解する。お金の心配をして受診を後回しにし、命を危険にさらす無戸籍者を、園村は今までにたくさん目にしてきたのだ。

タクシーが来る時刻を見計らい、ぐったりとした娘を抱えたアツシと、鞄を抱えたルミカとともに倉庫を出た。

お願い森垣さん、というハナの悲痛な声が後ろで聞こえた。立ち止まって振り向くと、残された五人の住人が、入り口の前に立って里穂子たちを見送っていた。

呆然としているテッペイとヨシコ。

頑張れよミライ、と呟くタクロー。

唇を噛み締め、無言でこちらを見つめているリョウ。

彼らに向かって軽く手を上げてから、里穂子は前へと向き直り、先を行く若い夫婦を追った。人の気配がないことを慎重に窺いながら敷地を出て、十数メートル先に停まっているタクシーへと駆ける。

後部座席のドアを自ら開け、病児を抱いたアツシとルミカを押し込んだ。助手席に乗り込み、早口で病院名を伝えると、バックミラーをぽかんと見ていた運転手は我に返ったようにハンドルを握り、勢いよく車を発進させた。


病院の薄暗い廊下に、男女の啜り泣きが響いている。

長椅子に座るアツシとルミカは、互いの手を取り合ったまま涙をこぼしていた。

その隣には、少し離れて、ハナとタクローが座っている。二人がミライの入院用の荷物を抱えて到着したのは、今から三十分ほど前のことだった。

「どうしてもっと早く教えてくれなかったの。こんなに困っている人たちがいたなら、すぐにでも協力した。健康保険の加入手続きを真っ先にしていた。そうしていれば、発熱に気づいた時点で病院にかかれたでしょう?」

腰に両手を当てて仁王立ちしている園村勝代に向かって、すみませんでした、と頭を下げる。

無戸籍者支援の専門家である園村にはノウハウがある。都議会議員というどこでも通用する肩書きもある。ミライがこういう状態になるまで〝ユートピア〟の存在を明かさなかった里穂子に対し、彼女が憤るのも当然だった。

細菌性髄膜炎。

当直の医師が先ほど告げたのは、新型コロナウイルス肺炎よりもずっと恐ろしい病名だった。子どもの命を脅かす感染症。脳や脊髄を包む髄膜の奥まで細菌が入り込むことで発症する。近年の日本における死亡率は五パーセントを超え、知能障害や難聴などの後遺症が二十パーセント以上の患児に残る。

原因となる細菌にはいくつか種類がある。だが通常は、公費負担の対象となっているヒブワクチンや肺炎球菌ワクチンを生後すぐから接種することで予防できる。

医師からそう説明を受け、最初に泣き出したのはルミカだった。その後、園村勝代から厳しく叱られて事の重大さを思い知ったのか、アッシも俯いて肩を震わせ始めたのだった。

「知らなかったというなら仕方ないけど、住民票や国保のことを森垣さんに聞かされてからも、取得を拒否していたなんて……。大昔の乳幼児の死亡率がどれだけ高かったか、知ってる？　ううん、大昔どころか、私が生まれる少し前までは、二十五人に一人の子どもは亡くなっていた。あなたたちが今まで、予防接種を一切打たなくても健康に生きてこられたのは、ただ運がよかっただけなのよ」

園村がまた、アッシとルミカに向き直り、熱く語りかける。

「そんなあなたたちに娘さんが生まれたのは、素晴らしいこと。お医者さんや助産師さんの助けも借りずに、本当によく頑張ったね。でも、せっかく誕生したその娘さんに、あなたたちと同じ十字架を背負わせちゃダメ。ミライちゃんがきちんと健康に成長し、教育を受け、自由を手に入れられるように、あなたたちは親として覚悟を持たないといけない。たとえそれがあなたたちの信条とぶつかるとしても、まずはミライちゃんの幸せを優先しないと」

若い二人の嗚咽が、ますます大きくなる。自分たちの手からこぼれ落ちかけた娘の命を思い、感情があふれ出すのを止められないようだった。

ミライは今、心電図のモニターをつけられて、一人で病室に寝かされている。

救急外来を受診するとすぐ、医師の顔色が変わり、緊急入院が必要だと告げられた。検査や処置が行われる間は、両親も付き添うことができなかった。その後、病室に移されてから十五分ほど面会が許されたものの、新型コロナウイルス対策のため病室の外で待つようにと指示された。それから四時間が経ち、ついさっき、細菌性髄膜炎という診断が言い渡されたのだった。

幸い、重症化する前に食い止められそうだという。入院当初はぐったりしていて反応が鈍かったものの、点滴による治療を開始すると間もなく、ミライは医師の呼びかけに答えるようになった。人工呼吸器は必要なく、意識障害や痙攣《けいれん》も起こっていない。断言はできないが、おそらく後遺症も残らないだろう。ただ、抗菌薬による治療が必要なため、最低でも十日ほどの入院は覚悟してほしい。医師は淡々とそう説明し、ミライのもとに戻っていった。

時刻は、午前三時半を回っていた。

園村が里穂子や若い夫婦を叱り始めたのも、医師の言葉に安堵したからだ。それまでの数時間は、とても言葉を交わす余裕などなかった。里穂子のメールを見たハナとタクローが入院用の荷物を持って駆けつけたこともあり、今、重苦しい沈黙がようやく破られていた。

「園村さん、ありがとう。本当に、ありがとう。本当に……」

会話ができる状態にないアツシとルミカの代わりに、ハナがペコペコと頭を下げている。茶色い髪が乱れるほど激しく身体を揺する姿に、厳しい顔をしていた園村がふっと表情を緩ませた。「大事に至らなくて、よかったわね」という大恩人の優しい言葉に、ハナが「はいっ！」と涙に濡れた顔を上げる。

「こんな親切な人が、いたんだな」

じっと黙っていたタクローが、ぽつりと呟いた。

「とんでもない差だ。俺たちを引きずり出して、警察に売り渡そうとする輩もいるってのに」

「……警察に売り渡す？　誰のこと？」

タクローの言葉を聞き咎め、質問する。タクローは忌々しそうに顔を歪め、唸るように答えた。

「ビラを渡されたことがあるんだよ。ぶらっと散歩に出かけたときに、駅前でさ。『無戸籍の方を知りませんか？』ってでっかく書かれた紙だった」

園村が、目を大きく見開いてタクローを見下ろす。その視線には気づかない様子で、タクローは言葉を続けた。

「びっくりして立ち止まったら、すぐに声をかけられてさ。だから死ぬ気で逃げたんだ。ああやって街の人たちに呼びかけて、隠れて暮らしてる無戸籍者を炙り出そうとしてるんだな。俺なんて、税金も納めたことないし、ユートピアで暮らし始めるまでは万引きだってしょっちゅうしてたし、捕まったら一巻の終わりだよ」

園村の事務所を訪ねた際、蒲田駅前でビラ配りをしている途中に出会った若い男性についての話を聞いた。

――声をかけたんだけど、ぱっと走っていっちゃったのよね。もしかしたら、無戸籍で悩んでる方だったのかもしれない。

彼女の残念そうな声が、耳に蘇る。

「それ……園村さんだよ」

「は？」

「あなたが受け取ったのは、園村さんが代表を務めるＮＰＯ法人のビラ。支援活動を広く知ってもらおうと、定期的にビラ配りをされてるの」

里穂子が説明すると、タクローは動揺したように目を泳がせた。彼がようやく園村の視線に気づき、二人の視線が宙でぶつかる。

「……あなただったのね」

園村が声を震わせ、長椅子に座るタクローのほうへと一歩近づいた。

「確かに、その髪、その顔……見覚えがある。無戸籍でお困りの方なのかもしれないって、ずっと気にかかってたのよ。あのときは突然声をかけちゃって、驚かせてごめんなさいね」

「そんな……いや、てっきり、俺らの生活をぶち壊そうとしてるのかと」

「今のあなたの話を聞いて、気づかされたわ。私たちは、できるだけ多くの無戸籍者の方と繫がりたくて、それで『無戸籍の方を知りませんか？』なんて書いたビラを配ってたんだけど……無戸籍で困っているご本人にはまったく響かないコピーになっていたのね。まさか真逆の意味で受け取られてしまうなんて、いくら反省しても足りないくらい」

園村ががっくりと肩を落とす。タクローが慌てたように「それは、俺が」と腰を浮かし、ハナが「タクローがバカなだけだから気にしないで！」と身も蓋もない言葉を投げかけると、園村は気を取り直したように笑みを浮かべた。

「とにかく、こうして無事に再会できてよかった。苦しい思いをしているミライちゃんには申し訳ないけど、今日ここまで足を運んだことには大きな意味があったわ。森垣さん、私のことを思い出してくれて、どうもありがとう」

礼を言うのはこちらのほうだ。園村がすぐに動いてくれなかったら、ミライはあのまま命を落としていたかもしれない。もしくは、娘の保険証を他人に貸すという詐欺行為を、里穂子が実行することになっていたかもしれない。

「アツシさんとルミカさんも、アパートへの引っ越しの件、考えておいてね。ミライちゃんに公費で予防接種を受けさせるためには住民票が必要で、そのためにはどこかに居住実態がないといけないから」

「……はい」

「もちろん、あなたたちの住処を今すぐ捨てろと言っているわけじゃないのよ。ただ、工場の敷地を住所にするわけにはいかないでしょう。まずは、やるべきことをきちんとやる。その後でゆっくり、気持ちの整理をつけていけばいい」

園村の温かい言葉に、アツシとルミカが目元を拭いながら何度も頷いた。ハナは茶目っ気たっぷりに親指を立て、タクローは放心したように天を仰いでいる。

里穂子はこれまで、〝ユートピア〟の住人との〝対話〟に心血を注いできた。始めた当初は、鳥籠事件の捜査の役に立ちたいという下心があった。それがやがて、無戸籍問題に苦しむ彼らを支えたいという純粋な思いに変わっていった。それなのに、一部の住人には拒絶されてばかりで、何度も心が折れそうになった。

だが、反省して泣き崩れる若い夫婦を前に、彼らの中に憎むべき相手はいなかったのだと、改めて実感する。

彼らはただ、生き方を知らなかっただけ。

それだけだったのだ。

「じゃあ、私はこれで。どうせ明日にならないと面会はできないんだから、あなたたちも早く帰ってしっかり寝るのよ。ミライちゃんだって、元気なお父さんとお母さんに会いたいに決まってるんだから。ね?」

そう言い残し、園村は病院の廊下を去っていった。その白いブラウスと紺色のスカートが角を曲がって見えなくなった頃、遠慮がちに肩をつつかれる。

振り返ると、ハナがそばに立っていた。もじもじと身体を動かし、「ごめんね」と気まずそうに目を伏せる。

「ごめんって……何のこと?」

「この間、森垣さん、トシくんのことで助けてくれたのに……私、何も言わないで、ひどい態度取っちゃって」

「ああ、あのことね。気にしてないよ。それに私も、いろいろと決めつけるようなことを言っちゃったし」

「ううん。森垣さんはしょうがないよ。それが仕事なんだもん。全部私が悪いの。それなのに、今日は私のメールを読んで飛んできてくれて、ありがとう」

どういたしまして、の代わりに、ハナの肩にそっと手をのせる。華奢な肩がぴくりと上がったが、しばらくすると安心したように力が抜けていった。

アツシとルミカが落ち着くのを待ち、午前四時過ぎに病院を後にした。動き始めた始発電車に乗り、自宅の最寄り駅である駒込に辿りついた頃には、空はすっかり白んでいた。

この三日間で、こうして夜明けを迎えるのは二度目だった。

天が自分を試そうとしているのかもしれない。それくらい、いろいろなことが起きた。

頭に引っかかっている何かが、だんだんと無視できない大きさになってきている。

それについて考えるには、まず、一眠りしなくてはならないだろう。

*

シャワーを浴び、細心の注意を払いながら寝室のドアを開けた。ベビーベッドを覗き込むと、布団を蹴り飛ばして大の字になっている小さなシルエットがあった。

布団をかけ直し、無垢な寝顔をしばらく眺める。それから、ダブルベッドで寝ている夫の隣に、そっと潜り込んだ。

「……お疲れ様」

夢うつつの境で発したような、不明瞭な声がする。

驚いて、ただいま、と囁き返す。

しばらくして聞こえてきたのは、気持ちのよさそうな低音のいびきだった。

あー、うあー、と結菜がベビーベッドの上から親を呼び始める。

死んだように眠っていたのは、せいぜい五十分程度だった。子育て世帯の朝は、どんな日にも容赦なくやってくる。鉛のように重い身体に鞭打ち、身体を起こしてベビーベッドに近づいた。

布団の上にちょこんと座っている結菜が、里穂子の顔を見て満面の笑みを浮かべ、手足をバタバタと動かす。三日間のうちに二晩も家を空けた自分が未だ親として認識されていることに今日も安堵しながら、胸ほどの高さの柵を下ろし、飛びついてきた娘を抱き止めた。

そのままおむつ替えをしようとしたが、甘えたい盛りの一歳児は、再びベッドに寝かされるのを嫌がる。仕方がないから後にしようと、眠っている夫を一人置いて寝室を出た。

リビングに敷いたジョイントマットの上に娘を下ろす。パジャマの袖をぎゅっとつかまれたが、テレビをつけて子ども向け番組にチャンネルを合わせ、さらに積み木の入れ物の蓋を開けると、結菜は我が物顔できゃっきゃと遊び始めた。

その間にキッチンへと向かい、離乳食を冷凍庫から取り出して電子レンジにかける。陽介が作り置きしてくれたものだ。薄味の煮魚や出汁で煮た野菜が、育児書の薦める分量どおりに、小分けのフリージングトレーに丁寧に入れてある。

結菜に飲ませる湯冷ましを作るついでに、インスタントコーヒーを一杯淹れた。自分のために朝から料理をする気力はないし、陽介は仕事開始ギリギリまで寝ていることが多いから、森垣家に朝食は存在しない。ただ、数か月後、結菜が離乳食を卒業する頃までには、何らかの手立てを考えなければならないだろう。

スプーンを自分で口に運ぼうとする結菜のサポートをしながら朝の離乳食を終え、娘をジョイントマットの上へと戻した。また積み木で遊び始める結菜をぼんやりと眺めながら、ダイニングの椅子に再び座り、冷めかけのコーヒーを飲む。おむつ替えに着替え、保育園の準備、自分の身支度と、やらなければならないことは山ほどあるが、身体が思うように動かない。

目が、自然と結菜を追う。

大好きなクマのぬいぐるみを部屋の隅から引っ張ってきて、両手で抱きしめたままごろりとマットに寝転がっている。

大量の汗をかいて苦しそうに呼吸をしていたミライの姿が、脳裏に蘇った。

小さい身体、すぐに絡まってしまう細い髪、滑らかな肌、柔らかそうなほっぺ。

二人の女児の共通点など、いくらでも挙げられる。

何が、二人を分けたのか。

結菜を産んだ瞬間のことを思い出す。明るい照明のついた分娩室で、何人もの医師や助産師が、笑顔で声をかけてくれた。元気な女の子ですよ。可愛いですね。体重もしっかりありそう。ほら、抱っこしてみましょう。大丈夫？　ゆっくりね。

それを、ルミカは——。

「おはよう」

背後で聞こえた声に、驚いて振り返った。寝癖のついた髪を掻いている陽介が、目を丸くしてこちらを見つめる。

「なんで泣いてんの？」

「えっ……」

下まぶたに触れようとした直後、涙が頰を伝う感覚に気づく。結菜が夫のもとによちよちと歩いていくのを眺めながら、急いで目を拭った。

「疲れてる？　帰ってきたの、朝方だったろ」

そう言いながら、陽介が結菜を抱き上げ、頰を寄せる。「今日は早起きなんだね」と俯くと、「だってまあ、俺のほうが睡眠時間長いからさ」という答えが返ってきた。里穂子が目元に手を当てて黙っている間に、陽介が部屋の隅にある衣装ケースから小さなTシャツとスパッツを取り出し、はしゃいでいる結菜を床に下ろして手際よく着替えさせ始める。

「で、どうした?」

ぶっきらぼうなようで気遣いの垣間見える声に、全身の力が抜けた。平日は夜遅くまでノートパソコンと向かい合い、朝は里穂子と結菜が家を出る時間になっても起きてこない陽介が、自分から話しかけてくるのは久しぶりだった。

「泣いてたのは、その……自分のことじゃないんだ。詳しくは話せないんだけど、昨日の夜、重病の子を病院に担ぎ込むことになって。幸い、命は助かったの。でも……その子が結菜の一つ年上の女の子だったものだから、ちょっといろいろ考えちゃって」

「それって……え、仕事で?」

「そう」

「警察官ってやっぱ大変だな。へえ……当番日じゃないはずなのに帰ってこないから、大きな事件でも発生したのかなって思ってたけど、そういうことだったのか」

結菜のむちむちとした腕をTシャツの袖に通しながら、陽介が顔をしかめた。連絡もなしに朝帰りしたことをまだ謝っていなかったと気づき、慌てて口を開く。

「ごめんね。晩ご飯、私の分も残してくれてたのに」

「別にいいよ。俺が昼にでも食べるし」

「さっき、重病の子のことを思い出しながら、結菜は健康に育ってくれてよかった、なんて考えてたんだけど……これも全部、陽介のおかげなんだよね。私は何もできてないや」

夫が無言で眉を上げ、こちらを見やった。返事を待たずに、急いで先を続ける。

「最近、怒ってたでしょう？　平日夜はなかなか帰ってこないし、土日も捜査に出かけていくから。刑事課への復帰が決まったときに陽介も覚悟を決めてくれたとはいえ、こんなに家庭をおろそかにするなんて……母親失格だよね。今後のこと、考え直したほうがいいのかも」

ぽろりと、最近胸に引っかかっていた本音がこぼれる。誘拐された鳥籠事件の兄妹を見つけ出したい。倉庫で暮らす無戸籍者たちを救いたい。担当している事件の犯人を一人残らず捕まえたい。その思いが膨らむあまりに、陽介に多大な負担を強いているのは分かっていた。今は甘えてくれる結菜にだって、いつ見放されてもおかしくない。けれどやめられない。〝困っている人〟を前に、里穂子は自分を止められない。

そっと俯く。陽介はなかなか言葉を返してこない。やはり怒っているのだと落ち込んでいると、不意に結菜の楽しそうな笑い声が聞こえた。

見ると、陽介がジョイントマットの上に四つん這いになり、背中に結菜を乗せて歩き回っている。彼の大きな左手は、小さな娘の背中に回されていた。

結菜が嬉しそうに、身体を前後に揺する。「最近、これ好きみたいなんだよなぁ」と、娘が可愛くて仕方ないといった口調で、陽介が朗らかに言う。

「里穂子は、相当寝不足みたいだな」

「……え？」

「今日は俺が結菜を保育園に送るよ。今やってる仕事が落ち着いたら、まとめて寝たほうがいい。できれば一気に十二時間くらい。その間は、俺が結菜の面倒見るから」

「そうじゃなくて、私、陽介が怒ってたんじゃないかって——」

「じゃあ、里穂子が休日にたっぷり寝たら、その後でショッピングモールに行こう。俺と結菜と三人で。たまには、家族サービスを要求したっていいよな？　昭和のお父さんだって、それくらいはしてたと思うし」

陽介が体勢を変え、今度は結菜を肩車する。背の高い陽介が立ち上がると、天井近くまで持ち上げられた一歳児が、心から嬉しそうな笑みを浮かべた。だぁー、と言いながら手元の髪をわしづかみにし、「いててっ！」と陽介が跳び上がる。また結菜が笑う。

じゃれあう父子を眺めながら、ようやく悟った。

自分は一人で、何をくよくよと悩んでいたのだろう。

自分たちの家庭には、問題などなかったのだ。

いや、ないとは言わないまでも、取るに足らないものだった。なぜなら、これくらいの葛藤は、生きていれば誰しもが避けて通れないものなのだから。

ハナをはじめとした無戸籍者たちと日々接していながら、どうして今の今まで気がつかなかったのか。

世の中に完璧などない。同様に、完璧な人間もいない。不完全な人間同士が、不十分ながらに互いを補い合い、やっとのことでそれらしい形を保っているのが、自分たちの住む社会なのだ。

その社会の網から、生まれた瞬間にこぼれ落ちてしまった人たちもいる。自分の居場所や職業を、自らの意思で選べなかった人たちがいる。彼らの苦しみを思えば、仕事でも家庭でも理想を追い求めて勝手につぶれかけていた自分は、なんと傲慢で、贅沢な悩みを抱えていたことだろう。

「完璧」ではなく、「十分」を目指せばいい。

細かいところに目をつぶりながらも、里穂子が里穂子であることを許容してくれる、この温かい人たちとともに。

結菜を肩から下ろした陽介が、「あ、おむつ替えがまだだったか」と立ち上がった。手慣れた様子で結菜を抱き、部屋を出ていこうとする陽介を、里穂子は慌てて呼び止める。

「あの、ありがとう」

「うん」

「今担当してる事件が解決したら、ちょっとでも借りを返すから」

「急がなくていいよ。別にほら、老後とかで」

「それだと利子が高くつきそう」

「借金じゃないんだから」

陽介が苦笑し、結菜の背中をなでながら言う。

「大変そうだけど頑張って。ただし、死なない程度にな」

「そのときは私の死亡保険金を使ってね。殉職なら特別賞恤金《しょうじゅつ》も。けっこうな額になると思うから、結菜と美味しいものでも食べにいって」

「不謹慎な冗談はやめろ！」

いよいよ相好を崩した陽介が、明るい声で言い放ち、リビングを出ていった。ベビーベッドでおむつ替えをされる結菜が、パパ、パパ、と機嫌よく陽介のことを呼んでいるのが聞こえてくる。

昔からずっと、子どもを持つことに憧れていた。

同時に、刑事になるという夢も諦められなかった。陽介と出会うまでは、その両方を受け入れてくれる男性などいるのだろうかと、よく頭を悩ませていた記憶がある。パートナーが現れなくても子どもだけでも持てないものかと、養子縁組について検索したこともあった。シングルマザーと刑事の両立などもっと難易度が高いのに何を考えていたのだろうと、今では自分の中で笑い話になっている。

だから、陽介が自分と結婚してくれてよかった、と思う。刑事を続けたい、でも子どもも持ちたい。その両方の夢を応援してくれる夫がいて、そんな彼との間に無事に子どもが生まれて、本当によかった。

陽介の何気ない言葉に背中を押され、自信が戻ってくる。

目の前の事件に全力を注ぎ、解決する。それが、刑事たる里穂子の正義であり、使命だ。

レースカーテンを照らす朝の光を見つめ、コーヒーを一口飲む。

心が落ち着くと、あの〝引っかかり〟が、再び頭に立ち上ってきた。

眠る前よりも、なぜだかはっきりとした形をしている。

居心地のよかったあの二階の部屋。羽山の考え込む顔。ここ三週間ほどで見たいろいろな光景が、まぶたの裏を通り過ぎていく。

マグカップの取っ手を握りしめたまま、頭痛がするまで考え続けた。

混沌としていた思考が、徐々に整理されていく。目を凝らして見ようとしていたものが、ついに見え始める。霧が晴れ、視界が開けていく。

ガタン、と椅子が動く音がした。

気がつくと、里穂子は一人、リビングの真ん中に立ち尽くしていた。

ダイニングテーブルの上に置いてあったスマートフォンに手を伸ばす。通話履歴から『羽山圭司』の登録名をタップし、耳に当てた。

三回目の呼び出し音が、途中で切れる。ややあって、羽山の低い声が聞こえた。

『どうした、こんな時間に。まだ六時――』

「お聞きしたいことがあります」

羽山の言葉を遮り、ダイニングテーブルに手をついて続ける。

「沼田香苗の件です。彼女に職質をかけた直後、羽山さんはこうおっしゃっていましたよね。『俺は一度会った人間の顔は絶対に忘れないんだ』と。これは本当ですか?」

『失礼だな。本当に決まってるだろ。自信がなきゃ、あんなふうに豪語はしない』

「それなら――」

もう一つ、決定的な質問をする。羽山が何かに気づいたように息を止めた。

二人の間に、沈黙が流れた。

里穂子が考えに考えて導き出した仮説を、羽山がこの短時間で吟味し、呑み込もうとしている。

やがて、羽山がいくつか疑問をぶつけてきた。里穂子が簡潔に答えを返すと、『なるほど』と唸る声が聞こえた。

『お前の言うことは分かった。捜査資料を見返してみる。今日は動けるか?』

「すみませんが、今日は本務のほうで、犯人逮捕を見込んでいる事案がありまして。夜遅くまでかかる可能性が高いので、終わったらご連絡します」

言い終わるか言い終わらないかのうちに、羽山が電話を切った。

相変わらず失礼な男だ。とはいえ、非公式に捜査に加わらせてもらった手前、文句は言えない。

鳥籠事件のことは、いったん彼に任せることにする。

里穂子には、先に片付けなければならないことがあった。

あの四月の夜のことを思い出す。あの頃はまだ、空気がひんやりとしていた。マンション前のブロック塀にもたれかかっている軽薄そうな若者と、電信柱の陰から怯えた顔でこちらを窺っていた小柄な女性。彼女が身に着けていた、明るい水色のトップス。風に揺れる白いスカート。

鳥籠事件ばかりに気を取られていた。だが、忘れてはいけなかったのだ。自分の本務を。里穂子が〝ユートピア〟に導かれるきっかけとなった、あの最初の事件を。

まずは——こちらに、けりをつける。

第三章　開け、トリカゴ

わずかに明るさの残る空に、昼間の残り香が漂っている。夏の到来と都会の灯とが交じり合い、夜の始まりを先延ばしにしようとする。

里穂子と林部が倉庫の戸を開いたのは、六月三日の午後七時半過ぎ——工場の建物が闇に紛れてすぐの頃だった。

「こんばんは。入ってもいいかしら」

手前の〝リビングルーム〟に集っていた住人たちが、一斉にこちらを振り向いた。今月の炊事係のハナが、キッチンに見立てた長机の前に立っている。ヨシコとテッペイがいつもどおりに座卓を囲み、タクローはソファに座って漫画本を開いている。たった今工場から帰ってきたばかりのリョウは、洗濯機の前に佇んでいる。アツシとルミカはいない。入院中のミライに面会しにいっているのだろう。

ハナが持っていたフライパンがカセットコンロに落下し、大きな音を立てた。目を大きく見開き、里穂子の隣に立つ林部を見つめている。

「ちょっ、おい、そいつは誰だ？」

テッペイが唇をわななかせ、座布団から腰を浮かせて林部を指差した。ヨシコも呆れた目でこちらを見る。

「また別の刑事を連れてきたのかい？　ここのことは誰にも言わないって、最初にハナときちんと約束したんだと思ってたけどねえ。昨日みたいな緊急事態ならともかく、こうも簡単に反故にするなんて……心変わりでもあったのかい？」

「すみません。今日は別件で伺いました。彼を連れてきたのは、捜査上必要があってのことです。実は――」

上着の内ポケットから一枚の紙を取り出し、広げて提示する。

「捜索令状が出ています。斎藤敏樹さんに対する殺人未遂の件で、ハナさんに。事件に関連する証拠品がないか、この倉庫の中を検《あらた》めさせてください」

「どういうことですか」

倉庫の隅にいたリョウが顔色を変え、大股で近づいてきた。

「またハナを逮捕する気ですか？　ハナは容疑を否認して、釈放されたんですよね。どうして今更――」

「いいえ」

はっきりと否定し、靴を脱いで〝リビングルーム〟に踏み込む。

後ろから慌ててついてくる林部の足音を聞きながら、里穂子はゆっくりと、三人掛けのソファへと歩み寄った。

「便宜上、捜索令状はハナさん宛になっています。ですが私は別に、彼女の持ち物を調べたいわけではありません。さて――何か言うことはありませんか？　タ、ク、ロ、ー、さ、ん」

「……何だよ」

タクローがふてくされたように言い、わざとらしく手元の漫画本に目を落とす。数秒待ち、彼が答えを返す気がないのを確認してから、里穂子は再び口を開いた。

「では私から言います。斎藤敏樹さんを刺した犯人はあなたですね？」

ひゅっと息を呑む音がした。タクローが発したものではない。横を見ると、ヨシコとテッペイが口を半開きにし、リョウはタクローを凝視したまま立ち尽くしていた。

ハナは目をつむっている。自分の推理はやはり正しかったのだと、複雑な思いの混じり合った彼女の表情を見て直感する。

タクローは、漫画のページに目を落としたまま、黙りこくっていた。大きな口を開けて笑っているキャラクターと、タクローの重苦しい顔は、痛々しいほど対照的だった。

彼が本ボシですか――と、気負った林部がわざわざ囁いてくる。そうね、と小さく返し、里穂子はタクローへと語りかけた。

「以前、ハナさんが被疑者になっているこの事件のことで、お話を聞かせてもらいましたよね。そのとき、タクローさんはこう言っていました。『あの日は俺、仕事が終わってからずっと布団でゴロゴロしてたせいで、夜中に目が冴えちまったんだ』と。でも、それは事実ではない。事件が起きた四月十九日の夜に、あなたは確実に外出していた」

「……なんで分かるんだよ」タクローが声を絞り出すように言う。

「園村勝代さんが配ったビラを、あなたが受け取っていたからです。事務所に伺ったときに、NPO法人の活動予定が書かれたカレンダーを見ましたが、蒲田でのビラ配りは毎月第三月曜に行われることになっていました。今年四月の第三月曜は、十九日。事件が発生した日付と一致しています」

一一〇番入電を受けて署から駆け出した夜のことは、よく覚えている。憂鬱な月曜日から、さらに疲労ののしかかる火曜日へと、日付が変わった直後だった。四月中旬頃までは、まだ日が暮れると涼しい風が吹いていた記憶がある。

もしやあの日が四月の第三月曜だったのではないか——と閃いたのは、今日の未明、園村勝代とタクローの再会を病院で見届けた直後のことだった。

「なんで四月って決めつけんだよ。俺がビラをもらったのは五月かもしれないし、もっと前かもしれないだろ」

「園村さんがおっしゃっていたんです。蒲田でのビラ配りは、まだこの四月に始めたばかりだと。にもかかわらず、事務所のスタッフが発熱してPCR検査を受けることになったため、五月のビラ配りはやむなく中止したと。となると、あなたが駅前で園村さんのビラを受け取るチャンスは、四月の第三月曜しかなかったことになりますよね」

タクローが唇を歪める。里穂子への反論を捻り出そうとするものの、思いつかないようだった。

あの居心地のいいNPO法人の事務所で見た五月のカレンダーには、十九時から蒲田、という記載があった。園村がわざわざ繁華街や歓楽街の近くで活動を行うのは、夜の店へと出勤する従業員をターゲットにしているからだ。その目的からすると、ビラ配りの開始時刻は四月も同じだったと推測できる。

つまり、退勤後にどこにも外出していないというのは、嘘だ。

タクローが『仕事が終わってからずっと布団でゴロゴロしてた』などとわざわざ話したのは、自己防衛意識の表れだったのだろう。その日の夜の行動を、彼は誰にも知られたくなかった。工場の敷地から一歩も出なかったことにするのが、何より都合がよかった。里穂子が事情聴取をした際、一か月近く前の自分の行動を覚えている住人はいないだろうと踏み、大胆にも嘘をついた。

「タクローさんは、午後七時に食品工場での仕事を終えた後、駅前まで足を延ばした。さすがに門限を破っていたら皆さんの記憶に残るでしょうから、十時までにはいったんここに戻ったのでしょう。そして——消灯時刻の十一時を回ってから、凶器の果物ナイフを持ってこっそり倉庫を抜け出し、斎藤敏樹さんのマンションへと向かった」

「どうしてそう言えるんだい？」

　疑問を投げかけたのはヨシコだった。

「あんたの言うことが本当なら、確かにタクローは何かしら隠し事をしてるんだろう。でも、だからタクローが犯人だってのは、ちと話が飛躍していないかい？　そもそも、タクローだけじゃなく、アツシやルミカも言ってたじゃないか。あの日の夜中に、ハナがいったんここに帰ってきて、また出ていったって。ハナは、あのなくなった果物ナイフを取りにきたんだろ？」

「私もそう思っていました。ですが、思い出してみてください。一時帰宅したハナさんと顔を合わせたとはっきり証言したのは、タクローさん一人です。アツシさんとルミカさんは、引き戸が二回開閉する音を聞いただけ」

「あっ……」と、テッペイがせわしなく目を瞬く。

「あのときは私もタクローさんの証言を鵜呑みにしていたため、引き戸が二回開閉したというのは、ハナさんが凶器の果物ナイフを取りに戻ってきて、再び出ていったことを示すのだと思い込んでいました。ただ、仮にタクローさんが嘘の証言をしていたとなると、異なる真実が見えてきます。アツシさんとルミカさんが聞いたのは、事件直前にタクローさんが出ていった音と、事件を起こした直後に帰ってきた音の二回だったのではないでしょうか」

ハナが凶器を取りに一時帰宅した場合と、凶器を携えたタクローが密かに外出した場合では、引き戸が開閉する時刻に大きな差が出る。物音の正体がハナなら二十三時半前後に続けて二回、タクローなら二十三時半頃と零時半近くの離れた二回になるはずだからだ。

実はこの点においても、真実は後者と考えるのが自然だった。

アツシはあのとき、「そのせいでミライが起きちゃって、しばらくぐずってた」「二回も睡眠の邪魔をされて」と発言していた。その口ぶりは、よくよく考えれば、引き戸の音が離れた間隔で二度鳴ったことを示唆している。里穂子も経験があるから分かるが、夜泣きを始めた乳幼児を寝かしつけるのには、五分やそこらでは足りない。中には一時間や二時間泣き続ける子もいるのだ。ましてやミライが「しばらくぐずって」いたのだとすれば、アツシが娘を落ち着かせて再び眠りに落ちるまでには、一回につき十五分程度はかかっただろう。

タクローはハナが帰宅して出ていくまでの時間を「五分か十分じゃないか」と話していた。だが、もしそうだったとしたら、アツシが「二回も睡眠の邪魔を」されることにはならないのだ。アツシとルミカは、かすかに違和感を覚えつつも、無意識のうちにタクローに話を合わせてしまっていたのではないか。

そのことを嚙み砕いて話すと、タクローはますます俯いた。里穂子や林部と、決して目を合わせようとしない。

「おい、タクロー。刑事の言うことが間違ってるなら、今すぐ否定しろ。でないと、刑務所にぶち込まれるぞ。お前は犯人じゃない。そうだろ？　そうだよな？」

色を失っているリョウが、焦った口調でタクローに呼びかける。それから祈るような目をして、キッチンに立つ妹を振り返った。ハナは兄の視線に気づかず、床に敷かれた灰色のカーペットをぼんやりと眺めている。

このコミュニティの絶対的な権力者であるリョウに促されてもなお、タクローは口を開こうとしなかった。沈黙を肯定とみなし、里穂子はさらに言葉を継ぐ。

「話を戻しましょう。タクローさんはなぜ、四月十九日の退勤後に駅前まで足を延ばしていたことを、後になって隠そうとしたのか。それは、殺人未遂事件との連続性があったからではないかと、私は考えています」

・

こういうことだったのではないでしょうか——と、里穂子は推測を語った。

タクローは以前から、ハナが外部に恋人を作っているのではないかと疑っていた。あの日も、退勤直後にハナが街へと出かけていくのを見て、密かに後を追った。彼は尾行の過程で、ハナが駅前で斎藤敏樹と落ち合い、繁華街にある居酒屋へと入っていく様子を目撃した。そして、怒りを募らせた。

その後タクローは、〝ユートピア〟の住人たちに長時間の外出を怪しまれないよう、尾行を切り上げて帰宅した。しかし、門限の十時を過ぎても、消灯時刻の十一時を過ぎても、ハナはいつまでも帰ってこなかった。住人たちがそれぞれの〝ベッドルーム〟で寝静まった頃、タクローはとうとう痺れを切らし、倉庫の外へと飛び出した。ハナがなかなか帰宅しないのは別れ話が長引いているからだということを、タクローは知る由もなかった。

おそらく、尾行はその日が初めてではなかったのだろう。

タクローは、斎藤敏樹の住むマンションの場所をすでに知っていた。住宅街の暗がりで待ち伏せし、零時前に斎藤が帰宅したところを、倉庫から持ち出した果物ナイフで襲った。

気配を感じた斎藤が身をかわしたため、首ではなく肩を切りつけることになり、さらには凶器も落としてしまった。失敗を悟ってその場から走り去ったタクローが、倉庫まで徒歩三十分の距離を無事に逃げおおせたのは、寝間着のジャージ姿がランナー風に見えたことと、被害者の斎藤が自力で犯人を追おうとして通報が遅れたこと、そして途中でハナとたまたま合流したことなどが原因だったのだろう。

斎藤に別れを告げられたばかりのハナは、とぼとぼと帰路を辿っていた。そこへ犯行を終えたタクローが追いついてきて、溜まりに溜まった鬱憤をぶちまけた。斎藤への殺意が芽生えた経緯から、肩を切りつけるにとどまったことに対する怒りまで、興奮に任せて洗いざらい。タクロー自身の口から犯行内容を知らされたハナは、別れたばかりの元恋人の身を案じ、すぐに斎藤のマンションに向かった。

そこから先は、里穂子と林部が目撃したとおりだ。

息せき切って事件現場にやってきたハナは、すでに警察官が到着していることに驚き、さらに斎藤の罵声により自分が疑われていることを知る。とっさに逃げ出したが、林部に確保される瞬間、自分が罪をかぶるほかないと気がついた。タクローが真犯人だと警察に言いつけたら最後、自分との関係を探られ、〝ユートピア〟の存続が危うくなるからだ。斎藤敏樹に振られたばかりで、失意の底に沈んでいたハナは、人生の大半を過ごしてきた唯一の居場所を失うわけにはいかなかった。

そうしてハナは、タクローを庇うことにした。

自分が愛した男を刃物で傷つけた、切っても切れない関係の同居人を。

「どうかしら？　タクローさん」

タクローは頑なに喋らない。

「自分がやったと認める？」

里穂子から目を逸らしたまま、唇を真一文字に結んでいる。

「まだ認めないのなら、もう一つ、私の推理の根拠をお話しします。ハナさんのアリバイについて私と皆さんとで意見を交わしていた際に――タクローさんは確か、ハナさんはその日パンプスを履いていたため、長距離を走るのは無理だったはず、といった趣旨のことを言っていましたよね」

「……それが？」

「〝ユートピア〟のルールでは、華美な服装やヒールの高い靴が禁止されていると聞きました。それでもお洒落をしたかったハナさんは、デート用の服やパンプスをバッグに詰めて持ち出し、わざわざ駅ビルのトイレで着替えるという面倒なことを毎回していたそうです」

ハナがパンケーキカフェで話していたことだ。彼女の不満げな表情は、今も頭にこびりついている。

「もしタクローさんが事件の日にこの倉庫から一歩も出なかったのだとしたら、ハナさんがパンプスを履いていたことを知るはずがないですよね？　ここを出ていくときは、おそらくスニーカーだったでしょうから。ちなみに、釈放後にハナさんが初めてここに帰宅したときも、私を撒こうとして寄ったネットカフェの入り口で、パンプスをスニーカーに履き替えていました」

タクローが観念したように目をつむり、肩を落とした。「森垣さん、そんなことまで……」とハナが呟く声が、静まり返った倉庫内の空気を揺らす。

ふと、隣に立つ林部が、そわそわと辺りを見回しているのに気づいた。

天井から吊り下げられた仕切りのカーテン。その隙間から見え隠れしている布団。使い込まれた家電や家具。部屋干しされている食品工場の白衣。部屋の片隅に積み上げられている人形やおもちゃ。――こんなところに本来存在するはずのない、人間の居住空間。

まるでカルト教団のアジトにでも踏み込んだかのように、恐ろしげに顔をこわばらせている。

そんな林部から伝わってくる〝異色なものへの拒否反応〟に、里穂子は息を呑んだ。

係長の野木はじめ、林部ら強行犯係のメンバーには、〝ユートピア〟の概要と、真犯人と目される男を発見したことだけ、手短に伝えてあった。今朝出勤してすぐのことだ。野木には意図的に報告を遅らせたことを注意されたが、それは管理職としての反射的な発言にすぎなかったようだった。彼らは皆、十五人もの無戸籍者が集う秘密のコミュニティの存在に言葉を失っていた。

思えば里穂子も、最初は同僚たちと同じ反応をしていたのだ。集団生活を営む無戸籍者たちの得体の知れなさにおののき、手探りで捜査を進めていった。ここで暮らす住人たちがカルト信者でも異常思考の持ち主でも何でもなく、ただ何も与えられてこなかっただけだと気づいたのは、つい昨夜、病院で泣き崩れるアツシとルミカを目にしたときのことだった。

林部が住人たちを怖がるのは、当然の反応だ。

「あの……そういえば、具体的な動機は？」

目が合ったことで、魔法が解けたのだろうか。倉庫の雰囲気に呑まれていた林部が、つっかえながら里穂子に尋ねてきた。

「痴情のもつれ、という理解でいいんでしょうか。彼はハナさんのことが好きで、それなのに外に男がいることが分かって逆上し、殺意を――」

「そんなバカな！」

素っ頓狂な声で叫んだのは、テッペイだった。

「タクローがハナを？　それはねえよ。普段からいろんなことで、ハナに怒ってばっかなのに」

「そうだよ。タクローには理由がない」ヨシコも眉をひそめて同調する。「刑事さんたちは知らないだろうけどね、タクローとハナは長年そりが合わなくて、どっちかを夜勤に移しちまおうかって話が幾度か出たくらいなんだよ。結局、タクローはアツシと若者同士仲がいいし、ルミカはハナのことを慕ってるから、その案は没になったけど。それなのに、どうしてハナの恋人に嫉妬したりするもんかね」

「だったら……ルール違反への罰ですかね？　外部の男性との交際が、ここの教義に背く行為だったとか」

「教義？　何か勘違いしていないかい？　確かにハナが外の男と付き合ったのはルール違反だけど、暴力や食事抜きといった人間の尊厳にかかわるような罰は、ここでは禁止されてるんだ。現金での給料が一定期間もらえなくなるだけ。相手の男を殺そうとするなんて、とんでもない」

ヨシコとテッペイの言うとおりだ——と、里穂子は心の中で呟いた。

タクローがハナのいないところで「あいつは本当にバカだ」「だから嫌いなんだよ」などと忌々しそうに吐き捨てていたのを、里穂子も目撃したことがある。ハナと会話をするときも、タクローは苛立ちを隠そうとしていなかった。好きの裏返し、喧嘩するほど仲がいい、などという日本語もあるが、さすがにあの様子では考えにくい。

彼が何らかの個人的な感情抜きに、独断でルール違反への制裁を行うというのもおかしな話だった。なぜリーダーであるリョウに相談しなかったのか。なぜハナ本人ではなく、相手の男を攻撃したのか。警察に捕まってコミュニティの存在が明るみに出るリスクを考慮しなかったのか。そもそも〝ユートピア〟は、外部の人間に対する殺害行為を肯定するほど急進的な思想を持つ集団なのか。

そう。

一見、動機はなさそうだった。

タクローは明らかに、ハナを人間として好いていなかった。

しかし——。

「動機はあるんです」

言い放った瞬間、リョウが呻きながら頭を抱えたのが視界の端に映った。

里穂子が答えを告げる直前に、彼は真実を悟ったようだった。誰よりも〝ユートピア〟に思いを注ぎ、責任ある立場で住人たちを束ねてきたリーダーが、タクローという一人の青年が抱えていた葛藤を見抜けないわけがない。

人形遊び。

今からでも取りたい資格。

今日の未明に病院に駆けつけた彼の不安そうな横顔。

ヒントは、いくらでもあったのだ。

「タクローさんは、子どもがほしかったんですよね」

自分自身の言葉に、肌が粟立つ。

「そのためには、ハナさんを失うわけにはいかない。彼女の身体を傷つけるわけにもいかない。一生〝ユートピア〟から出ないつもりでいたタクローさんが自分の子どもを持つには、ハナさんと生殖行為をするしかない」

立ち尽くしていたハナが、自分の上半身を両腕で掻き抱き、その場にへたり込む。しばらくして、静かな啜り泣きが聞こえ始めた。タクローはじっと黙って、固く唇を結んでいる。

このことに気づいたのは、今朝、夫の陽介と会話をした直後だった。

里穂子は昔から、子どもを持つことに憧れていた。ただ、一人で子どもを作ることはできない。

多忙な刑事である自分を、家庭生活をともにするパートナーとして受け入れてくれる男性など現れるのだろうかと、高卒で就職した十八の頃から頭を悩ませ続けていた。

幸い、里穂子は陽介と出会った。星の数ほどいる異性の中から、二人はお互いを選択し、恋愛感情を育み、やがて夫婦になった。その結果として、結菜という娘が生まれた。

だが、果たしてその一般的な順序は、〝ユートピア〟でも通用するのか。

この倉庫で暮らす十五人の無戸籍者の中には、もともと女性が四人しかいない。五十を超えているヨシコ。すでにアツシと結ばれているルミカ。まだ二歳のミライ。そしてハナ。現在〝ユートピア〟に住む生殖可能な年齢の男性――例えばタクローが、自分を取り巻く環境を変えずに子どもを持つことを望んだとき、そこに選択肢は一つしか存在しない。

さらに言えば、ミライと血の繋がらない二人目の子どもが生まれることは、〝ユートピア〟全体にとっての希望であり、理想だったのではないか。

誰かがハナと結婚して男の子が生まれ、いずれミライがその彼との間に子をなせば、かのアダムとイブの神話のように、〝ユートピア〟は独立した一つの社会として繁栄していく。それにはハナの協力が必要不可欠だ。その無言の圧力を常に感じていたからこそ、ハナは心の奥底で〝ユートピア〟から逃れたがり、〝外の世界〟に引き寄せられていったのではないか。

タクローはそれを阻止しようとした。自分やコミュニティの期待を一身に背負っているハナを、外の男に奪い取られまいとした。いつか子どもを持ちたいという、本能的で自分勝手な願いを、みすみす潰《つい》えさせないために。

そこには恋愛感情すら必要ない。社会から隔絶されたこのコミュニティでは、同世代の男女であるというただそれだけのことが、殺人の動機たりうる属性になるのだ。

これがタクローの、斎藤敏樹殺害を目論むに至った個人的な感情だった。

「ハナさんには自由があります。〝ユートピア〟の中だろうが外だろうが、好きなようにパートナーを選んでいいし、選ばなくてもいい。だからあなたの考えは間違っている。ハナさんを〝ユートピア〟に閉じ込め続けるために恋人の男性を排斥しようとしたあなたの行動は、決して許されない」

滔々と言い聞かせると、タクローは初めて顔を上げた。濃い睫毛が揺れ、漆黒の瞳が里穂子を憎しげに捉える。

殴りかかってくるつもりかと、一瞬身構えた。しかし彼はソファから手足を投げ出したまま、立ち上がろうとしなかった。再び目を伏せ、広がった髪を片手で掻きむしる。

「ああ……そうだよ。犯人はハナじゃない。俺だ」

諦めきった声が、タクローの喉から放たれた。

「だって……俺の居場所はここしかなかったんだ。〝外の世界〟には二度と戻りたくなかった。ユートピアのこれからを考えたら、ハナも……アツシとルミカみたいに……実の兄貴のリョウは無理だから、チャンスがあるとしたら次に若い俺だって……」

「おい」

リョウがふらふらとソファに近寄り、いきなりタクローの胸倉をつかんだ。タクローの身体が勢いよく前後に振られ、首が危なげに揺れる。「リョウ、やめなって！」とヨシコが止めに入ったが、彼の怒りが収まる気配はない。

「ユートピアのこれから？　何の話だ。ユートピアを子や孫の代まで続かせたいなんて、俺が一度でも言ったことがあるか？　お前らに命じたことがあるか？　ましてやハナを無理やり妊娠させようなんて」

「無理やりってわけじゃない。もし俺じゃどうしてもダメなら、夜勤の奴らに回そ――」

「ふざけるな！」

リョウが激昂した。タクローは無抵抗のまま、身体を揺さぶられている。

「十二年前、お前が初めてこの倉庫にやってきたときに、テッペイが伝えたはずだよな？　ユートピアの脱退は自由だと。ハナが出ていくことを望むなら、俺たちの誰にも、ハナをここに縛りつける権利はない。ここはユ、ー、ト、ピ、アだ。誰一人として苦しむことがあってはいけないんだ。それなのに、いったいお前は、いつからそんなバカなことを！」

「別に俺だけじゃない。アツシやルミカもだよ」

タクローがリョウを見上げ、震えながら睨みつける。

「俺たちにとって、ここは文字どおり理想郷だった。同じ無戸籍の仲間と平和に暮らすことができる、素晴らしい場所だった。誰にも差別されないし、騙されないし、生活の心配だってしなくていい。このユートピアをこれからもずっと守っていきたい、ここで育っていくミライにも仲間を作ってあげたいと思うのは、当たり前だろ？　アツシたちだって、子ども好きな俺が父親になる案に賛成してくれてたんだ」

「その考えがおかしいと言ってるんだ！」

「それに――ここにはリョウ、お前がいた」

「……俺？」

「学校にも行ってないのに、本をよく読んで、勉強熱心で。年下なのに冷静で、みんなが気持ちよく暮らすためのルールも公平に作ってくれて。だから俺たちは、リョウというリーダーがいるこの場所で、ずっと暮らしていきたかった。子どもを作って、本当の家族になって」

「そんなことをしなくたって……」

リョウの言葉が尻すぼみになる。彼が口の中で続けた言葉は、里穂子の空耳でなければ、「俺たちはもう、家族なのに」と聞こえた。

「その斎藤とかいう男を刺したら、ハナに容疑がかかるとは思わなかったのか?」

「被害者と繋がりがある人がまず疑われるなんて、知らなかった。ハナが逮捕されたってニュースを見て、びっくりしたんだ」

事件が起きたとき、最初に被害者の関係者を疑うのは鉄則だ。警察では常識中の常識だが、世間のことをよく知らないタクローはピンときていなかったのだろう。通り魔の仕業にでもするつもりで事件を起こしたが、その結果、ハナを警察の手に渡してしまったということか。

「……お前のせいだ」

リョウが唇を震わせ、タクローの胸倉をつかんだ両手をぐいと引き上げた。タクローがソファからずり落ち、無様に吊られる格好になる。

「お前が逮捕されれば、俺たちの生活は終わる。ここは解散に追い込まれる。叶内さんや勝さんも罰を受けることになるかもしれない。お前がユートピアを壊したんだ。叶内さんやテッペイやヨシコさんが、三十年以上、一生懸命守ってきたこのユートピアを——お前が、その手で!」

「リョウさん」

さすがに見かねて、里穂子は二人の間に割って入った。林部がリョウの腕を持って引き離すと、タクローが勢いよく床に尻もちをついた。

我に返ったように、リョウがすっと息を吸い込み、青ざめる。

立ち尽くしたまま荒く呼吸をするリョウを、テッペイとヨシコが心配そうに見つめた。床にへたり込んでいるハナは、兄を見上げたまま涙をこぼしていた。

彼女は今、何を思っているのだろう。

自分を庇ってくれた兄への感謝か。タクローやアツシに、子どもを産む器のように扱われたことへの恐怖か。それとも、ようやく嫌疑が晴れたことに対する安堵か。

先日、ハナが里穂子の目の前でタクローと喧嘩したときに、ちらりとこちらに向けてきた縋るような視線を思い出す。あれはやはり、気のせいではなかったのだ。真実と〝ユートピア〟の間で、彼女はずっと板挟みになっていた。住人たちを自分から裏切ることができないハナは、無言で里穂子に助けを求めていたのだ。無戸籍でも社会で生きる方法があると分かった今、いっそタクローが逮捕されて〝ユートピア〟が瓦解したほうがいいと、途中から考えが変わり始めていたのだろう。

ごめん、リョウ、ごめん——という啜り泣き混じりの声が聞こえ、里穂子は我に返った。

弱々しい声の主はタクローだった。先ほどまでのふてぶてしい態度はどこへやら、床にうずくまり、首回りの伸び切ったTシャツに顔を押しつけている。

何度も頭を下げ、謝罪の言葉を口にした後、タクローは突如顔を上げた。

その絶望に満ちた目は、まっすぐに、里穂子へと向けられていた。

「もっと、早く教えてくれよ」

「……え？」

「どうして今まで、誰も教えてくれなかったんだよ！　住民票だとか、生活保護だとか。俺、いくつも役所を回ったんだぞ。助けてくれって言ったんだぞ。それでダメだったから、ユートピアから二度と出ないことに決めたんだ。それなのに」

彼の目は真っ赤に充血していた。

思わず視線を逸らす。

その赤は、怒りの色か、それとも後悔の色なのか。

「リョウ、ハナ。あと刑事さんも……これだけは信じてくれ。俺はもう、ハナに子どもを産んでもらいたいなんて、少しも思ってない。ハナは自由に生きればいい。どこへでも行けばいい。俺だってそうしたかった。今からでも、普通の仕事に就いて、普通の家に住んで、普通に誰かと――ああ！　それができると最初から分かっていれば、あの男を殺そうとなんて！」

タクローの激しい嗚咽が、殺風景な倉庫に響き渡る。里穂子は彼のそばに屈み込み、筋肉質な肩にそっと手を置いた。

「今からでも遅くないよ」

力強く、言葉を押し出す。

「罪を償ったら、また戻ってこられる。あなたが努力すれば、きちんと社会で暮らしていける。それに、長年一緒に暮らした仲間との絆は、そう簡単には切れないよ。だって、もう家族だから」

立ち尽くしたまま肩を上下させているリョウが、驚いたように里穂子を見つめ、きまり悪そうに目を逸らした。

これは、防ぎようのない事件だったのだ。

無戸籍者コミュニティの閉鎖性と、リーダーのあずかり知らないところで育ってしまった異様なまでの忠誠心、そして世間の無関心が引き起こした悲劇だった。

タクローでなくとも、いつかは誰かが、壁にぶつかることになったに違いない。

林部が目で合図を送ってきた。立ち上がりながら小さく頷くと、彼は倉庫の入り口に走り、引き戸を開けて外へと呼びかけた。

「自供しました。お願いします」

せわしない靴音とともに、入り口に複数の人影が現れる。野木を先頭に、残り四人の強行犯係のメンバーが倉庫に踏み込んできた。真犯人であるタクローや、彼を庇っていたハナが万が一逃げ出した場合に備えて待機してもらっていたのだ。

ガサ入れは野木の主導で進んだ。タクローの腕を引っ張って立たせ、個人のスペースである〝ベッドルーム〟へと案内させる。他の住人にも逐一確認の質問をしながら、タクローのものと思われる服やその他の私物を押収していった。

「それでは署で話を聞かせてもらうよ。いいね？」

野木が最後に、任意同行を打診する。タクローは力なくうなだれ、二人の刑事に付き添われて、工場の外に停めてある捜査車両へと歩いていった。

「ハナさんも」

里穂子が声をかけると、ハナは驚いたように目を瞬いた。

犯人隠避罪という言葉を、彼女は知らないに違いない。初犯の上、育った境遇など勘案すべき事情もあるため、もし起訴されたとしても執行猶予付き判決ないし罰金で済む可能性が高いだろうが、見逃すわけにはいかなかった。

「タクローさんを庇っていた件について、署で詳しく話を聞かせてくれる？　虚偽の供述をするのは、場合によっては罪になるんだよ。だから……もうこれ以上、嘘はつかないで、今度こそ本当のことを教えてほしい」

厳しいことを言っている自覚はあった。だが、里穂子の予想とは裏腹に、ハナは表情を明るくした。何かから解き放たれたような晴れやかな笑顔が、殺風景な倉庫に花を咲かせる。

「うん。ごめんね、森垣さん。私、全部話すよ」

一つ思ったんだけどね――と、ハナは残された三人の住人をちらりと振り返り、里穂子に向き直って言った。

「相手がトシくんじゃなかったら、タクローはあんなことをしなかったのかもな、って」

「……どういうこと？」

「タクローがどこまで知ってたかは知らないけど……トシくんはすごく、だらしない人だったの。酔っ払うと口が悪くなるし、家に行ったときはちょっとしたことで殴られてたし、財布を勝手に取られてお金を使われたことだってある。この間の仕返しだって、追いかけてきて暗いところで襲うなんてさ、ひどかったもんね」

実の妹の赤裸々な告白に、リョウが苦しそうに唇を嚙んだ。

「今思うとね、私がトシくんのことを好きだったのは、〝外の人〟だから、ってだけだった。舞い上がってたんだよ。遊び目的じゃなく、私と真剣に向き合ってくれる〝外の人〟って、トシくんが初めてだったから。といっても、結局浮気されてたんだけどね。……あーあ、ここ以外の場所のことを何も知らないから、私は騙されるんだ。タクローは、そのことを怒ってたのかも」

「もしお相手がまともな男性だったら、ハナさんを無理に引き止めようとはしなかったかもしれない、ってこと？」

「そう。口ではあんなこと言ってたし、私とは喧嘩ばかりだったけど、タクローは……本当は、優しい人だと思うから。じゃないと、ミライがあんなに懐かないよ」

目を潤ませているテッペイが、同意するように何度も頷いた。ヨシコが静かにため息をつき、リョウの背中にそっと手を添える。

耐えがたい精神的苦痛を受けてなお、ハナは仲間を信じている。

タクローの本心は分からない。だが、彼らを繋ぐ糸を簡単に断ち切ってはいけないと、それだけを固く胸に誓う。

「では、行きましょうか」

里穂子と林部は、ハナを連れて倉庫の外に出た。

野木ともう一人のメンバーがその場に残る。これから署の上層部の指示を仰ぎながら本庁のしかるべき部署や行政庁に連絡を入れ、カナウチ食品の違法実態に対処する手はずになっていた。

暗い夜空に浮かんでいるはずの、無数の見えない星が、里穂子たち三人を見下ろす。

押収した黒いジャージの袖から斎藤敏樹のものとみられる血痕が見つかり、タクローに逮捕令状が発行されたのは、その日の夜遅くのことだった。

*

「遅いぞ」

心理療法室、という白いプレートのかかった引き戸を開けると、鋭い声が飛んできた。

窓際に据えられた白い木のテーブルを挟んで、白いブラウス姿の伊藤優と、淡いグレーのスーツを着こなした羽山が向かい合っている。手前側の椅子に座っている羽山は、眉間にしわを寄せてこちらを見ていた。

「すみません。事件処理が長引いてしまいまして」

「いい加減本題に入ろうかと思っていたところだ」

そう言われても、一匹狼の羽山とは違い、新人とペアを組まされている里穂子が勤務中の昼時に仕事を抜けるのは至難の業だ。しかも、殺人未遂事件の真犯人を逮捕した翌日ときている。これでも相当に無理して時間を作ったのだと弁解しようとしたが、所轄署の本務がどれほど忙しかろうが容赦しないと最初に釘を刺されていたことを思い出し、里穂子はやむなく口をつぐんだ。

羽山から何度か不在着信があったことに気づいたのは、昨夜遅くのことだった。慌てて留守電を再生すると、淡々とした声で簡潔なメッセージが残されていた。『明日十二時半、世田谷育英園の心理療法室に来い。お前も立ち会え。どうせ興味があるんだろ。かけ直す必要はない』――居丈高で腹立たしい指示だったが、悔しいことに図星だった。

こうした呼び出しがあるだろうことは、半ば予期していた。世田谷育英園という名前をインターネットで調べるまでもなく、伊藤優が現在非常勤でカウンセリング業務に携わっている児童養護施設の一つだろうと想像がついた。つまり、彼女の職場に押しかけて話を聞くということだ。

タクローの逮捕から一夜が明け、ほっと一息つく間もなく、今度はこちらの事件が動き出そうとしている。

鳥籠兄妹誘拐事件。

その顚末がどのようなものになるか、里穂子の頭にはすでに、あるイメージができあがっていた。

「どうぞ、おかけください」

伊藤が柔らかい口調で椅子を勧めた。失礼します、と頭を下げ、羽山の隣に腰かける。よく見ると、彼女の目の下には隈ができていた。昨日羽山から訪問の打診があり、悪い予感を拭えずに眠れぬ夜を過ごしたのかもしれないと、胸の奥がわずかに痛くなる。

「伊藤さん」

羽山は、単刀直入に切り出した。

「このあいだ会ってもらったあの二人は――本当に、鳥籠事件の被害児童だと思いますか?」

ごくりと唾を飲み込み、目の前の臨床心理士を凝視する。

伊藤は助けを求めるように天を仰ぎ、すぐにテーブルに視線を落とした。ブラインドの隙間から差し込む陽光が作った白い筋を、じっと見つめている。

なかなか答えは返ってこない。彼女の顔に色濃く浮かぶ罪悪感を見て取り、羽山が助け舟を出した。

「責めるつもりは毛頭ありません。あれはこちらの事前情報の渡し方もまずかった。今日改めてお時間を頂戴したのは、今度こそ、伊藤さんの冷静な分析を聞かせていただこうと思ったからです」

「冷静な……」伊藤が羽山の言葉を力なく繰り返した。「そうですね。あのときは確かに、喜びの感情が先走りすぎていたかもしれません」

「ア、レ、ル、ギー」

羽山が突如声を大きくし、里穂子は反射的に身をすくませた。

やや目を見開いた伊藤が、小さくため息をついた。「お気づきだったんですね」と肩を落とす彼女と、自信満々に腕組みをする羽山から、片時も目を離せなくなる。

「――ではないですか?」

「あのときは気づかなかった。ただ、疑惑を念頭に振り返ってみると、兄妹との食事会の終盤、伊藤さんの言動には不審な点があったんです。具体的には、デザートを頼んだとき。彼らにメニューを渡して自由に決めさせればいいのに、あなたはわざわざいくつかのデザートの種類を挙げ、その中から選ばせようとしていた。チーズケーキだとか、ティラミスだとか、プリンだとか」

「あれが……そんなに不自然だったでしょうか」

「食べ物の好き嫌いを把握している家族や友人同士なら、そうやって親切に提案するのも分かりますよ。ただ、あなたと彼らは、実に二十四年ぶりの再会のはずだった。幼児から大人へと変貌を遂げた彼らがどのデザートを好むかという判断材料が、あなたにあったとはとても思えない。さらに、妹のほうが提案を無視してクリームあんみつを選んだとき、あなたは驚いたような顔をしていた。彼女の好き嫌いなど分かるわけがないにもかかわらず、伊藤さんがその選択を意外に感じた根拠は、いったい何だったのか」

「その根拠というのが、アレルギーではないかと——そうお考えになったわけですね」

「ええ。クリームあんみつには、名取桃花が食べられるはずのない食材が含まれていたのではないか、と。ケーキやプリンは大丈夫となると、やはり果物ですかね」

　メニューに印刷された、瑞々しいミカンやキウイの盛られたビジュアルが脳裏に蘇る。

　伊藤は目を伏せ、「はい」と弱々しく答えた。

「将太くんと桃花ちゃんは、二人とも同じアレルギーを持っていました。メロンやスイカをはじめ、キウイ、オレンジ、果物以外だとトマトなども……少しでも食べさせると、唇や口の中が赤く腫れ上がってしまって。一度嘱託のお医者さんに診てもらったところ、花粉症と関連のある口腔アレルギーだろうと言われた記憶があります」

「花粉症と？　確かに、そんな話も出ていましたね。花粉症と食物アレルギーが合併するケースがあるんですか」

「ええ。私も詳しくないので昨夜改めて調べてみたんですが、一部の果物や野菜に含まれるたんぱく質が、花粉症のアレルゲンと似た構造を持つのが原因のようです。将太くんと桃花ちゃんの場合、アレルギー反応が出ていた果物からすると、おそらく花粉の種類はイネ科のカモガヤやオオアワガエリだったのではないかと」

その不自然なほど滑らかな受け答えを聞き、伊藤の目の下に隈ができた経緯を察する。

あの食事会の途中からすでに、彼女は違和感を覚え始めていたのだ。昨夜羽山から電話を受け、訪問の用件を予想して初めて、目を逸らしていた事実と真正面から向き合わざるをえなくなったのだろう。

「二人が花粉症持ちだと聞いたときは、やっぱりこの人たちは無事に大人になった将太くんと桃花ちゃんなんだと……その証拠が一つ増えたような気がして、嬉しかったんです。その後デザートメニューを見たときに、果物アレルギーのことも頭に蘇ってきて、タイミングを見て話題にしようと思っていました。でも、私がそれを口にする前に、桃花ちゃん——というのは変ですね、妹さんのほう——が、クリームあんみつを注文すると言い出したんです。おかしいなと思いつつも、もしかすると成長過程でアレルギー症状が改善したのかもしれない、もしくはメロンやキウイを避けて食べるつもりなのかもしれないと自分に言い聞かせて、その場をやり過ごしました」

「お気持ちはお察ししますよ。簡単には後に引けない状況だったはずです。途中まではあの二人が確かに名取兄妹だと思い込み、再会を心から喜んでいたわけですから」

理解を示した羽山に向かって、伊藤が軽く頭を下げる。

「桃花ちゃんだけなら、まだ納得できたと思うんです。実際、クリームあんみつが運ばれてきた後、キウイを普通に食べている彼女を見て、口腔アレルギーが治ることもあるんだな、と腑に落ちかけていましたから。でも……途中で、彼女はメロンが苦手だと言い出して、よ﹅り﹅に﹅よ﹅っ﹅てお兄さんに食べさせたんです。その彼も、何でもなさそうな顔をしていました。桃花ちゃんより症状が重かった将太くんまで？　しかも、密接に関連があるとお医者さんに言われたにもかかわらず、二人とも花粉症だけが残って、食物アレルギーのほうは完治？　どうしてそのことに一言も触れない？　と、急に不安になってしまったんです」

メロンを食べながら、「いい加減好き嫌いはやめろよ」「だったら頼まなきゃよかったのに」と呆れた口調でハナを説教していたリョウの姿を思い出す。

なんと兄妹らしい会話だろうと、里穂子は微笑ましく見守っていた。だが、伊藤は違ったのだ。そういえば彼女は、デザートを食べる手をわざわざ止めて、言葉を交わす若い二人を物思わしげな表情で見ていた。「どうされました？」と声をかけた里穂子に、「すみません。胸がいっぱいで」と伊藤が感極まったように返答したのは、精一杯の誤魔化しだったのだ。

「それでも、昨日羽山さんからお電話をいただくまでは、あの子たちが将太くんと桃花ちゃんだったのだと信じようとしていました。刑事さんがそう言うんだから、私なんかが疑問を差し挟んではいけない、と。ただ……」

「改めて、お調べになったんですね」羽山が断定するように言った。「花粉の、飛散時期を」

「……そうです」

すべてが通じ合ったとばかりに、二人が沈黙した。

詳細の説明を求めて羽山の横顔に視線を送る。里穂子のＳＯＳにやっと気づいたのか、羽山が面倒臭そうに口を開いた。

「お前は花粉症か？」

「いえ」

「日本人の花粉症で一番多いのはスギだ。大量に飛散する時期は二月から四月。食事会のとき、ハナは『二月から四月まではどうせマスク生活』と言っていた。これは素直に受け取れば、スギ花粉に反応していることを示していると考えられる。ここまでは分かるな？」

「……スギ花粉は果物アレルギーとの関連性がないから、あの二人と名取兄妹は別人、ということですか？」

羽山の言葉の先を読もうとし、里穂子は首を傾げた。

「でも、複数の花粉に反応する人もいますよね？　イネ科の花粉症も実は患っているものの、スギに比べて症状がごく軽いため本人や周りが気づかない、というケースもあると思います。となると、そのハナさんの発言だけでは、名取兄妹と別人とまで――」

「違う。覚えていないか？　あのとき伊藤さんはこう発言した。『施設に来たときから花粉症がひどかった』『兄妹揃って鼻炎持ちなのかと思ってたら、季節の変わり目にピタリと止まった』と。お前の言うように、名取兄妹が『イネ科の花粉を含むいくつかの花粉症を併発しているが、目立った症状が出るのは最も花粉の飛散量が多いスギだけ』という状態だったとすれば、大きな矛盾が生まれるな」

「……矛盾？」

「鳥籠事件が起こったのは何月だ？　そして翌年彼らが誘拐されたのは？」

羽山の問いから数秒後、里穂子はようやく、彼の言わんとしていることを理解した。

名取将太と桃花が新宿区のアパートから救出されたのは、一九九六年五月。

幼い二人が児童養護施設から誘拐されたのは、一九九七年四月。

一時保護を経て八王子の施設に移されたとすれば、伊藤らと関わっていた期間は六月か七月頃から翌年四月までの、長くて十か月程度だろう。

「名取兄妹の鼻炎らしき症状の原因物質がスギ花粉だとすると、『施設に来たときから花粉症がひどかった』にはなりえない。同様に、『季節の変わり目にピタリと止まった』状態を十分に見届ける機会もない。――そういうことですね」

「ご名答」

羽山がぶっきらぼうに言う。

その後、伊藤が落ち着いた口調で補足した。イネ科のカモガヤやオオアワガエリの花粉の飛散時期は五月から八月。夏の花粉症の代表格だという。

「二十五年近く前のことなので、具体的な時期までは覚えていなかったんです。二人ともまだ小さいのに花粉症がひどくてかわいそうだった、ということくらいしか……だから、食事会のときはピンときていませんでした。昨夜、食物アレルギーとの関連などをきちんと調べてみて、ショックを受けました。イネ科の花粉症とそれに伴う食物アレルギーだけが治ったのかもしれない、と希望を持とうともしましたが……東京から別の地域に引っ越したわけでもないのに、そんな都合のいいことが起こるはずがないですよね。花粉症は一度発症してしまうと、若いうちは普通治らないみたいですし」

伊藤が小さく首を横に振り、虚ろな目をして続けた。

「捜査を攪乱するような証言をしてしまって、すみませんでした。でもあのときは、本当に……あのお二人に将太くんと桃花ちゃんの面影があると、思い込んでしまったんです。二十四年も経てば、こんな顔に成長するのも不思議ではないのかなと、自然と納得してしまったんです。心理の専門職にもかかわらず、先入観に騙されるなんて、お恥ずかしい限りです」

「いえ」と羽山がバツの悪そうな顔をする。「その先入観を植えつけたのは、我々警察ですから」

「私、将太くんと桃花ちゃんが生きていた可能性が高いと知らされて……羽山さんの計らいでその二人に再会できることになって、ものすごく嬉しかったんです。実を言うと、家で泣きました。私が長年気に病んでいたことを知っている主人や息子にも、『よかったね、よかったね』と何度も声をかけてもらいました。だから、認めたくなかったんです。あの子たちを二度も失うのは、絶対に嫌だったんです」

伊藤が、テーブルの上に置いた両手をぐっと握りしめた。

関節が黄色くなっている。

青い血管が、手の甲に浮き出ている。

「あの子たちは、やっぱりもうこの世にいない。そうなんですよね？」

その問いに、羽山は答えなかった。

ブラインドの閉まった窓を、いつまでも、感情のない目で眺めている。

里穂子が「伊藤さん、あの――」と話しかけようとすると、「いいんです」という毅然とした言葉が返ってきた。

「私なら、大丈夫です。二十年以上前から分かってたことですから。事実を受け入れるも何も、最初から覚悟はできていました。こんなに長いあいだ帰ってこない将太くんと桃花ちゃんが、生きているはずがないんですよね。今更あの子たちが立派な大人になって現れるなんて、どうして私、そんな夢みたいなことを……」

冷静であろうと努めている彼女の頰に、つうと涙の筋が伸びていく。

その水の跡を見て、里穂子は罪を自覚する。自分たちは、谷底にいた伊藤にロープを差し出し、崖の上まで引き上げた直後、また突き落としてしまったのだ。そんな残酷な仕打ちをしたにもかかわらず、伊藤は羽山と里穂子を責めようとしない。

すみませんでした、と里穂子は深く頭を下げた。

白いテーブルの表面に、前髪が垂れる。やめてください、という伊藤の声が聞こえても、里穂子は同じ姿勢を保ち続けた。

「一つだけ、お願いです」

長い沈黙の後、伊藤が声を発した。貸会議室で初めて会ったときの印象と変わらない、穏やかで落ち着いた口調だった。

「あの子たちが、誰に誘拐されて、どこで短い命を終えたのか。それを明らかにしてください。あの子たちの健やかな成長を願っていた者として、それだけは知っておかなければならないと思うんです」

「はい」

羽山が短く答えた。

「……必ず」

平日昼の児童養護施設は閑散としていた。

居住棟の窓から漏れ聞こえてくる幼児の笑い声を聞きながら、世田谷育英園の敷地を後にする。門を出ると、すぐ目の前は小さな公園だった。親子連れが一組、滑り台で遊んでいる。ここを通り抜けるのが駅への近道だ。

公園に足を踏み入れてすぐの木陰で、羽山が足を止めた。

「——とまあ、こういうわけだ」

むず痒そうな顔をして、蟻の這う地面に目を落としている。伊藤との約束をわざわざ仕事を抜けやすい昼時に設定し、留守電を入れて里穂子を呼びつけたのは、彼なりの借りの返し方だったのだろうと、その表情を見て思う。

「お前は全部、分かっていたんだよな？」

「全部、ではありません。食物アレルギーや花粉症の件は予想外でした。もっと注意深く伊藤さんのことを観察しておくべきだったと反省しています」

「あれは細かいことだ。とにかく、あいつらが鳥籠事件の被害児童ではなさそうだという点については、薄々感づいていたんだな？」

「はい……最初はぼんやりと、でしたが」

思えば、確信の下に、不安は常に漂っていた。

おおよその年齢、性別、居住地、〝ユートピア〟で暮らし始めた時期は、誘拐された名取兄妹とぴったり符合している。しかし、両者を同一人物と確定できるような証拠がなかなか出てこない。ＤＮＡ鑑定は拒否され、幼児期の写真はなく、母親であるはずの名取宏子も何の感慨も示さなかった。顔がどことなく似ていると感じたのは確かだが、ほくろや痣などの決定的な身体的特徴が一致したわけではなく、肌の色や目の形などの大まかな印象しか比較できていない。

決定打になったのは、叶内丈に関するある気づきだった。

「もともと、気になっていたんです。倉庫暮らしをしていた〝ユートピア〟の住人たちがニュースに疎く、誘拐事件のことを知らなかったというのは、一応頷けます。ですが、彼らの支援者である叶内丈に限っては、この論理が当てはまりません。だから叶内丈は、少なくともリョウとハナの正体には気づいていたのではないか、自分が実行犯でないにしろ誘拐行為を黙認していたのではないかと、そう考えていたのですが――」

　必要なのは、発想の転換だった。

　里穂子も羽山も、これまでずっと、とんでもない勘違いをしていたのだ。

「ふと、疑問に思ったんです。叶内丈にとって、名取兄妹を匿うメリットは果たしてあるのだろうか、と。彼らはそもそも無戸籍ではなく、叶内の支援対象ではありません。仮に〝ユートピア〟内で誘拐を肯定するような狂信的な思想が蔓延していたとしても、コミュニティの外にいる叶内までもがそれに賛同したとは思えません。罪を犯した無戸籍者を庇おうにも、世間の関心が集まっている名取兄妹を手元に置いておくほうがよっぽどハイリスクです。そう考えたとき、ある可能性に気づきました」

「叶内丈は、リョウとハナの顔を見ても、まったくピンとこなかったのではないか――そういうことだな」

「はい」

　リョウとハナに会った叶内は、鳥籠事件のことを想起しなかった。

　いや、あれだけ注目度が高かった事件だ。叶内自身、新聞に投書までしている。となると、頭にはよぎったのかもしれない。その上で、リョウとハナは誘拐事件とは無関係だと結論づけた。

　それはなぜか。顔が違ったから。ただそれだけだ。

「ふむ、そういう導き出し方もあったか」

　羽山が青い空を見上げ、息を細く吐いた。

「〝ユートピア〟で育った兄妹は、鳥籠事件の被害児童とは別人。これはもう確定だ。しかし、ここには大きな問題が立ちはだかる」

続きを聞かなくても、羽山の言いたいことは分かった。

ならば、リョウとハナは何者なのか。

誘拐された名取将太と桃花は、どこへ行ってしまったのか。

無戸籍者コミュニティについて秘密裏に報告した日、羽山が興奮気味に喋っていたのを思い出す。

とても偶然では片付けられない。

いや、こんな偶然があってたまるか——と。

「先ほど伊藤さんもおっしゃっていたとおり、私も本物の名取兄妹はすでに亡くなっている可能性が高いと考えました。では、いつどこで命を落としたのか。そこで、思い出したことがあったんです」

「沼田香苗だな」

羽山の鋭い返しに、里穂子はゆっくりと頷いた。

昨日の朝、羽山と電話口で交わした言葉が、耳に蘇る。

——お聞きしたいことがあります。沼田香苗の件です。彼女に職質をかけた直後、羽山さんはこうおっしゃっていましたよね。『俺は一度会った人間の顔は絶対に忘れないんだ』と。これは本当ですか?

——失礼だな。本当に決まってるだろ。自信がなきゃ、あんなふうに豪語はしない。

——それなら、私が知っている範囲で、被疑者リストに記載がなく、施設関係者でもなく、羽山さんが一度捜査対象としたにもかかわらず、ついに対面することはなかった人物が一人います。

品川のカフェレストランで初めて顔を合わせた日、羽山は徒労の多い未解決事件の捜査について、長々と心の内を吐き出していた。

ああ、子どもが死んだ事故の記録を片っ端からひっくり返したこともあったな。警視庁だけじゃなく、全国の警察本部にも協力を依頼して、十年前から二十年前くらいに起きた事故の情報をあるだけ掻き集めて。

二十四年もの間、消息がつかめないんだ。被害者はとっくに死んでいるものと仮定するのは不自然じゃないだろ。明らかに殺人と分かる状況じゃなく、事故に見せかけて殺されたのかもしれないし。

子どもの死亡事故は、案外多いよ。一番よくあるのは交通事故だ。自転車で横断歩道を渡ろうとして撥ねられる。高齢者の車が歩道に突っ込む。家族でドライブの最中、信号無視の車が後部座席に衝突する。他にもいろいろあるな。食べ物の誤嚥やビニール袋による窒息死。医者の手術ミス。事故というよりは事件だが、虐待死だって無視できない。小学生以上になれば自殺もある。

中には、きょうだいが同時に亡くなったケースもあった。茨城に住む六歳の姉と四歳の弟が、自宅で風呂に潜る遊びをしていて溺れ死んだ事故。小学校六年と三年の兄妹が、台風が来る直前に京都の川で水遊びをしていて流された事故。親が夜の仕事をしていた福岡の母子家庭で、未明に火事が起きて小学一年生の双子の男女が焼け死んだ事故。五歳と四歳の年子の兄妹が、手を繋いだままマンションのベランダをよじ登って七階から転落した静岡の事故。

分かってんだ。こんな捜査に意味はないって。それでもほんのコンマ数パーセントの可能性に懸けるのが、未解決事件の捜査なんだよ。

憂いを帯びた声でそう言い放った羽山の姿が、今も網膜に焼きついている。

――静岡で起きたマンション転落事故。そのとき亡くなった兄妹の母親が、沼田香苗じゃないですか？

電話口で決定的な質問をすると、羽山は何かに気づいたように息を止めた。

そう断じた理由を、彼は即座に察したようだった。無駄足となった捜査の顛末を里穂子に語ったのは、他ならぬ羽山自身だ。

あのとき、羽山は言っていた。その後、子どもの死亡事故を追うのはすっぱりやめた、と。風呂や川での溺死や火事による焼死など、男女のきょうだいが同時に死亡した事故の遺族に順繰りに会っていき、最後にマンション転落事故の母親に連絡したのが直接的なきっかけになった、と。

電話越しに、途切れ途切れのかすれ声で言われたんだ。『今さら何ですか』ってな。それで目が醒めたよ。俺は特命捜査対策室だとか、未解決事件専従だとかいうたいそうな肩書きに酔って、不必要に他人の人生を荒らし回っていただけだったんだ。正義のヒーローぶってな。

――捜査対象にしたことはあるが、会って顔を見たわけではない、というわけか。確かに、その母親の名前は今ぱっと浮かばない。ただ、お前は俺の過去の捜査のすべてを知っているわけじゃないよな？　断片的な情報から推理を組み立てるのは危険じゃないのか？

――それは承知しています。ですが、我々刑事の捜査の基本は足を使うことです。参考人の視線や表情といった非言語情報も重要な手がかりになります。電話だけで済ませたケースがそう多いとは思えません。

——お前が職質をかけたとき、免許証に書いてあった住所は静岡ではなかったと記憶しているが。事件後、遠方に転居したということか？

——それほど遠くはないかと。神奈川県の湯河原町は、静岡県熱海《あたみ》市に隣接しています。

——いや、だが待てよ……叶内丈の投書が載っていたのは、関東のブロック紙だったんだよな？それじゃ、静岡に住みながらにして情報を得ることはできない。

——投書が掲載されたのは東京新聞でした。配布地域は、関東の七都県に加え、静岡県の東部と中部です。

羽山の疑問は、すべて想定内だった。里穂子が簡潔に切り返すと、羽山は『なるほど』と唸り、捜査資料を見返してみると言い残して電話を切った。動機を説明するまでもなかったのは、彼の呑み込みの速さゆえだろう。

そして今、その手に真相を手繰り寄せたはずの羽山が、悔しそうに歯噛みして、目の前に立っている。

「やっぱり……彼女が沼田香苗だったんですね？」

確認の問いを投げかける。「お前の言うとおりだったよ」という羽山の負けを認めるような台詞が、生温い風に乗って流れていった。

沼田香苗は当時未婚の母で、死亡した二人の子どもを女手一つで育てていたと、羽山は語った。

「俺は本当にバカだな。真実の一歩手前まで近づいていながら、ころりと騙されて引き返したわけだ。あの女が警察を名乗った俺に向かって『今さら何ですか』と声を震わせたのは、子どもを失った不幸な事故を思い出すのがつらかったからではなく、昔の犯行が今になって露見したのかと怖くなったから。会いにいきさえすれば、表情から一発で嘘を見抜けただろうに……どうしてあのとき俺は、己を信じて突き進まなかったのか」

羽山が額に手をやり、首を左右に振る。今日は蒸し暑い。その端整な顔には、珍しく汗がにじんでいる。

つまり、こういうことだった。

リョウとハナは、鳥籠事件の被害児童ではない。

二人の実の母親は、名取宏子ではなく、二十二年前に起きたマンション転落事故の遺族である沼田香苗だった。

彼女が――鳥籠兄妹誘拐事件の真犯人だ。

「沼田香苗は、子どもたちを入れ替えたんだな。鳥籠事件の被害児童を施設から連れ去って自宅に監禁し、代わりに実の子どもを新聞の投書で知った叶内丈のもとに託した。捜査本部が解散し、警察の捜査が手薄になるのを待つため、計画は二年がかりで実行された。名取兄妹をマンションのベランダから突き落として殺し、実の子どもが死んだ事故に見せかける。沼田は見事警察の目を欺き、その企みを成功させた」

リョウとハナが無戸籍というのは、あながち間違いでもなかったのだと、羽山の低い声を聞きながら思う。

なぜなら、二人は戸籍上、とっくの昔に死亡したことになっていたからだ。

「この犯行には、二つの動機が存在する」

羽山が枝の伸びた木を見上げ、眩しそうに目を細めた。

「一つ目は、なぜ面倒な手順を踏んでまで、わざわざ子どもたちを入れ替えたのか。二つ目は、なぜ事故に見せかけて殺す必要があったのか。お前の考えはどうだ」

「確証はありませんが……だいたい、想像はつきます」

「話してみろ。まず前者についてだ」

「人間を殺す勇気はなかったから、ではないでしょうか」

自分で言いながら、あまりの卑劣さと残酷さに反吐《へど》が出そうになった。

少し間を置いて、「俺も同意見だ」と羽山が苦々しく呟く。

人間が人間を殺す。その行為には、大きな心理的負荷が伴う。例えば、戦争から帰還した兵士の自殺率は高い。殺人を犯した被告人が、事件当時は精神耗弱状態にあったとして減刑されるケースはよくある。

曲がりなりにも強行犯事件を担当しているから、肌感覚で分かる。殺人の多くは、衝動的に行われる。通常の精神状態で、計画的に人を殺すことを決意できる人間とは、犯罪者の中にもそれほど多くない。

だが、相手が人間でなければ話は別だ。動物を殺しても、刑法上は器物損壊罪にしかならない。人間が肉や魚を食べて生活する以上、畜産業や漁業など、正当な理由で生き物の命を奪う仕事は数限りなく存在する。

人間でないものを殺すのは、人間を殺すよりも、ずっとハードルが低い。

「沼田香苗は、何らかの理由で、実の子どもが死んだことにしなければならなくなったのでしょう。ただ、人間——ましてや血を分けた息子と娘を殺すような真似は、どうしてもできなかった。二十年以上経った今も、リョウさんとハナさんを捨てた工場付近に定期的に姿を現していることからして、二人を手放すことにも少なからず未練があったのだと思います。そんな彼女のもとに飛び込んできたのが――」

「鳥籠事件について、あることないことを書き立てた週刊誌報道だった」

羽山が言葉を継ぐ。二十五年前のある春の日、薄暗いリビングで母親がニュースの感想を語っていたことを、里穂子は思い出す。

――今日の昼間も、ワイドショーでやってたわよ。近所の人たちの目撃談によると、助け出された子たち、鳥の鳴き真似や両腕を羽ばたかせる仕草しかできなくて、歩き方も変なんですって。過去にロシアだかインドだかでそういう野生児が発見されたことはあったけど、さすがに日本では初めてだそうよ。

「沼田にとっては、まさに渡りに船だった。ヒトの形をしているが、中身は動物としか思えない幼児が見つかったという報道。兄と妹という二人の性別も自分の子どもと同じで、年齢の差も誤魔化せる範囲内。そして最終的に沼田の背中を押したのが、叶内丈による新聞投書だった。余った子どもをこっそり託すことのできる、格好のゴミ捨て場が見つかったというわけだ」

自分の子どもを手にかけるのはつらい。

だが、人間の言葉を喋らない、動物同然の幼児なら、殺せるかもしれない――。

沼田香苗の思考をなぞろうとすると、全身に寒気がする。六月上旬の真っ昼間に、スーツの上着まで着込んでいるにもかかわらず、太陽の暖かさを一向に感じない。

「一つ目の動機は、これで説明できるな。では二つ目は？」

「事故に見せかけて殺した理由ですよね。まず、実の子どもと名取兄妹を入れ替えたことからして、子ども自身に対する怨恨のセンはありえません。誰かから子どもを殺せという趣旨の猟奇的な脅迫を受けていて、それに従おうとしたという見方もできますが、誘拐から殺害実行までに二年もの夕イムラグがあることを考えると、その可能性は低いでしょう。となると、考えうる動機は一つです。金銭目的。保険金詐欺です」

里穂子が言い切ると、羽山は「またしても意見が一致したな」とくぐもった声で笑った。

「さすが森垣部長。昨今の情勢には惑わされなかったわけだ」

「法律の改正が施行された二〇〇九年に、警視庁に入庁しましたから。保険会社側の対応などがその後も新聞で取り上げられていたのを、かろうじて覚えていました」

羽山が言っているのは、子ども向け死亡保険の上限金額のことだ。

令和の世の今でこそ、親が十五歳未満の子どもにかけられる保険金は最大一千万円に抑えられている。大手以外では、採算が合わないとして子ども向け死亡保険自体を取り扱っていない保険会社も多い。だが、二〇〇九年の保険業法改正までは、内閣府は保険会社に対し、引受限度額の整備などを特に求めていなかった。

改正の直接的なきっかけになったのは、二〇〇七年に起きた殺人事件だったようだ。妻に対する保険金殺人の疑いで逮捕された男が、三年前にも妻の七歳の連れ子が事故死したとして、生命保険金と共済金合わせて八千万円を受け取っていたことが判明した。被疑者が警察署の面会室で自殺したため真相は明らかにされなかったものの、もし男が妻を殺さなければ、連れ子の件が闇に葬られていたことは確かだ。

ましてや、沼田香苗の二人の子どもがマンションのベランダから転落したとされる事故が起きたのは、法改正のさらに十年前だ。数千万円もの死亡保険金は、間違いなく殺人の動機になりえただろう。

あの頃は、現在とはまったく異なる基準で物事が動いていたのだ。

「さて、お前の意見はよく分かった。ここからはちょっとした中間報告だ」

羽山が片手を腰に当て、光の宿った目で里穂子を見下ろしてきた。

「昨日の朝、お前から電話を受けた後、三年前の捜査手帳を引っ張り出し、マンション転落事故の母親の名前が沼田香苗だと確認した。その足で新幹線に飛び乗り、静岡まで行ってきた。いきなり本庁の刑事が事前連絡もなしにやってきて、所轄署の連中は慌てていたよ。そこで当時の捜査報告書を徹底的に探した」

「……捜査報告書？　二十年以上も経てば、とっくに廃棄されているのでは？」

「ああ。三、四年前に俺が独自に捜査しようとして電話したときも、そんな古い資料は残っていないと迷惑そうに言われた。だが、あのときは向こうだって本気で探したわけじゃない。こういうグレーな事故の報告書、しかも手書きの紙を廃棄すれば永遠に情報が失われる時代の資料は念のため残しておくこともあるんじゃないかと踏んで、無理やり書庫に乗り込んだ。気の遠くなるような作業だったよ。飲まず食わずで、結局新幹線の終電ギリギリまで粘る羽目になったな」

「まさか、見つかったんですか？」

「俺の見立てては当たっていたというわけだ」

羽山がふんと鼻を鳴らし、肩から下げている黒いビジネスバッグにちらりと目をやった。そこに報告書のコピーが入っているのだろう。「担当捜査員が悪筆家だったようでな。しかも縦書きときた。読むのに苦労したよ」と話の続きをもったいぶる羽山に、里穂子はたまらず問いかけた。

「当時の捜査員は、なぜ事故の真相を見抜けなかったのでしょう？　検視でＤＮＡ鑑定が行われるのは遺体の身元が確認できない場合のみなので、このケースでは母親の沼田香苗の証言がそのまま受け入れられたのだろうとは推察しますが……いくら誘拐事件から二年が経過していたとはいえ、遺体を目視する機会のあった捜査員が全員、死亡した二人が鳥籠事件の被害児童だと気づかないものでしょうか？」

「当然の疑問だな。その謎を解く鍵は、捜査報告書と一緒に出てきた検視調書にあった」

羽山がビジネスバッグの側面を軽く叩く。

「五歳の兄が二十一キロ。四歳の妹が十九キロ」

「……はい？」

「死亡時の体重だ。身長は二人とも百センチ前後。計算方法はいろいろとあるようだが、その年齢だと明らかに肥満の部類に入る。一方、誘拐事件後に公開された名取兄妹の写真は、施設で暮らしていた頃に撮影された、発育の遅れが一目瞭然の痩せこけた姿だったな」

突如、頭を鉄板で殴られたように錯覚する。

——そんなことがあっていいのか。

まるで家畜のような、という言葉が頭に浮かびそうになり、慌てて振り払った。

「沼田香苗は……誘拐した二人を故意に太らせていたんですか？　外見の印象を大きく変えるために？」

「検視調書を読む限りでは、残念ながらそのようだ」羽山が重々しく頷く。「また、親族等の証言は特に載っていなかった。立ち会って身元確認をしたのは、やはり沼田香苗一人だったようだ。まあ、こんな計画を立てるくらいだから、もともと孤立した母子家庭だったんだろう」

捜査報告書には、部屋に飾られていた子どもたちの写真と遺体の人相を照らし合わせたという記載があったと、羽山は話した。そんなものは事前の準備で何とでもなる——と、腹の奥底から怒りがせり上がってくる。

自分だったら、気づけただろうか。

直接担当しているわけではない、ましてや自分の所属する県警の管内で発生したわけでもない、二年前に八王子で起きた誘拐事件の被害児童と、目の前の転落死体が同一人物であると。

母親だと名乗っている人物がいる。遺体となった子どもは丸々とふくよかに成長して、髪も伸びている。戸籍にも異常がない。部屋には愛情たっぷりに写真が飾られている。二年前の報道の記憶は、薄れつつある。

その上で、植えつけられた先入観を覆し、真相を見抜くことができただろうか。

不意に、肩の力が抜けた。確かに感じていたはずの怒りが、みるみるうちに、無力感へと姿を変えていく。

「生命保険の加入状況は？　まさか担当捜査員が把握していなかったわけはないですよね？」

「当然、検視調書に記載があった。複数社で契約していて、子ども二人の分を合わせて合計一億円」

想像を超える数字に、目の前が暗くなる。

「そこまで分かっていて、子どもたちが遊んでいて落ちたという母親の証言を、担当捜査員は鵜呑みにしたんですか？」

「限りなく黒に近い案件だったことは確かだ。最終的に事故だと結論づけたのには、いくつか根拠があったらしい。第一に、二人に対する虐待や育児放棄の痕跡が見受けられなかったこと。食事も十分――いや十分すぎるほど――与えられていて、傷や痣もどこにも見当たらない。唯一、虫歯の痕があまりに多いことだけが気にかかったようだが、『子どもが可愛くて、欲しがるままに甘いものをたくさんあげてしまった』という沼田の供述で一応片がついたようだ」

鳥籠事件の兄妹は、生まれてから一度も親に歯磨きをしてもらったことがなかったため虫歯だらけだったという、品川のカフェレストランで聞いた羽山の話を思い出す。

「第二に、生命保険の加入日が事件直前ではなかったこと。そして第三に、目撃者の証言があったこと」

「え？　でもさっき――」

「調書に記載がなかったのは、あくまで親族の証言だ。転落現場の目撃者は存在したんだよ。家の中にいた母親とほぼ同時に一一〇番通報をした、近所に住む四十代男性。ウォーキングの途中に、兄妹らしき幼児がマンションのベランダに手を繋いだままよじ登り、転落する瞬間を見たと証言した。彼が『こら、危ないよ！』と道路から大声で呼びかけた声は、多くの隣人が耳にしている。さらに、二人が黄緑色の踏み台らしきものをエアコンの室外機の前に置き、階段状にして上っていたという彼の目撃談も、現場の状況と一致していた」

「そんなわけ……」

「さて」

一拍置き、羽山が虚空を睨みつける。

「もしこの目撃者の男性が、母親の沼田香苗とグルだったとしたら？」

途端に、淀んでいた視界が開けた。

思えば、沼田香苗には確実に協力者がいたはずだ。代理のカウンセラーを装い、八王子の児童養護施設から名取兄妹を巧みに連れ出したのは、中年の男性だった。

二十代の母親と、近所に住む四十代の男。年齢は離れているが、当時恋愛関係にあった可能性を否定できるほどの歳の差ではない。

「昨日の時点で推測できたのはここまでだ。伊藤優の話やお前の見解を聞くためにいったん東京に戻ってきたが、この後また静岡に向かう。栃崎《とちざき》とかいう目撃者の男の所在はもちろん、当時の担当捜査員や葬儀業者にも当たるつもりだ。あとは沼田と栃崎の口座の金の動きだな。二十年以上前のデータを銀行から引っ張り出せるかは、やってみないと分からないが」

「いよいよ本格的な捜査が始まるわけですね」

「ああ。喜べ。これはある意味では僥倖《ぎょうこう》だ」

里穂子は目を瞬いた。軽い調子で放たれた言葉に、途端に怒りが込み上げてくる。

「何言ってるんですか。鳥籠事件の被害児童が、二人とも亡くなってたんですよ？　それを僥倖だなんて、ひど――」

「そんなことは分かっている。これは誰がどう見ても最悪の結末だ。だがな」

羽山が里穂子をまっすぐに睨みつけてきた。

「俺たちは刑事だ。法律にがんじがらめに縛られた、警察という組織の駒だ。いくら犯人を罰してやりたくても、できることは限られている。その上で、事件は未成年者略取ではなく、誘拐殺人だったことが判明した。となると？」

「公訴時効が……ない」

「そういうことだ。あの無戸籍者の兄妹が鳥籠事件の被害児童だった場合、時効の壁にぶち当たって、犯人を見つけても罪に問えない可能性が高かった。でもこれなら――真実が誘拐殺人だったなら、俺たちは刑事としての使命を全うできる。合計四人の幼子の未来と戸籍を奪った犯人を、二十四年の時を経て、この手で逮捕できる。罪を償わせられる。犯罪者を犯罪者として処罰できる！」

羽山の目は、いつの間にか、憎しみと興奮に燃えていた。

丸四年間、彼は一筋に、鳥籠事件の真相だけを追い求めてきた。その年月に思いを馳せる。

彼は、心の底から刑事だったのだ。本庁での昇進や栄転だけを目論む、ずる賢いだけのエリートではなかった。自分が担当したからには、日本のどこかにいる犯人をこの手で捕らえ、司法の場に引きずり出したい。苦しい思いをした被害者やその関係者に向けて頭を下げさせたい。その一心で、先の見えない捜査を根気よく続けてきたのだ。

長い長い冬を経て、ようやく見つけた獲物に今にも飛びかからんとする狼が、肩を怒らせて、目の前に立っている。

「ここからが勝負だ。沼田と栃崎を、絶対に裁きの場に突き出してやる。俺の四年間の捜査も、お前の協力と閃きも、絶対に無駄にはしない」

身体がぶるりと震える。

これを武者震いというのだと、里穂子は一瞬の間を置いて自覚する。

「実はな」

先ほどの力の入り方が嘘のように、羽山が悄然とした口調で言った。

「伊藤優の反応が途中からおかしくなったことは、あの食事会の最中に気づいていた。だが、まさかそんなはずはないと、その直感を知らず知らずのうちに否定してしまったんだな。先入観に抗えず、自分の都合のいいことだけを信じようとしたんだ。伊藤優も、俺もな」

「いえ……でも、私は伊藤さんの異変に気づくことさえできませんでした。羽山さんはさすがだと思います」

「お前が何を言う。沼田香苗の正体を見抜けなければ、捜査の進展はなかったんだぞ。だから今回のことは全部そっちの功績だ。忌々しいことに」

「といっても、手柄は全部羽山さんのものなんでしょう？　私の協力は非公式だって、最初にそう言っていましたよね」

「当然だ。これは俺のヤマだし、これから沼田と栃崎を吐かせて事件解決に持っていくのも俺だ。約束どおり、手柄はいただく」

羽山らしい強引な主張だ。

だからこそ、心強い。

あとは、この人に任せよう——と、心の中で頷く。

羽山は外堀を埋め次第、特命捜査対策室の幹部に状況を報告し、一気に犯人逮捕へとなだれ込むつもりのはずだ。ここから先、里穂子の出る幕はない。

事件との距離が遠いことは、もどかしい。できることなら、自分も現地に飛んでいきたい。だが、所轄の刑事という立場で、この事件の捜査に関わらせてもらえただけでも幸運だったのだ。里穂子のほうこそ、羽山には心から感謝している。

「って——私の推理が、まったくの的外れだったらどうしましょう。沼田香苗が工場付近に足を運んでいたことから、リョウさんとハナさんの実の母親なんじゃないかって、勝手に想像を膨らませただけなんです」

照れ隠しのつもりで、青い空を見上げて発言する。意外なことに、「いや」と即座に否定する声が返ってきた。

「お前の推理は正しい」

「どうして分かるんですか?」

「根拠があるからだ」

羽山が遠くを見やり、小さくため息をついた。

「何てったって、マンション転落事故で死んだとされている、沼田香苗の二人の子どもの名前は――」

*

土手に上ると、雄大な青空とたなびく雲が、視界いっぱいに現れた。

綺麗に舗装された片側一車線の道路を、バイクが悠然と走っている。その向こうには、水面に陽光を受けて煌めく大きな川が流れている。

多摩川だ。

川岸に沿って、遠くまで、背の高いマンションがぽつりぽつりと建っている。

行く手に架かる橋では、豆粒ほどの大きさの車やトラックが行き交っている。遠く果てに青い影になって連なるのは、奥多摩の山だろうか。人工物と、空と、川と、山とが、神奈川との境界線で交じり合っている。

車通りの少ない道路を横断し、川岸に近づくと、跳ね返った光が里穂子の目を刺した。

「そっか。河川敷、こんなに近かったんだ」

思わずため息を漏らすと、隣を歩くハナが「ね、いいところでしょ」と得意そうに胸を反らした。

閉鎖的な食品工場の敷地を出て、たった五分と少し。家々の建ち並ぶ細い道を抜けていくと、不意に黄色い草の茂った土手が目の前に現れる。階段を上ると、手前に道路、その奥に川。都会を突如として切り開いたようなこの場所には、ほっと一息つきたくなる和やかな空気が漂っている。

久しぶりに来た、とハナは嬉しそうに笑った。このところ、外出は夜が多かったため、河川敷にはまず足を運ぶ機会がなかった。幼い頃、夜勤を終えたヨシコやテッペイが、タイミングを見計らって自分たちを連れ出し、土手で遊ばせてくれたことがあった。そんな思い出話を聞き、彼女が懐かしそうに目を細めている理由を知る。

「沼田美咲」

あてもなく土手の上の歩道をゆっくりと歩いていると、ハナが不意に声を発した。

「私の、本当の名前。そうなんでしょ?」

まさか、昔人形につけた名前と一緒だったなんて——と、彼女は苦笑した。あのお人形、今はミライのおもちゃになってるんだよねぇ。私の名前も実はミサキでした、なーんて話したら、ミライ、びっくりしちゃうんじゃないかな?

「不思議だねぇ」

風が、ハナの茶色い前髪を吹き上げる。

「ユートピアに来る前のことはちっとも覚えてないのに、その頃お母さんが私を呼んでた名前が、リョウと私の頭に残ってたってことでしょ。人形につける女の子の名前をリョウと一緒に考えようとして、まったく同じアイディアが出てきたのは、そういうことだったんだなぁ、って」

「思えばリョウさんも、ヒロって名前に反応していたよね。伊藤さんと食事会をしたときに」

「あっ、あの小っちゃい男の子でしょ? ファミレスから勝手に飛び出して、『ヒロ、こっち!』ってお母さんに怒られてた」

「そうそう」

頷きながら、二週間前に世田谷の公園で聞いた羽山の言葉を反芻する。

——何てったって、マンション転落事故で死んだとされている、沼田香苗の二人の子どもの名前は、大樹《ひろき》と美咲だからな。

羽山によると、いずれも一九九〇年代に流行った名前なのだという。『大樹』は、ヒロキという読みよりはダイキが多そうだから、そういう意味では珍しかったのかもしれない。一方『美咲』は、九一年から九六年まで、女の子の名前ランキングを六連覇していた。「そりゃ、児童養護施設に一人や二人いてもおかしくなかっただろうな」と、自嘲気味に言っていた羽山の表情を思い出す。

「あーあ、変なの。ハナとして育ってきて、本当は桃花なのかと思ったら、結局美咲だったし。リョウだって、将太じゃなくて、大樹でしょ。わけ分かんない」

「混乱させてごめんなさいね」

里穂子が謝ると、ハナは「本当だよ！」と眉を寄せた。目が笑っているから、本気でこちらを責めているわけではないと分かる。

こうして開けた場所で話していると、忘れそうになる。

二週間前から――そして今もなお、ハナが激動の中にいることを。

殺人未遂事件の犯人隠避の疑いで任意同行後、結局里穂子はやむを得ず、ハナを再度逮捕することになった。しかし今回は、検察への送致後すぐに釈放された。もはや住所不定とは言えないこと、そしてタクローの身代わりになろうとしたのは逮捕後すぐの取り調べ中のみで、送致後は一貫して否認と黙秘に転じていたことが、検事が勾留請求を避けた理由のようだった。その感触からして、近々不起訴の決定がなされるのではないかと、里穂子は密かに期待している。

釈放から間もなく、今度は本庁の特命捜査対策室の捜査員らが、リョウとハナのもとに押しかけた。

沼田香苗とその知人の栃崎正行《まさゆき》が、二十二年前に子どもを事故に見せかけて殺害した容疑で逮捕されたという第一報がニュースで流れたのは、ちょうどその頃だった。

当初から、静岡県警でなく警視庁の特命捜査対策室が逮捕に乗り出したことに、マスコミや世間の好奇の目が集まっていた。日を経るにつれ、警視庁が小出しにする情報が、メディアを駆け巡っていった。死亡した子どもの母親である沼田香苗が、警察が事故と判断する決め手となる証言をした目撃者の栃崎正行と当時交際していたこと。数年後に婚約までこぎつけたが関係悪化により結婚には至らなかったと、沼田の古くからの友人が証言したこと。子どもたちが死亡した後に、沼田が二人分の生命保険金と共済金、合計一億円を受け取っていたこと。彼女の古い通帳に残っていた出金記録と、突然羽振りがよくなった時期があったという栃崎の知人の証言からして、およそ半額が栃崎に流れていたとみられること。

そしてようやく、今から二日前に、「なぜ警視庁が」の謎を明らかにする発表が行われた。

沼田香苗と栃崎正行が、鳥籠兄妹誘拐事件の犯人。

死亡届が出されていた沼田大樹と美咲は、都内で生存が確認された。

二十二年前にマンションから突き落とされて殺害されたのは、誘拐後に行方知れずになっていた名取兄妹だと思われる。

未成年者略取や逮捕監禁、保護責任者遺棄などの罪はすでに公訴時効を迎えているため、引き続き殺人の疑いで捜査する。

日本中、特に鳥籠事件を知る三十代より上の世代に、激震が走った。

その夜、里穂子のもとに、あの男から電話がかかってきた。

――すまない。あまりに多忙で、連絡できなかった。

羽山の声には、連日の取り調べによる疲労がにじんでいた。だがそれ以上に、興奮の色が強かった。

——ニュース、見ただろ？　実は証拠が次々と出てきてな。生命保険や共済の加入時期が叶内丈の投書が新聞に掲載されてから誘拐事件が起きるまでのわずか三か月の間だったとか、当時栃崎が購読していたのが東京新聞だったとか、誘拐事件から転落事故までの二年間、沼田が子どもたちを親戚の誰にも会わせようとしなかったとか。

決定打は、羽山をはじめとした特命捜査対策室の刑事の説得により、とうとうリョウとハナがDNA鑑定に応じたことだったのだという。

鑑定は、即日実施された。想定どおり、沼田香苗との親子関係が証明された。ちなみに、栃崎は彼らの父ではなかったようだった。

——奴ら、案外しぶといんだ。こっちがほとんど証拠を握ってるってのに、「だからって死んだのが鳥籠の子たちかどうかは分からない」だの「誘拐なんてしてない」だの「あれは本当に事故だった」だの、屁理屈をこね続けてる。いい加減さっさと片をつけたいから、明日にでもハッタリをかましてやるつもりだ。「沼田大樹と美咲の墓を掘り返して、遺骨のDNA鑑定でもしてみるか？」ってな。

昨日、沼田と栃崎がすべての犯行を認めたという速報が流れたことからすると、おそらく羽山は宣言どおり、二人に鎌をかけたのだろう。一般人は知る由もないかもしれないが、火葬された遺骨からDNAは採取できない。彼らしい、反則ギリギリの強引な手法だ。

「……一億円かぁ」

隣をゆったりと歩くハナが、遠くの空を見上げて呟く。

「リョウと私で、五千万円ずつでしょ。昔はそんなお金の手に入れ方があったんだねぇ。私、保険って何なのかを今回初めて知ったけど、なんだか変な仕組みじゃない？　人間の命に値段をつけるなんて、おかしいと思うなぁ」

「そもそもの話、ってこと？　まあ、言われてみれば、ね」

テレビ画面に何度も映し出されていた、沼田香苗と栃崎正行の顔写真を思い出す。沼田は、工場前で声をかけたときと同様に、おどおどしていて気弱そうな印象だった。反対に栃崎は、もう七十近いというのにでっぷりと太っていて、手錠と腰縄をつけられて連行されるときも、テレビカメラを眼鏡の奥の狡猾そうな目で睨みつけていた。

彼らの自供内容はこうだった。

沼田と栃崎は、スナックのホステスと常連客という関係から、交際に発展した。沼田は普段から幼い子どもたちを保育園にも預けず、夜通し自宅に置き去りにしていた。暴力や食事抜きなどの虐待は日常茶飯事だった。栃崎も妻子にＤＶを働いて離婚した過去があり、たびたび沼田の子どもらの〝躾〟に加担した。

沼田には浪費癖があり、クレジットカードで五百万以上の借金を作って首が回らなくなっていた。一方の栃崎も小規模な運送会社の契約社員で、低賃金にあえいでいた。保険金殺人を沼田に持ちかけたのは栃崎だった。しかし沼田は子どもを施設に預けて手放したいと思ったことは何度もあったものの、殺すのはさすがに嫌がった。

そこに飛び込んできたのが、鳥籠事件のニュースだった。名取兄妹は沼田の子どもよりやや年上だが、虐待により発育が遅れていることを考えれば、むしろちょうどよかった。「身代わりにできる。これはやるしかない」――栃崎が沼田を唆《そそのか》し、最終的には叶内丈の新聞投書を見つけたことにより、計画が本格的に始動した。栃崎より二十歳近く年下の沼田は、当時精神的に支配されていたのか、すっかり乗り気になっている恋人に抗う術がなかった。

それから先は、里穂子の推測どおりだった。生命保険と共済への加入。栃崎主導による誘拐。静岡の自宅マンションに戻り、さらってきた鳥籠事件の被害児童を、物置と化していた狭い部屋に閉じ込める。その後一か月半ほど警察の動きを窺ってから、大樹と美咲に睡眠薬を飲ませて車で蒲田へと運び、食品工場の敷地内に捨てる。

名取兄妹は、壮絶なネグレクトの影響がまだ残っていて、暴力で脅すとすぐに一言も声を発しなくなった。太らせるためにご飯や菓子を欲しがるだけ与えると、すぐに従順になった。隣人に悟られずに〝飼育〟するのは非常に容易だった。

そして彼らは、計画の最終日を迎えた。入念な準備が功を奏し、思惑どおりに事が運んだ。沼田大樹と美咲という名前がその日のニュースで報道され、沼田香苗は無事に、二人の子どもを不幸な事故で亡くした悲劇の母親と相成った。

そこまでして、一億。

二人の子どもを殺害し、実の子どもを手放したその見返りは、高かったのか、安かったのか。

「ひどいよね」

ハナが沈痛な面持ちで言い、白いスニーカーの先で、足元の石ころを軽く蹴飛ばす。

「ニュースで見たよ。あの栃崎って人、職場の人にとんでもないことを話してたんだね。『俺は昔野良犬を殺したことがある。でも悪かったとは思ってない。あんなのはいなくなったほうが、保護して育てるための税金も浮くし、どうせ飼い主だっていないんだ。俺は正しいことをした』って」

その同僚の証言は、里穂子もニュースで見た。武勇伝のように語る栃崎の姿を想像しただけで、心臓を握りつぶされたような心地がする。

「亡くなった将太くんと桃花ちゃんだって……そりゃ、まだ言葉も喋れなかっただろうし、仕草も変だったかもしれないけど……絶対さ、一生懸命生きようとしてたんだよ。それなのに、野良犬だなんて……動物だなんて……」

許せないよ、あんな人。許せない。

ハナは何度もそう繰り返した。名取桃花が自分の身代わりになって死んだという真相を知った今、思い入れの強さは尋常でないようだった。ちらりと横顔を見ると、彼女の目の縁は赤くなっていた。それは、里穂子も同じだ。

名取将太と桃花は、生まれて間もない頃から、親に愛されずに鳥籠で育った。一年間だけ広い空に解き放たれたのち、また捕らえられ、鳥籠に閉じ込められたまま死んだ。

そんなことが許されていいはずがない。非道徳的な優生思想から殺人を計画した栃崎正行も、大して抗いもせずに従った沼田香苗も、極刑に処されるべきだ。

ただ、鳥籠事件の報道をこの目で見た記憶のある里穂子は、ハナのような純度百パーセントの正義感で、犯人の二人を責めることができなかった。

同罪とは言わない。

だが、自分たちにも、責任の一端はあるのではないだろうか。

鳥籠事件のニュースを見て、吐き気を催して大泣きした二十五年前のあの日、両親は無責任に、かつ興味津々に、事件についての感想を語っていた。テレビも週刊誌も、黄色い悲鳴を上げながら噂話をする世間の大人たちも、それを見ていた里穂子ら子どもも——果たして、救出された名取兄妹のことを、自分と同じ「人間」とみなしていただろうか。

一歩間違えれば、誰もが栃崎や沼田になる可能性があったのではないか。そう思えてしまうのが恐ろしかった。発見された幼い兄妹を『日本初の野生児』などと面白がって書き立てた一部の週刊誌も、同情を寄せるふりして内心では興味が抑えられず、結果として栃崎や沼田の背中を押すような空気を醸成してしまった一般人も、罪だ。

あの頃から、四半世紀が経った。

時代は前に進んでいるだろうか。

名取将太や桃花のような子どもは今後二度と出てこないと、胸を張って言えるような社会になっただろうか。

「あれっ？」

重くなった空気を吹き飛ばそうとしたのか、せっかくの艶やかな茶髪が乱れかねない勢いで、ハナがこちらを振り向いた。

「私、そういえばミライが帰ってきたって話、したっけ？」

「あら、もう退院したの？」

「うわぁ、ごめん！　森垣さん、何度も来てくれてたから、すっかり話した気になってた」

おとといの昼に、ミライは無事、アッシとルミカに付き添われて帰ってきたのだという。入院から二週間も経っていないということは、抗菌薬による治療がほぼ最短日数で完了したのだろう。順調に回復しているという話は小耳に挟んでいたものの、改めてほっと胸を撫で下ろす。

アッシとルミカとは、五日ほど前に倉庫で顔を合わせた。ちょうど病院へ面会に向かうところだった若い夫婦は、やや気まずそうにしながらも里穂子に向かってきちんと会釈し、外へと去っていった。「あの二人、恥ずかしがり屋なんだ。前にひどい態度を取っちゃったのもあって、すぐには素直になれないんだと思う。許してあげてね」とハナが耳打ちしてきたことからして、〝ユートピア〟の熱烈な信奉者だった彼らのことは、もう心配しなくてもよさそうだった。

「ミライちゃん、悲しそうにしてなかった？　病院から戻ってきたら、タクローさんがいなくなってて」

「うん、びっくりしてるみたいだったよ。『ねえ、どこ？』って何度も訊かれたもん」

「何て答えたの？」

「『タクローが一番にお引っ越ししたんだよ』って。みんな倉庫を出ていかなきゃいけないってことは、アツシがもう話してたみたいでね。だから、ミライも意外とすんなり納得してくれた」

ハナの口調に、一抹の寂しさが混ざる。

彼女の気持ちを真に理解することはできないだろうと分かりつつ、そっか、と小さく相槌を打つ。

沼田香苗と栃崎正行が鳥籠兄妹誘拐事件の犯人だったというニュースは、センセーショナルに報道された。

事件の決着は、必然的に、〝入れ替えられた子どもたち〟リョウとハナと、二人が二十四年ものあいだ暮らしていた知られざる無戸籍者コミュニティ〝ユートピア〟に、スポットライトを浴びせることになった。

先ほど、ハナを迎えに工場の門の前に立ち寄ったときも、幾人かの記者らしき影が近づいてきた。無理やり振り切ったものの、〝ユートピア〟がもはや、住人たちが安心して暮らせる場所でなくなっていることは確かだった。

マスコミのことがなくとも、カナウチ食品には、近いうちに各方面から行政指導が入る。

彼らは皆、住み慣れたふるさとを捨て、新しい場所へと旅立たなければならない。

その前に——里穂子には一つ、まだやり残していることがあった。

道路を挟んだ右前方に、背の高いマンションに挟まれた小さな公園が見えてくる。入り口のそばのベンチで読書をしていた黒いポロシャツ姿の若者が、すっと立ち上がり、道を渡ってこちらに近づいてきた。

「あ、リョウ！」

ハナが朗らかに手を振る。

ぜひ一度ゆっくり話をする機会がほしいと、里穂子がハナを通じて彼にメールで申し入れたのは、昨夜のことだった。意外にも、すぐに承諾の返信があった。妹も一緒に行くと言って聞かないため工場の門の前まで迎えに来てもらいたいこと、また兄妹揃って工場の門を出るとマスコミの格好の餌食になりかねないため、自分は河川敷に先回りするつもりであることの二点が、リョウが直接打ったと思われる文章で書かれていた。

「どうも」

こちら側の歩道に上がってきたリョウが、相変わらずの無表情で言った。しかし、かつて会うたびに感じていた怖気《おぞけ》立つほどの冷淡さは、影を潜めているようだった。

この雰囲気の変化は、この二週間の間に幾度か〝ユートピア〟を訪れた際にも感じていた。タクローの犯行を暴いたあの日から、リョウは一切、里穂子への敵意を露わにしなくなった。

それはなぜか。

赤茶けた古い倉庫自体は変わらずにある。まだ住人たちも立ち退いていない。カーテンや家電類の片づけも終わっていない。

それでもあの日、少なくともリョウの中で、〝ユートピア〟は間違いなく崩壊したのだろう。

彼にはもう、里穂子に抗う理由がないのだ。コミュニティの守り神とまで称されていた彼は、一国の王の立場を追われた今、何を思うのか。

こんにちは、と里穂子は笑顔で返し、隣に立つハナに向き直った。

「リョウさんと、ちょっと話したいことがあるの。いい？」

「なあに、秘密の話？」

「そうよ」

冗談めかして肯定すると、ハナが「えー」と羨ましそうな声を上げた。それから素直に、「じゃ終わったら呼んでね！」とそばの土手を下り始める。彼女の後ろ姿が、みるみる川面の光に溶け込み、遠くに離れていった。

川辺を散歩するハナを土手の上から二人して見守るように、自然と歩道の端に横並びになった。雄大に流れゆく多摩川を見下ろしながら、里穂子は口を開く。

「〝ユートピア〟の皆さんのこと、疑ってすみませんでした。結局、誘拐犯は全然別のところにいましたね。皆さんの訴えに、もっと真剣に耳を貸すべきでした」

「……今更ですか」

「きちんとお伝えできていなかったような気がしたので」

「謝るなら、どちらかというと、あなたじゃなく男性刑事のほうでしょう」

「羽山は、たぶん、頭を下げたりはしません。そういう人なので。だから、彼の分まで謝っておきます。すでにお分かりかと思いますが、警察というのは非常に傲慢な組織なんです」

リョウが、ふん、と鼻を鳴らす。怒らせてしまったかと見上げると、リョウは「自分で言います？」と嘲るように付け足した。マスクをしているから口元の動きは読み取れないが、かすかに笑っているようだった。

「羽山から聞きましたが、DNA鑑定への協力もしてくださったんですね。正直、意外でした。私たちがいくら説得を重ねても、ずっと拒否されていたので」

「いろいろと、状況が変わりましたからね」

「〝ユートピア〟を解体しなければならなくなったことですか？」

「それもありますし、DNA鑑定の目的もです。俺は、自分が何者かというのは、心底どうでもよかったんですよ。ただ……自分や妹が、誰かの命を踏み台にして生き永らえたのだとすれば、せめてこうするのが誠意かと」

鑑定に協力したのは、彼なりの供養のつもりだった、ということか。

二十二年前に散った幼い兄妹の命を思い、遠くの空と山の境界線を見つめる。改めて感謝を述べると、「それが今日の用件ですか？」と話を打ち切られそうになった。

慌てて視線を近くの土手に生える草へと戻し、本題に入る。

「死亡したとされた時点で、沼田大樹くんと美咲ちゃん――つまりリョウさんとハナさんは、それぞれ五歳と四歳になったばかりでした。つまり、その二年前に食品工場の門のそばに捨てられたときは、三歳と二歳。『上の子は当時、自分や妹の名前を言えなかったのか』という点は世間で盛んに議論されていますが、『三歳になりたてで、親が積極的に教えていなかったのであれば、尋ねられても言うのは難しいだろう』という専門家の意見が浸透しつつあります。だから犯行が可能になったのだ、と」

「そうですか。俺は覚えていないですし、興味もありませんが」

「いいえ」

里穂子が強い口調で否定すると、リョウが驚いたようにこちらを見た。

「あなたは、覚えていた。〝ユートピア〟で初めて目を覚ましたときのことや、本当の母親の顔を。自分の名前だって、本当は言えた。けれど、誰にも言わずに黙っていた」一瞬だけ間を置き、リョウの端整な顔を見上げる。「――違いますか？」

「……何の根拠があって、そんなことを？」

問い返され、一つ一つの小さな根拠を、口に出していく。

まず、リョウが『ヒロ』という名前に反応を示したこと。

『ミサキ』のように長く愛用することになる人形に偶然名前をつけたわけでもなく、記憶の喚起を助ける当時の写真や動画が残っているわけでもないのに、二十四年もの間、リョウの脳には本名の記憶が残存していたということになる。自ら名乗ることすらできなかった名前の記憶が、顕在的であれ潜在的であれ、それほど長期間保持されるものだろうか。三歳の時点で自分の名前がヒロキだとはっきりと理解できていたからこそ、この歳になっても記憶を呼び起こすことができたのではないか。

次に、臨床心理士の伊藤優との面会中にだんだんと軟化したように思われたリョウの態度が、名取宏子と会った後、急転直下、硬化したこと。

リョウは、伊藤優と話している間は、自分が名取将太であると信じていたのではないか。名前には違和感があり、施設の記憶がすっぽり抜けているのは気になるものの、伊藤は間違いなく幼き日の自分について語っているのだと。だからこそ、彼女の思い出話を興味深く聞き、心を許し始めていたのではないか。

しかし、いざ名取宏子と顔を合わせた瞬間、刑事が立てた仮説が根本から誤っていることに気づいた。なぜならリョウは、三歳になるまで自分を育てていた実母――沼田香苗の顔を、本当は覚えていたからだ。それで裏切られたような気分になり、急に態度を翻したのではないか。

最後に、自供したタクローの胸倉をつかんで引き離された後、リョウが呆然と立ち尽くして青ざめていたこと。

リョウがリーダーを務める〝ユートピア〟では、彼自身が作ったルールによって、暴力や食事抜きなど、人間の尊厳にかかわるような罰が明確に禁じられていた。それは、沼田香苗や栃崎正行による虐待の記憶が、頭の片隅にぼんやりと残っていたからなのではないか。物心ついたときからすでに暴力がトラウマになっていたからこそ、タクローに対する自分の行為をあれほど悔いたのではないか。

「ファミレスでの面会時に、伊藤さんが言っていましたよね。幼児期以前、特に三歳から三歳半以前の出来事というのは、大抵の人が覚えていないものだと。言語による記憶の符号化が難しいことが、その理由の一つだと。脳に取り込んだイメージを言葉で整理できないと、記憶が上手く保持できないのだと」

「……そうでしたっけね」

「逆に言えば、自分の名前という記憶を長期間保持できたリョウさんは、三歳になったばかりの時点で、言語能力もある程度発達していたのではないでしょうか。だから本当は、自分の名前がヒロキだと話すことはできた。ですが、テッペイさんやヨシコさんに名前を尋ねられたときは、知らない場所で、知らない大人たちに囲まれて目覚めたことがあまりにショックで、泣きじゃくってしまったのかもしれませんね。それで自分の名前が言えないのだと思われ、新しい名前をつけられることになった。実際、テッペイさんも、『慣れたらよく喋るようになった』『大人しかったのは最初だけ』なんておっしゃっていましたし」

「さっきから聞いていると、あなたの憶測や決めつけで話が進んでいる箇所が多いような気がしますが」

「そうでしょうか。間違っているなら、そう言ってください」

「さあ……ご想像にお任せします」

リョウが川面に目をやり、過去を懐かしむように目を細めた。

その表情の真意を、里穂子は自分に都合よく解釈する。

「母親に捨てられたことを幼心に理解したリョウさんは、新しい『親』には絶対に見放されまいと、必死だったのだと思います。だから与えられた名前を受け入れ、過去のことは話さず、無戸籍者たちの生活に溶け込もうと懸命に努めた。彼らにとって理想的な『子』であろうとしたんです。そのうちに〝ユートピア〟は、あなたにとって、元の家族よりも遙かに大切な、かけがえのないものになっていった。すると今度は、自分の身元が明らかになって、虐待が日常化していたあの家に戻されることが怖くなった。だからあなたは、実は自分の本名や母親の顔を覚えていることを、親代わりのテッペイさんやヨシコさんにはもちろん、妹のハナさんにすら決して明かさなかった。不本意な別れに繋がりかねない秘密を、胸の内にとどめておくことにした――」

「やめてくださいよ。勝手に悲劇やら美談やらにするのは」

リョウが思いのほか穏やかなトーンで、里穂子の言葉を遮った。

「そんなことを今さら知って、警察にとって何か意味があるんですか?」

「仕事は関係ありません。一連の事件の捜査に関わった一個人として、知っておきたかっただけです」

ふうん、とリョウが小さく声を漏らした。

「仮にあなたの言うとおりだったとして……単純な判断ですよ。覚えていても仕方のないことは切り捨てる。話しても意味のないことは、口には出さない。でも、忘れようとすればするほど、その情報を意識することになり、過去が自分の中に巣くい続ける……そんなこともある」

ぽつりと言い、リョウが視線を右へと向けた。川岸で両手を高く上げ、気持ちよさそうに伸びをしているハナの後ろ姿を眺めているようだった。

一つお尋ねしたいのですが——と、不意にリョウがこちらを振り返った。

「優れた組織の条件とは、何だと思いますか？」

え、と声が漏れる。彼がどこに話を持っていこうとしているのか、予想がつかなかった。

「風通しがいい、とかでしょうか。あとは、メンバーの目的が一致しているとか、規律があるとか……」

「俺は、カリスマ性だと思ったんです。トップに立つ人間の」

その一言で、彼が〝ユートピア〟の話をしているのだと気づく。

「ずっとあそこで育ってきて、四年前にテッペイから〝渉外係〟を引き継ぐことになったとき、いろいろなことを考えました。どうすればユートピアが、皆にとって住みよい場所になるのか。喧嘩や仲たがいが起こらずに済むのか。無戸籍者たちは『組織』を知りません。学校に行った経験もなく、暴力や恫喝が当たり前の環境で過ごしてきた者も多い。そんな中で優れた『組織』を作るには、強いリーダーが必要だという結論に達しました。物理的な力で従わせるのではなく、自然と皆の信頼と敬愛を集めるような統治者の存在が。そこで毎日音読させる教養のような文章を作り、門限などの厳しいルールを課し、自分自身、皆の模範となるよう努めました。最初は反発もありましたが、いつしかメンバー間の公平性が担保され、トラブルは以前より少なくなりました。この四年間で、ユートピアは『組織』として健全化した。その実感は、確実にありました」

でも――と、リョウが悔しそうに顔を歪める。

「自分の作り上げた『組織』をよりよくしようと勉強すればするほど、無理だと気づいてしまったんです。〝ユートピア〟はいつまでも続けられない。自分たちはいずれ解散しなければならない、と」

「……そうだったんですか?」

驚きが素直に声に出る。リーダーである彼自身は、〝ユートピア〟の半永久的な存続を心から願っているものだとばかり思っていた。

「俺たちが暮らす土地も建物も、食品工場のラインの仕事も、その対価としてもらう賃金や生活必需品も、所詮、一般社会で暮らす人に分け与えられたものなんです。その厚意がなければ、俺たちの生活は成立しない。俺たちの暮らしは、俺たちを助けようとする一般の人に、法律を破らせないと成り立たない。その人に見放されたらすべてが泡と消える。自分が身を粉にして作り上げた『組織』は、いつ転覆するかも分からない筏《いかだ》にすぎない」

以前、羽山が似たようなことを、アッシに向かって言い放っていたことを思い出す。叶内家からの支援が打ち切られたら、お前らは生きていけるのか、と。そのことを、リョウも身に染みて分かっていたのだ。

「だから、覚悟はしていました。数か月後か、数年後か、数十年後か分からないけれど、そのときが来たら潔く受け入れよう、と。でも――まさかこんな結末になるとは思わなかった。戸籍がなくても、〝外の世界〟で生きる術がある? 健全な職場で働けるし、家も借りられる? だったら、この四年間、『組織』をよりよくしようと俺がもがいてきた意味なんて、まるでなかったじゃないか。むしろ、俺が仲間を不幸に突き落としたんじゃないか。自分の興味の方向以外に視野を広げようともせず、〝無戸籍者のユートピア〟の実現に頑なにこだわり続けたから、俺のことを慕ってくれていたタクローやアツシやルミカが、ああいうおかしな思想に染まることになったんじゃないか。挙句の果てに、犯罪に走ってしまったんじゃないか」

「そんなことはないですよ」

「慰めは不要です」

リョウがぴしゃりと言う。

遠くの空を見つめ、彼は長く息を吐き出した。

「今ではもう分かっています。俺はどこかで選択を間違えました。俺より優れた人間がトップに立っていれば、こんなふうに突然崩壊を迎えるのではなく、もっと早くに適切な判断を下し、ユートピアを自ら解散することができたのかもしれませんね」

学校にすら通ったことのない人間が集うあのコミュニティに、今のリョウより優秀で勉強熱心なリーダーが現れることはなかっただろう、と思う。慰めは不要と釘を刺された以上、この本音を口に出しても曲解されるだけだろうが。

「自分で言うのもおかしな話ですが……俺にはカリスマ性がありました」

リョウが静かに言葉を押し出す。

「ただ、無知でした。どうしようもなく。無知なカリスマほど怖いものはない」

重みのある言葉だった。

人を束ねた経験のない里穂子には到底理解しえない後悔と、自分が大勢に必要とされる唯一の場所を失った寂しさが、言葉の端々ににじみ出ている。

せいぜい出直します――と自嘲気味に言い、リョウはゆっくりと目を閉じた。

「引き際を正確に見極め、仲間たちを無事に〝外の世界〟に送り出す。それができないのなら、俺はあのコミュニティのリーダーとして、せめて恩人である叶内さんが生きている間は、何が何でもユートピアを消滅させてはいけなかった。それなのに……俺は結局、自分たち十五人の生活を支えてくれた叶内さんに、とんでもない迷惑をかけてしまった」

「そうでしょうか。叶内さんも、無戸籍者支援に自ら乗り出すくらいですから、法令違反が露見するリスクは覚悟していたと思います。今回のことで、皆さんのことを恨んだりはしません」

「今思えば、住民票や国民健康保険のことを知らされた時点で、すぐに森垣さんの提案に従うべきでしたね。そうすれば、ミライの発症にも間に合ったし、タクローの一件も……すべて俺の責任です。リーダーとしての判断力が、俺には備わっていなかった」

彼の言葉に潜む反省と謝罪の意を汲み取り、「気にしないほうがいいですよ」と軽い調子で返す。

「それは結果論ですから。いつ大きな波が来て筏が転覆するかなんて、分からないんです。〝ユートピア〟が一定の平和を保ったまま存続したほうがよかったのか、今回のように消滅したほうがよかったのか――私の中でも結局、答えは出ていません。〝ユートピア〟と一般社会、どちらが善でどちらが悪か、そんなことを決める権利はないんですよ。誰にも」

リョウの顔に、一瞬、救われたような表情が浮かんだ。

彼は、遙か高みから臣民を見下ろす国王でも、ましてや狂信的な宗教指導者でもなかったのだ、と悟る。

他者のために心を砕き、失敗を認め、自分たちの行く末を理性的に案ずることのできる、普通の人間だった。

「私、リョウさんのことを、ずっと誤解していたかもしれません」

「怪しい教祖とでも思っていましたか?」

「教祖とまでは……でも、まあ、少しは。最初だけですよ」

正直に心の内をさらけ出すと、リョウがまじまじと里穂子を見つめた。

「その様子では、本当に気づいていないんですね」

「……え?」

「今日、どうして俺が依頼を快諾し、こんなところであなたと話すことにしたか、分かりますか? 一つ、忠告しておきたいことがあったからですよ」

「忠告? 私に?」

思わず目を瞬く。彼がなぜそんなことを言い出すのか、心当たりがまったくなかった。

リョウが静かな目をこちらに向けている。「いつだったか——」と彼が落ち着いた声で言った。

「あなた方が二人して倉庫にやってきたときに、俺がお茶を出したことがありましたね。それをあなたが飲もうとした瞬間、ハナが絵葉書を持って飛んできて、無理やり隣に割り込もうとしたために、お茶がこぼれてしまった」

「ああ……」ハナが見せてくれた、海外の景色を写した絵葉書を思い出す。「そんなこともありましたね」

「そのお茶に、何かが混入しているかもしれないとは考えなかったんですか?」

彼の言葉に、思考が止まる。「毒……」という言葉をかろうじて絞り出すと、リョウは静かに笑った。

「食品工場には、危険な化学薬品がたくさんあるんです。例えば、殺虫剤や殺鼠剤。手洗いで使用する消毒液、殺菌するための塩素。無戸籍者コミュニティを守り抜く役割を負った〝渉外係〟の俺が、〝ユートピア〟にとっての危険分子を排除しようとして、刑事を殺そうとする──そういう可能性も十分にありましたよね？」

「でも……殺虫剤や消毒液では、さすがに──」

「殺害目的ではなかったかもしれません。捜査を受けたことに対して腹を立て、危害を加えてやろうとした、とか」

「……入れたんですか？」

リョウに限ってそんな衝動的な犯行をするはずがないと、心の中で懸命に否定しながらも、恐る恐る問いかける。

彼は可笑しそうに目を細め、「さあ。ご想像にお任せします」と今日二回目の台詞を口にした。

「ただ、こういうことはあったかもしれません。刑事に〝ユートピア〟の存在を嗅ぎつけられ、どうしたものかと頭を抱えていた。大恩人が生きている間は、どうしてもこのコミュニティを守りたい。とすれば、真っ向から説得にかかるか、強硬手段に出るかの二択だ。そんなある日、仕事中に化学薬品棚の前で立ち止まる。ああ、これで一思いに刑事を……。じっと眺めていると、妹に声をかけられた。『何ぼーっとしてるの』と」

その光景が頭に浮かぶ。

悩み抜くあまり、何か使える薬品はないかと、とっさに思考を巡らせてしまうリョウ。

兄の企みを敏感に察し、さりげなく阻止しようとするハナ。

「あなたも刑事だったら、もう少し用心深く行動したほうがいいんじゃないですか？　正体不明の無戸籍者たちが集うアジトで、出されたお茶に口をつけようとするなんて、危機感がないにもほどがありますよ。下手な芝居を打ったハナには、感謝したほうがいいと思います」

落ち着いた声で言うリョウを見上げ、確信する。

これは、彼なりの歩み寄りなのだと。自分と妹が胸に抱えていた秘密を明かすことで、里穂子との距離を縮めようとしているのだと。

「……まあ、あなたがそういう人だったからこそ、ハナがあれほど心を開くようになったんでしょうけどね」

リョウがそっと呟いた。

その言葉が聞こえたはずもないのに、川のほうを向いていたハナが、身体を回転させる。「もういいですよね」という問いに「ええ」と答えると、こちらを見上げているハナに向かって、リョウが大きく右手を上下に振った。

ハナが人目も気にせず、生まれて初めて太陽の下に飛び出た小鹿のように、軽やかに土手を駆け上ってくる。

「ずいぶん時間かかったねぇ」

「ごめんね、お兄さんを独り占めして」

「別にそれはいいんだけど。何の話だったか気になるなぁ。私の悪口とか？」

里穂子は笑って首を横に振ったが、リョウが「どうだろうな」と思わせぶりに視線を斜め上に向けた。「え、やめてよ！　嘘だよね？」とハナが兄の顔を至近距離から覗き込み、リョウがこらえきれずに失笑する。

この二人を繋ぐものは何だろう、とふと考える。

血か。いや、おそらくそれだけではない。生まれたときからともに過ごしてきた時間の長さ、そして濃さなのではないかと、里穂子は思う。

「あのね」

ふざけて兄の周りを飛び回っていたハナが、不意に真面目なトーンで言い、つい先ほどまで自分が散歩していた川岸へと視線を向けた。

「歩きながらね、考えてたの。結局、私は何者なんだろうって」

「何者、か」リョウが顔を上げ、遠い山々を見やる。

「小さい頃から、不思議に思ってたの。私はどんなふうにして、この世界に生まれたんだろうって。何もないところからポンッと魔法みたいに現れたのかもなんて変な想像をしてた時期もあったよ。だって、誰かのお腹から出てきたんだって頭では分かってても、その誰かを知らないんだもん。考えれば考えるほど、足元がぐらぐらするような感じがしてた。だから……鳥籠事件の子だとかそうじゃなかったとか、本当にいろいろあったけど、今はやっと、世界と繋がれたような気がしてる」

テレビに映っていた沼田香苗の姿を思い出す。

リョウは覚えていた。だが、ハナは違う。

彼女は今になって、やっと見つけたのだ。自分がかつて通った、この世界への入り口を。

決意のこもった声で、「――でもね」とハナが続けた。

「ただそれだけなの。私という人間の、始まり方が分かっただけ。私が何者かってことは、DNA鑑定をしてお母さんが見つかったって、全然答えが出なかった。そりゃそうだよね。たぶんだけど、自分が何者になるかを決められるのは、自分だけなんだもん」

前方に広がる煌めく川面が、彼女の心の叫びを受け止める。

「名取宏子だとか、やっぱり沼田香苗だとか、もし違う誰かだったとしても、そんなのは関係なかったんだ。親が誰だって、私は私。リョウはリョウ。私たちは、自分と、自分の周りにいる人たちで、形づくられてる。例えばテッペイとか、ヨシコさんとか」

「叶内さんもな。アツシやルミカも」

「そうだよ。ミライだって、タクローだって、みんな」

リョウの言葉に、ハナが大きく頷いた。血ではない何かで絆を結んだ兄妹が、向かい風の中に強く佇んでいる。

ハナが相好を崩し、「あのね、可笑しいんだよ」と里穂子に目を向けた。

「テッペイったらね、本気でしょげ返ってるの。『そういや、お前たちにも親がいたんだよな』って。当たり前のことなのに、私たちにとっては全然当たり前じゃなかったんだよね。だから言っといたんだ。『親が分かったたって、私やリョウが変わるわけじゃない。だからテッペイも、これから芙三子さんと上手くいったとしても、今と同じ気持ちでいてね』って。そしたら真っ赤になって、『ったりめえだ!』だってさ。可愛いね」

ふふ、とハナが口元に手を当てる。「さんざん世話になってきた恩人に対して可愛いはどうなんだ、可愛いは」とぼやくリョウに、「だって本当だもん」とハナが歌うように返す。そんな二人のささやかな会話の流れに水を差すのを惜しく思いながらも、里穂子は質問を投げかけた。

「テッペイさん、芙三子さんや息子さんともう会ったの?」

「うん! ちょうど昨日、ご飯を食べてきたんだって。息子さんの眉毛と鼻が自分そっくりだったって、嬉しそうにしてた。あーあ、テッペイの三十一歳の息子さん、私も見たかったなぁ。芙三子さんは美人だったらしいけど、鼻がテッペイ似ってことは、どうかなぁ」

ハナの口調は好奇心に満ち満ちていた。嫉妬や劣等感といった感情はどこにも見当たらない。それは彼女自身が、育ての親であるテッペイとの強固な関係性が一生続いていくことを、微塵も疑っていないからだろう。

「あ、森垣さんによろしくって言ってたよ。芙三子さんの連絡先を、羽山とかいうムカつく刑事から引き出してくれてありがとうって。本当に感謝してた」

「いえいえ、それくらいは全然」

ずいぶんな言い方だな、と噴き出しそうになりながら、里穂子は首を左右に振る。

「テッペイさんもだけど、皆さん、これからどうする予定なの？　当面は園村さんに紹介してもらったアパートに住みながら、引き続きカナウチ食品で働くのよね」

「そうそう！　とりあえず倉庫にはもう住めないみたいだから、早く引っ越さなきゃ。働くのも本当はダメかもって思ってたんだけど、『十四人も一気にやめられたら困るから、しばらくいてくれ』って、社長の勝さんが」

「それはよかった」

経営者としては難しい判断だろうが、最低賃金以上を支払い、国に源泉徴収税を納めていれば、ただちに法律違反で罰せられることはないはずだ。他にも障害が立ちはだかるかもしれないが、そのあたりは幅広い知識と人脈を持つ園村勝代が力を貸してくれるに違いない。それに、この状態が長く続くわけではないのだ。

「いったんはアルバイトのような扱いで働いて、住民票や保険証が取得でき次第、社員として正式に採用されるなり別の仕事に就くなり、それぞれ道を見つけるということね」

「そんな感じ！　私はね、身分証が手に入ったら、どこかのお店の店員さんになりたいんだ。レストランか、洋服店か、コンビニか。中学や高校どころか、小学校も卒業してないから難しいかもしれないけど……正直に事情を話して、受け入れてくれるお店を頑張って探してみるつもり。面接、受かるといいなぁ」

「ハナさんなら、きっと大丈夫よ」思わず顔がほころぶ。「他の皆さんは？」

「アツシとルミカは、私と同じで他の仕事を探してみたいって。あ、ヨシコさんは、工場に残りたいって言ってたよ。チョコやクッキーの箱詰め以上の天職なんて、絶対に見つけられない、賭けてもいいってさ」

「大ベテランだものね」

里穂子が言うと、ハナが「本当に速いんだよ、ヨシコさん。魔法みたい」と笑った。リョウも遠くを眺めたまま、かすかに頷いている。

「テッペイも、もう年齢が年齢だから、最後まで工場で働きたいって言ってたかな。あと、リョウもだよね」

「リョウさんも？」

意外に感じ、彼の横顔を見つめる。リョウは目を伏せ、「別に、一生残りたいというわけじゃないですよ」と気まずそうに言った。

「働きながら、まずは高校と大学の卒業資格を取りたいんです」

そういうことか、とすっと腑に落ちる。

「高卒認定合格や、通信制大学への入学を目指すんですね。確かに、勉強と両立するなら、慣れている仕事のほうが、負担が少なくて済みそうです」

「ええ。小学校や中学校に通ったことすらないのに、そもそも可能なのかどうかも分かりませんが……ただ、調べたところでは中卒認定試験というものもあるようですし、何とかなるかと」

「きっと――ううん、絶対に大丈夫」兄妹それぞれに対してほとんど同じ言葉をかけてしまったと赤面しつつも、自信を持って言葉を押し出した。「聡明なリョウさんなら、大学なんてひとっ飛びで卒業できますよ。応援しています」

「……ありがとうございます」

そう言うなり、リョウが顔を背ける。声の調子からして、おそらく照れ笑いをしているのだろうと予想した。こちらに後頭部を向けたまま、彼が続ける。

「それと、タクローが戻ってきたときに、工場でまた働けるよう、席を空けておきたいんです。保育士になりたいと話していたようですが、さすがに国家資格は戸籍がないと取得が難しいようなので」

「仲間思いですね。タクローさんも喜ぶでしょう」

「余計なお世話かもしれませんけどね。前科がついた人間を雇うとなると、社長が尻込みするかもしれませんが、そのときは俺が交渉します。これでも元〝渉外係〟ですから」

再びこちらを向いたときには、リョウはいつもの無表情に戻っていた。彼が恥ずかしがらずに、心からの爽やかな笑みを見せてくれるのはいつになるだろうと、今後に思いを馳せる。

「……一つ、いいですか」

里穂子がぽつりと言うと、リョウとハナが同時に目を瞬いた。

これだけは今日、二人に伝えておかなければならないと思っていた。未だに考えはまとまらない。巡り続ける思考を拾い上げ、懸命に声に出していく。

「私は今まで……警察官として、一般社会の中で、様々なルールに従って生きてきました。ルールを守る大多数の人たちが安全に暮らせるよう、法律や条例に基づいて犯罪者を捕らえる。それが私の仕事であり、使命です。ただ、今回のことで身に染みて分かりました。私が信じていた一般社会は、まったく完璧ではなかった。私はもっと、法律や規則を生み出した社会そのものを疑ってかからなければならなかった」

ハナを逮捕したあの日から二か月間、何度も自問自答してきた。自分に〝ユートピア〟を壊す資格があるのか、〝ユートピア〟がなくなったら彼らの生活はどうなるのか、いったい自分には何ができるのか、と。

結局里穂子は、タクローを逮捕して〝ユートピア〟を解散に追い込む道を選んだ。残されたリョウやハナらが、園村の支援を受けながら前に進んでいこうとしている今も、これでよかったのかどうか、まだ迷っている。

「今の社会のルールは、この国に住むすべての人間が恩恵を受けられるようにはできていません。法律や制度の穴から抜け落ちたあなたたち無戸籍者が、自分たちだけの理想郷を作ろうとしたのは、当然の流れだったと思います。だって、一般社会に居場所を作ってもらえなかったわけですから。お前の立場で何を言っているんだと思われるかもしれませんが、皆さんにとって大切な場所だったはずの〝ユートピア〟を、私はどうしても否定したくありません」

「そうだよ」

ハナがスニーカーの先で、アスファルトの割れ目から生えている雑草を軽く蹴飛ばした。

「工場の倉庫で生活するなんてありえないとか、男女が十五人も一緒に暮らしてるなんて変な宗教みたいだとか、いろいろ言われてるみたいだけど……〝ユートピア〟は、私やリョウの家だよ。ふるさとだよ。もちろん不満はいろいろあったけど、家とか家族って、そんなもんじゃないのかなぁ？　何も知らないのに、ごちゃごちゃ言わないでほしいよ」

世間の目。差別。偏見。憶測。彼らはすでに、社会の理不尽にぶつかりつつある。そのまま殻に閉じこもっていれば一定の幸せと安寧が得られたはずの彼らを、ほんの少しの武器を持たせて荒波に放り出す決断をしたのは、他でもない、自分だ。

住民票や保険証を取得した後も、彼らの未来は決して明るくない。きっとたくさんの困難が彼らを襲い続ける。周りの好奇の目。世間の常識とのずれ。学歴がないことによる就職難。低賃金による貧困。戸籍がなければ引き続き、婚姻や海外渡航、国家資格の取得などは難しい。〝ユートピア〟に閉じこもっていれば目を逸らしていられたはずの格差や偏見に、彼らは真正面から向き合っていかなければならない。

そのこと自体が、すでに理不尽だ。

どうしてこの社会の人間は、生まれた瞬間から、〝持てる者〟と〝持たざる者〟に二分されてしまうのだろう。

何も、無戸籍問題だけではない。『日本初の野生児』などと銘打った無責任かつ興味本位な報道も、動物より人間が上とする優生思想も、特定の保護者や会社が利するだけの死亡保険も、さらに言えば単なる誘拐ではなく殺人でなければ犯人を処罰できなかった、現行の公訴時効制度も——それを許す社会がかつてあった、もしくは今もあることが、本当に正しいのかどうか、一度自分の頭で考えてみなければならなかったのではないか。

社会はまだまだ未熟だ。いついかなるときでも例外なくルールや常識に従おうとするのは、思考停止しているのと同じことだったのだと、今回、里穂子は初めて知った。

「私は、自分なりに考えた上で、その〝ユートピア〟を壊しました。理由は三つあります。一つ目は、ミライちゃんやタクローさんの件で分かったように、〝ユートピア〟も決して完璧な理想郷とは言えなかったこと。二つ目は、昔はともかく今の社会でなら、あなたたちが普通に生きていける可能性が大いにあること。三つ目は、今はまだ不完全な社会も、いずれ変わっていくはずだということ」

これでよかったのか。よかったのだろうか。よかったのだ。よかったはずだ。

そう何度も自分に言い聞かせながら、言葉を継ぐ。

「勝手にそんな決断を下した私には……あなたたちに、寄り添い続ける責任があります。一般社会を住みやすいと感じてもらえるよう、これからも努力し続けます。それが、既得権益を〝持てる者〟の務めだと思うからです」

「森垣さん、長いし難しいってば。簡単に言って？」

「だから――」

何と言えば伝わるだろう、と考える。

手を差し伸べる、などというおこがましいことは言わない。自分は園村勝代のような立派な人間ではない。大した力も持たない、所轄の一刑事だ。

「……生きるのが大変になったら、ともに助け合いましょう、ということかな」

「嬉しい。約束だよ」

ハナが目を糸のようにして微笑んだ。

リョウが遠くの空を見つめ、細く長く息を吐く。

沼田大樹と美咲。二十四年ぶりに名前を取り戻すことになる二人は、どんな明日を歩んでいくのだろうか。

里穂子はハナにとって、生まれて初めて話した〝外の〟女性だったという。彼女を広い世界へと導く扉の役目を、自分は上手く果たすことができただろうか。

本当はね——と、ハナが茶髪を掻き上げ、土手の斜面を見下ろした。

「すごく不安なんだ。毎晩泣いちゃうくらい。でも大丈夫。私は生きるよ。私とリョウを暗い場所から救い出してくれた、将太くんと桃花ちゃんのためにもね。あの優しいカウンセラーの伊藤さんに負けないくらい、私とリョウも、ずっとずっと、二人のことを思い続けるんだから」

その言葉に、空を仰ぐ。

鳥籠で育ち、鳥籠で命を散らした幼い兄妹。喋れもせず、人間らしい暮らしもほとんどできず、最後まで大人に振り回された二人の人生には、何の意味があったのだろうと思っていた。

これを意味と呼ぶのは残酷すぎるかもしれない。

だが、彼らの犠牲によって、偶然にも鳥籠の外に羽ばたくことができた子どもたちは、確かに存在したのだ。

その子どもたちは今、里穂子の目の前で、複雑そうに顔を翳らせている。亡くなった幼い兄妹への鎮魂歌をさえずりながら、畳んでいた翼を大きく広げ、彼らはこれからを生きていくのだ。

二十四年ものあいだ自らを封じ込めていた、第二の鳥籠を後にして。

「暗い場所から——ってことは、〝ユートピア〟はハナさんにとって、明るい場所だったのね」

「あったりまえじゃん。だって私、二十四年間、愛情たっぷりに育ててもらって、幸せだったもん。だからこれからも、将太くんや桃花ちゃんに胸を張れるように、自分が幸せだと思える毎日を生きていくの」

「今の言葉、テッペイさんやヨシコさんが聞いたら泣いてしまいそう」

「もう聞かせたよ。でね、テッペイは大泣きしてた。ヨシコさんは、さすがにちょっとだけ」

「俺が覚えてる限りでは」リョウが突然口を挟んだ。「初めてだったな。ヨシコさんが泣くのを見たのは」

「そうだっけ？　じゃあ、テッペイの号泣より、ヨシコさんの涙一粒のほうがレアだったたってこと？」

「少なくとも俺はそう思う」

「ええっ、じゃあもっとちゃんと見とけばよかった！」

悔しがるハナを見て、リョウがそっと目を細める。

そのまま彼はくるりとこちらを振り向き、「森垣さん」と里穂子の名を呼んだ。

「いろいろありがとうございます。でも、心配要りませんよ。社会に投げ出されたところで、俺たちには仲間がいますから。集団内のマジョリティではなくマイノリティにはなりますが、理解者がいるといないとでは大違いです」

それに、と彼が続ける。

「この数週間で、よく分かりました。俺が敵視していた〝外の世界〟にいるのは、悪い人間ばかりじゃない。弱い者を騙したり、見下したり、けなしたり——そういう態度を一切取らない人も、中にはいたんですね。森垣さん然り、カウンセラーの伊藤さん然り」

「……そこに羽山は入らない？」

「言語道断です」

ハナが噴き出し、里穂子もつられて口元を押さえる。リョウが「さあ、そろそろ帰りましょう」と笑いを噛み殺すような声で言い、先に立って歩き出した。

三人分の短い影が、縦に連なる。

車が脇を通り過ぎていく。サングラスをかけたランナーが、里穂子たちを追い越していく。

ハナがリョウに駆け寄り、手を伸ばして肩をぽんと叩いた。

広い背中と、華奢な背中が、やがて横に並ぶ。

マンションの方面から飛んできた白い小鳥が二羽、彼らの前方を横切り、多摩川を見下ろす青い空へと羽ばたいていった。

エピローグ

二十二年前に出された死亡届が撤回され、戸籍が回復したとハナから連絡があったのは、〝ユートピア〟解体から約一か月半後、夏真っ盛りの頃だった。

出願期間に滑り込みで間に合ったため、リョウはさっそくこの十月に、中卒認定試験を受けるつもりなのだという。受験料が無料なのだからとりあえず受けたほうがいいと兄に強く勧められ、自分の分も勝手に申し込まれてしまったという愚痴が、長文のメールの冒頭に書き連ねてあった。『合格目標は来年！』という消極的な決意を表明した一文からは、楽しげなハナの声が聞こえてくるようだった。

メールの後半には、〝ユートピア〟の元住人たちの近況が記されていた。園村勝代をはじめとしたNPO法人スタッフの多大なる尽力により、国民健康保険や国民年金への加入は順調に進み、残るは住民登録の手続きのみだという。

リョウが全員分の現金収入を計画的に貯蓄し管理していた上、彼の交渉によって社長の叶内勝が給料の前借りをしぶしぶ許したため、幸い費用面でつまずくことはなさそうだった。弁護士に申請書類を書いてもらい、裁判所に就籍許可の審判を申し立て次第、係属証明書の発行、そして念願の住民登録が可能になる。

それだけでなく、一部のメンバーには、戸籍取得の希望も見え始めていた。

実は羽山は、テッペイの元恋人である仁野芙三子の所在だけでなく、ルミカの亡くなった母親やその元夫と思われる人物の身元、ヨシコの母親らしき高齢女性が入所している特別養護老人ホームの住所など、いくつかの有力な情報をつかんでいたのだ。「警察の権限を駆使して各方面に当たってやる」という彼の言葉は、決して嘘ではなかったらしい。

鳥籠事件の解決により、住人たちの自白を促す交渉材料としての意味をなさなくなったそれらの情報を、「とんだ無駄骨だったな」と羽山はあっさり手放した。それを里穂子がすかさず彼らに伝え、今は園村が、調停申し立てのための証拠集めを進めている。

現役の都議会議員でもある園村は、これを機に、ホームページやブログなどで無戸籍問題について精力的な発信を行っていた。最近は、無戸籍者支援の第一人者として、テレビや新聞でもよく名前を見かける。

そしてもう一人、世間に大きく注目されているのが、三十一年もの間〝ユートピア〟を支え続けた叶内丈だった。

カナウチ食品は、本来であれば、労働基準法や所得税法など、各法律への違反により行政指導や処罰を受けることになる。しかし、叶内丈はむしろ、無戸籍者を救った立役者としてもてはやされているようだった。二歳児を含む十五人を倉庫で生活させていたことについては批判の声も多くあるようだが、処分を軽くするよう嘆願する署名運動などが展開されていると聞く。

〝ユートピア〟は、間違いなく、社会に一石を投じた。

渦中のハナも、そのことは実感しているようだ。彼女のメールは、『こういう大変な思いをするのは、私たちが最後になればいいな』という希望に満ちた一文で締めくくられていた。

そのメールを受け取ってから、早くも一か月が経った。

電車を降りると、初秋の涼しい風が吹きつけた。人のまばらなホームを歩き、改札へと向かう。目的の病院までは、この小さな駅から徒歩十五分ほどだった。古い店から新しい分譲住宅まで、時代の入り乱れる街を縫うように進んでいくと、ひときわ大きな白い建物が目の前に現れる。ここの緩和ケア病棟が、里穂子の訪問先だった。

面会の約束を取りつけた日に、羽山にも連絡を入れた。

案の定、彼は誘いを断った。『行く必要がどこにある。もう終わったヤマだ』と電話口で里穂子を突き放しつつ、『死に際の老人に追い打ちをかけるような真似はするなよ』とわざわざ念を押してきたあたり、どうやら彼も口が悪いだけで、人の心がないわけではなさそうだった。

エレベーターから出て、ナースステーションで面会手続きをする。案内されたのは、廊下の突き当たり近くにある個室だった。ドア横の白いプレートに書かれた氏名を確認し、静かにノックをしてから戸を開く。

病室には、大きな窓があった。陽が燦々《さんさん》と降り注ぐ中、白いベッドに横たわる痩せ細った老人が、ゆっくりと目を開ける。

「はじめまして。蒲田警察署の森垣と申します。息子さんを通じて、お約束させていただいた……」

彼の鼻には、酸素吸入用のカニューレが装着されていた。左腕からは点滴の管が伸び、中を透明な薬液が満たしている。

言葉が伝わっているかどうか不安になった頃、ぼんやりと里穂子の顔を見つめていた叶内丈が、ああ、とわずかに目を見開いた。

「勝から聞いてるよ。どうぞ、そちらへ」

叶内丈が右手を上げ、窓際のソファを指した。腰を下ろすなり、「すまないね」と声をかけられ思わず目を瞬く。

「何度も電話をくれたのに、勝が断っていたんだろ？　最近、抗がん剤治療をやめてこっちに移ってきてから、やっとそのことを知らされてね」

「そうだったんですか」

「体調も悪かったし、あとは感染が怖いとか何とかで、ずっと家族以外は誰とも会ってなかったけどね。もうあとは死を待つだけだから、面会くらい好きにさせてくれ、医者に止められているなら病院を変えてくれと、勝に話したんだよ。そのときに、あなたのことを教えてもらった」

「〝ユートピア〟の皆さんとは、もうお会いになりましたか？」

「昨日、テッペイとヨシコが来てくれたよ。その前の日は、リョウとハナ。いっぺんに二人までしか面会できないのは悲しいが、しょうがないね」

　息子の叶内勝から連絡があったのは、つい昨日のことだった。もしかすると、ハナが里穂子のことを話してくれたのかもしれない。だから目の前の老人は、こうして会ってみる気になったのだろう。

「こういう日がいつか来るんじゃないかと、覚悟していたんだ。勝のことを考えると、むしろ私が生きているうちでよかった。責任を全部、息子におっかぶせないで済むからね」

　叶内丈が途切れ途切れの声で言い、かすかに笑みを浮かべながら白い天井を見上げた。

「だから、全部話すよ。訊きたいことを、何でも訊いてくれ」

「ごめんなさい。今日は、捜査のつもりではないんです」

そう告げると、叶内は口を半開きにした。持ってきた紙袋から小ぶりのフラワーバスケットを取り出すと、叶内の顔に浮かぶ驚きの色がいっそう濃くなった。

「お見舞いの品です。つまらないもので申し訳ありません」

「いや……では、なぜ？」

「一つ、お伺いしたいことがありまして」

家族でも親しい友人でも、彼の世話になったわけでもない自分が、こんな場所まで押しかけるのは非常識だ。それでも里穂子には、叶内がこの世を去る前に、どうしても明らかにしておきたいことがあった。

リョウやハナをはじめ、〝ユートピア〟の元住人たちに尋ねても、誰も答えを知らなかった。叶内さんは、温かい人だから。優しい人だから。彼らは口々にそう話したが、ただそれだけの理由だったはずがない。

「叶内さんは……どうして、無戸籍者支援を始められたんですか？」

里穂子が押し出すように言うと、叶内は口元を緩め、過去を懐かしむように目をつむった。

「テッペイが面接を受けにきたからだよ。身分証はないが働かせてください、と言って」

「そうではなく、もっと根本の部分の話です。三十一年にもわたって、十五人もの無戸籍者の支援を続けられたわけですよね。法を破る覚悟もそうですが、彼らへの深い共感なしには、足を踏み入れられない領域だと思うんです」

彼と違う角度から無戸籍者支援を続けてきた園村勝代は、高校時代に無戸籍の友人がいたことがきっかけだったと話していた。一人だけ海外への修学旅行に行けなかった友人のような人間を救うために、政治家になり、支援活動を始めたのだと。

叶内丈にも、何か理由があったはずだと、里穂子は確信していた。そうでないと、これほど長い間、さまざまなリスクを冒して無戸籍者たちを見守り続けることなどできない。

今日ここにやってきたのは、これから里穂子がリョウやハナらと交流を続けていくにあたって、叶内丈という先人のことを、真に理解しておくためだった。

「ああ……」叶内が意外そうに呟く。「それを訊かれるとは、思わなかったな」

人に話すのは初めてかもしれないな——と、彼は感慨深げに言った。別に、振り返るのが嫌だったわけじゃない。自分からわざわざ言うようなことではないと思っていたから。

「私は……元、戦災孤児でね」

ためらうように口を開いた叶内を、里穂子は息を呑んで見つめた。

「戦後の一時期、無戸籍だったことがあるんだ。空襲で両親と離れ離れになって、わけも分からないまま、他の浮浪児と一緒に駅に住みついた。食べるものがなくていよいよ死にかけていたときに、親切な男の人に拾われて、孤児院に連れていかれた。お父さんは誰だ、お母さんの名前は、と何度も訊かれるんだけどね、まだ三歳だったから、ちっとも答えられない。その後、戸籍は作ってもらえたけど、載っているのは私一人だった。父母の名前は空欄。死んだ家内と結婚するまでは、ずっと、寂しかったね」

「ご自身が無戸籍だった経験があるから、他の無戸籍者の方々のことを見過ごせなかったということですか」

「まあ、そういうことになるかな。私の場合はたった数か月だったが……何度思い返しても、恐ろしく思えるんだ。自分が一時期でも、『誰でもない人間』だったということがね。だから、私にできることがあるなら、助けてやりたいと思った。住まいや食べ物を用意して、うちの工場で働けるようにして、お給料も出して――」

叶内が小さく咳き込んだ。「すみません、たくさん喋らせてしまって」と里穂子が慌てると、「今日はもともとそのつもりだったよ」と叶内は弱々しく微笑んだ。

「でも、私のやり方は、古かったんだ。こんなに違う時代になったのに……私は未だに、戦後を引きずっていたんだね」

「……え？」

「たまにテレビを見るから、知っているよ。あんな隙間だらけの古びた倉庫にあの子らを住まわせていたなんてひどいと、世間では言われてるんだろう。思い返してみればそのとおりだ。本当の篤志家なら、家を借りてあげるか、社員寮くらい建ててやったんじゃないか？　私のやったことは、あまりにも中途半端だったんだ」

「いえ、そんな……」

大富豪でない限り、そんなことはできない。それ以前に、他人のために身銭を切ろうとしない金持ちだってたくさんいる。叶内丈は、自分ができる範囲で無戸籍者の生活を支えようと、全力を尽くしていたはずだ。

「私は結局、自分が戦災孤児だった頃に、喉から手が出るほどほしかったものを――屋根と、食べ物と、服と、お金を――恵んであげさえすればいいと思っていたんだね。それであの子らを救ったつもりになっていたなんて、恥ずかしい。テレビで見たが、最近は無戸籍でも住民票や保険証がもらえるようになったんだろう？　リョウやハナだって、本当は学校に行けたんだね。そんなことも知らずに……知ろうともせずに、私は何をやっていたのか」

「叶内さん、それは――」

「最初に私のところへやってきたテッペイとヨシコに喜ばれたことで、自信過剰になって新聞に投書までして……そのせいで、リョウとハナがうちに捨てられてしまった。鳥籠事件の子どもたちが死んでしまった。さすがにマスコミの取材を受ける体力はもうないから、どうかあなたの口から伝えてくれないか。本当に申し訳なく思っていると――」

「それは違いますよ」

里穂子があえて強い口調で言い切ると、叶内が驚いたように顔を上げた。

「すべての責任は、他人の善意を悪用した犯人にあります。叶内さんが罪悪感を覚える必要なんて、どこにもありません。〝ユートピア〟の皆さんは、叶内さんのことを心から尊敬し、感謝しているんです。もし〝ユートピア〟に受け入れてもらえなかったら、今ごろ道端で野垂れ死にしていたから。きっと今でも暴力を振るわれ続けていたから。身体を売らないと生きていけなかったから。理由は人それぞれです。ハナさんだって言っていました。二十四年間、愛情たっぷりに育ててもらって幸せだったと」

「感謝するのは、私のほうだよ」叶内の目には、涙が光っていた。「単純作業ばかりで大変な労働だったろうに、私の工場で長く働いてくれてありがとう、とね」

突然、叶内が目を閉じて、彼らの名前を呼び始める。

――テッペイ。ヨシコ。ハジメ。ヨーイチ。ミチオ。

その掠れた響きとともに、里穂子のまぶたの裏に、一週間ほど前に会いにいったばかりの彼らの姿が、浮かんでは消えていく。

芙三子と息子と三人で、初めて写真を撮ったんだ、とはにかむテッペイ。

彼が手に入れたばかりのスマートフォンを取り上げ、あたしのスマホに転送するにはどうやるんだい、と尋ねてくるヨシコ。

――ミノル。タカヒロ。マサト。リョウ。ハナ。

一人用のこたつテーブルの上に履歴書を広げ、書けることが少なすぎるよう、と口を尖らせているハナ。

そんな彼女の隣に座り、いいから見せてみろ、ああここの漢字が違う、と呆れ顔で指導するリョウ。

――カズヤ。タクロー。アツシ。ルミカ。ミライ。

先月から工事現場のバイトも掛け持ちで始めたんです、とはにかんだ顔で力こぶを披露するアツシ。

そろそろ児童館に遊びにいこうか、とエプロンを外しながら楽しげに声をかけるルミカ。

新しく買ってもらったキャラクターもののリュックをいそいそと背負い、満面の笑みでアパートを飛び出していくミライ。

十五人全員の名前を呟き終えると、叶内はどこか満足げに、ふうと大きく息を吐いた。

「これは、今日刑事さんに会ったら、絶対に言おうと思っていたんだけどね」

彼が唐突に、自白する被疑者のようなことを言う。

「私はずっと、怖かったんだと思う」

「……怖かった？」

「これだけの人の命が、自分一人にかかっていることが。そして、うちの工場が、彼らの世界のすべてになっていくことが。自分の意思で始めておきながら、〝ユートピア〟が大きくなるにつれて、私はどんどん尻込みしていたんだよ。だから……あの子らにはとても言えないが、死ぬ前に肩の荷を下ろせてよかった。もう私や息子が支えなくても、彼らはしっかりと、自分たちの力で生きていけるんだね」

「はい」——と、力強く答える。

「ありがとう。あの子らに直接訊いても、大丈夫と言われるに決まっているからね。これで私も、安心して旅立てるよ」

疲れたように、叶内丈が目を閉じた。

寝息が聞こえてきたのを待ち、里穂子は足音を立てないように注意しながら、秋の陽光に包まれた病室を後にした。

＊

ショッピングモールのエスカレーターを下りた先に、地下へと続く駅の入り口が見えてくる。

買ったばかりの靴を履いて機嫌よく歩いていた結菜が、あと少しというところで、不意に立ち止まって泣き出した。

「おっと、また疲れちゃったかな」

「そうみたいね。今日はたくさん歩いたし」

「俺が抱っこしようか？」

「いいよ、私で。代わりに荷物をお願い」

万歳のポーズで抱っこをせがんでいる結菜を、ひょいと抱き上げる。「よかったなぁ結菜、体力のないお母さんだったらこうはいかないぞ」と陽介が頬をつつこうとすると、泣きべそをかいている結菜が勢いよくそっぽを向いた。「もう思春期かよ。傷つく」「子どもは顔を触られるのを嫌がるからね」「くそぉ、ほどほどにしておくか」などと雑談しながら駅に入ろうとしたとき、ふと、視線を感じた。

その正体を視認する前から、妙な懐かしさが胸によぎる。

前方の階段に、黒いコートを羽織った長身の男が立っていた。足を止め、こちらを眺めている。

「……羽山さん」

思わず声をかけると、彼はしぶしぶといった様子で近づいてきた。「職場の人？」と驚いている陽介に向かって、羽山は会釈をしてからこちらに向き直った。開口一番、「休日があるとはいいご身分だな」と皮肉を飛ばす。

「羽山さんは……ショッピングじゃないんですか？」

「バカ言え。捜査の途中だ。所轄と違って暇じゃないんだよ」

九月の人事異動で、羽山が捜査一課の強行犯捜査に復帰したことは小耳に挟んでいた。特命捜査対策室に少なくとも四年間いたわけだから、彼は二十代ですでに警視庁の花形部署に配属されていたことになる。

周りとの軋轢《あつれき》を生みやすく、昇進や栄転にこだわりすぎるきらいはあるが、やはり刑事としては本来優秀なのだ。そうでないと、あのスピードで沼田や栃崎を追い詰め、証拠を固めて逮捕に持ち込むことはできない。

「異動、おめでとうございました。今回のことで未解決事件のスペシャリストと持ち上げられて、逆に手放してもらえなくなるのではと思っていましたが」

「そんな横暴は許さん。あれほどやりがいがない部署は一生御免だ」

「やりがい、なかったんですか？　二十四年前の誘拐事件を華々しく解決して、警視庁中に手柄が知れ渡ったのに」

「あれはたまたま打ちあがった特大花火だ。あのまま同じ部署に残り続けても、生きているうちには二度と拝めないかもしれない。一度大勝ちしたからといって、次も同じように博打を打つのは悪手というものだ」

羽山が小さく鼻を鳴らし、コートのポケットに手を入れたまま里穂子を見下ろした。腕の中にいる一歳児が興味津々に凝視しているのに、ちっとも目を合わせようとしないところがこの男らしい。だがまあ——と、羽山は面白くなさそうに再び口を開いた。

「礼は言っておく。俺も窓際を脱却したことだし、本庁への推薦くらいならいつでもしてやろう。蒲田署にまあまあ使える女刑事がいるってな」

「えっ……」

「勘の鋭さは及第点だ。体力や根性もある。被疑者や参考人に肩入れしすぎるあまり、捜査の効率が悪くなるところはやや気になるが、そのぶん足で稼げば落ちこぼれることはないはずだ。もちろん、お前の意向次第だが」

「……ありがとうございます。ゆっくり考えさせてください」

里穂子が頭を下げると、羽山は意外そうに眉を上げた。

「てっきり、諸手を挙げて飛びつくと思ったが」

「すごく嬉しいんですよ。ただ、私、所轄の刑事課の仕事でもパンクしそうなので」

「それはお前が相手の事情に首を突っ込みすぎるからだろう」

羽山が呆れたように言い、間を置いて付け加えた。

「……まあ、お前はそのスタンスでいればいい。結果として事件が解決したのなら、そのやり方は間違っていなかったということだ。気が向いたらでいい。そのときはすぐにでも連絡してくれ」

じゃ、と羽山が短く言い残して去っていく。

冬を感じさせる風が吹き、結菜が里穂子の胸に頬を押しつけた。すごいな、俺は応援するよ、と陽介が興奮したように耳元で囁いている。

鳥籠兄妹誘拐事件の解決を経て、羽山は栄転を勝ち取った。

自分は、何を得たのだろう。

少なくとも一つ、分かったことがある。よき理解者である夫がいて、日々成長していく娘がいて、これしかないと信じて没頭できる仕事があって、自分という人間が自分らしくいられる居場所がこの社会に確かに用意されていると思える時点で、たとえ些末な葛藤があったとしても、里穂子の生活はすでに光に満ちていたのだ。

自分は恵まれていた。何の問題もなく、スタート地点に立つことができていた。三十一年前、この世に生を享《う》けたときから、ずっと。

それがどれほど幸せなことだったのか、今では分かる。

どんな形でもいい。

願わくはこれから先、陽介や結菜にとっても、森垣里穂子という人間のいるこの場所が、何物にも代えがたい〝ユートピア〟であってほしい。

腕の中の娘を強く抱きしめながら、後ろを振り返る。

遠くに見える黒いコートが、強い風にはためき、建物の陰に消えた。

【主な参考文献】

秋山千佳『戸籍のない日本人』双葉新書
井戸まさえ『無戸籍の日本人』集英社文庫
井戸まさえ『日本の無戸籍者』岩波新書
本田靖春『誘拐』ちくま文庫

本書は書き下ろしです。

トリカゴ

2021年9月30日　初版
2022年2月10日　3版

著者
辻堂《つじどう》ゆめ

装丁
アルビレオ

写真
Hara Taketo/EyeEm/Getty Images

イラストレーション
のみあやか

発行者
渋谷健太郎

発行所
株式会社東京創元社
〒162-0814 東京都新宿区新小川町1-5
03-3268-8231（代）
http://www.tsogen.co.jp

DTP
工友会印刷

印刷
理想社

製本
加藤製本

 ISBN978-4-488-02849-7　C0093